한 스님

한 스님

박헌영 아들
원경 대종사
이 야 기

손호철 지음

한 스님

박헌영 아들 원경 대종사 이야기

초판 1쇄 2023년 12월 6일
지은이 손호철
펴낸곳 이매진 **펴낸이** 정철수
등록 2003년 5월 14일 제313-2003-0183호
전화 02-3141-1917 **팩스** 02-3141-0917
이메일 imaginepub@naver.com
블로그 blog.naver.com/imaginepub
인스타그램 @imagine_publish
ISBN 979-11-5531-143-1 (03990)

지은이 **손호철**

화가를 꿈꾸다 서울대학교 정치학과로 진학했다. 선배를 잘못 만나 운동권이 됐고, 제적, 투옥, 강제 징집을 거쳐 8년 만에 졸업했다. 어렵게 기자가 됐지만, 신군부가 저지른 '1980년 광주 학살'에 저항하다 유학을 가야 했다. 귀국한 뒤 서강대학교 정치외교학과 교수로 일하며 사회과학대 학장과 대학원장 등을 지냈다. 2018년 정년을 마친 뒤 서강대학교 명예 교수로 있으면서 정의당 정의정책연구소 이사장을 맡고 있다. 한국정치연구회 회장, 복지국가연구회 회장, 《진보평론》 공동대표, 민주화를 위한 전국교수협의회 상임의장, 국정원 과거사건 진실규명을 통한 발전위원회(국정원 진실위) 위원, 간행물윤리위원회 좋은책 선정위원 등을 지내며 진보적 학술 활동과 사회운동을 펼쳐왔다. 《국가와 민주주의》, 《한국과 한국 정치》, 《촛불혁명과 2017년 체제》 등 이론서, 《유신 공주와 촛불》, 《빵과 자유를 위한 정치》 등 정치평론집, 《즐거운 좌파》라는 에세이를 냈다. 여행과 사진 찍기를 좋아해 《마추픽추 정상에서 라틴아메리카를 보다》, 《카미노 데 쿠바 — 즐거운 혁명의 나라 쿠바로 가는 길》, 《물속에 쓴 이름들 — 마키아벨리에서 그람시까지, 손호철의 이탈리아 사상 기행》, 《레드 로드 — 대장정 15500킬로미터, 중국을 보다》, 《키워드 한국 현대사 기행》(전 2권) 등 역사 기행서와 《슈팅 이미지》(공저)라는 사진집을 냈으며, '제1회 포토코리아 사진전'에 초대 작가로 참여해 '대륙의 꿈'이라는 사진전을 열었다. 마키아벨리와 그람시 로드를 시작으로 로자 룩셈부르크 로드, 레온 트로츠키 로드 등 진보 사상 기행을 준비하고 있다.

표지사진 **손호철**

발간사

그리운 우리 스님, 원경 스님

2021년 12월 6일(음력 11월 3일) 원경 스님(속명 박병삼)이 향년 81세로 홀연히 이 세상을 떠났다. 심장 마비로 갑자기 쓰러졌다. 12월 6일은 어머니 정순년의 기일이기도 했다.

입적하기 일주일 전 나도 참석한 저녁 모임에서 스님은 이런 말씀을 하셨다. "내가 살아도 얼마나 살겠습니까. 살아 있는 동안 지인들하고 자주 만나 식사라도 함께하면 좋겠습니다." 당신이 언제 세상을 뜰지 모른다는 생각에서 하신 말씀으로 여겨졌다.

원경 스님의 인생은, 특히 어린 시절과 젊은 시절은 현대사의 비극을 온전히 체현하는 참으로 기구하고 파란만장한 삶이었다. 한국 공산주의 운동을 이끈 최고 지도자 이정 박헌영의 혼외자로 태어난 탓이다. 스님은 비극적 삶을 강요하는 운명 아래 좌절과 방황과 원망과 울분으로 발버둥 치다가 마침내 찾아낸 삶의 긍정적 의미를 실현하려 애쓴 분이었다.

무엇보다 원경 스님은 자료 발굴, 책 발간, 연구자 지원 등을 통해서 민족 해방과 사회 해방을 위해 싸운 박헌영을 비롯한 국내 공산주의 계열 활동가들이 역사적으로 옳게 평가받을 수 있도록 온갖 노력을 다했는데, 스님이 아니면 할 수 없는 일이었다. 나아가 원경 스님은 군부 독재 시절 민주화 운동에 참여한 많은 사람하고도 깊은 친분을 맺어 위로하고 물심양면으로 후원했는데, 이런 점에서 보면 민주화 운동의 든든한 후견인이라 할 만했다.

돌이켜보면 원경 스님은 남달리 사람 사이의 친분을 중시하고 한번 친분을 맺은 모든 사람을 한없이 끌어안는 분이었다. 그래서 그런지 생전에 친분을 맺은 이들에게 원경 스님은 이념적 지향이나 가치관을 떠나 무척이나 인간적인 존재였다. 갑작스러운 입적 소식을 듣고 나를 비롯한 여러 사람이 울먹인 이유도 원경 스님이 지닌 이런 인간적 면모 때문이었으리라.

원경 스님을 떠나보낸 뒤 불교계가 나서서 스님을 추모했다. 조계종 원로회의 부의장까지 지낸 만큼 당연한 일이었다. 또한 생전에 원경 스님하고 친분을 맺은 이들이 중심이 돼 소중한 인연을 되새기고 고인을 추모하는 '원경모임'을 결성했다. 우리 모임은 주요 사업의 하나로 원경 스님 입적 2주기가 되는 2023년 12월 6일까지 '원경 평전'을 출간하기로 의기투합했다.

《한 스님 — 박헌영 아들 원경 대종사 이야기》는 바로 그런 마음들이 모인 결과물이다. 원경 스님이 입적하기 전 많은 이야기를 나눈 손호철 서강대학교 정치외교학과 명예 교수가 집

필을 맡았다. 이 자리를 빌려 평전을 쓰느라 온갖 자료를 섭렵하고 원경 스님이 살아온 발자취를 찾아 전국 각지를 돌아다닌 손 교수에게 깊은 감사의 인사를 전한다. 아울러 이 평전은 여러 분들이 내주신 기부금 덕분에 세상에 나올 수 있었다. 기부금을 낸 김민정(무브먼트), 김상철, 김선자, 김세균, 김윤기, 김판수, 심지연, 양승태, 윤해동, 임경석, 장명호, 장영달, 전영재, 최갑수, 황광우, 허승욱(허유), 익명 한 분께 감사드린다. 흔쾌히 책 출판을 맡아주신 이매진 정철수 대표에게도 고맙다는 인사를 전한다.

지난해 우리 곁을 훌쩍 떠난 원경 스님, 그리운 우리 스님, 영면하소서!

2023년 12월 6일

김세균(원경모임 대표 · 서울대학교 정치학과 명예 교수) 씀

서문

나는 왜 쓰는가

나는 한 사람에 관한 이야기를 쓴다. 그 사람은 스님이다. 나는 한국 정치를 공부하는 정치학자다. 종교학자도 아닌 내가 스님 이야기를 쓰는 이유는 그 사람의 삶이 격동의 한국 현대사를 가장 응축해 보여주기 때문이다.

조계종에서 가장 높은 품계인 대종사, 혼외자, '빨갱이' 자식, 소년 빨치산, 해군 특수전전단UDT 요원과 북파 공작원 교관, 탈영병, 40 대 1 대결에서 18명을 때려눕힌 무술 고수, 한국판 강제 노동 수용소인 국토건설단 단원, 음독자살 시도……. 서로 잘 어울리지 않는 매우 모순된 조합이다. 그러나 이런 일을 모두 경험한 사람이 있다. 원경 스님이다.

원경 스님은 조계종에서 가장 높은 품계인 대종사에 오르고 정치로 치면 국회 부의장 격인 원로회의 부의장을 지냈다. 감옥에서 나온 일제 강점기 조선공산당 최고 지도자 박헌영과 박헌영을 돌보라며 불려온 순박한 10대 소녀 사이에서 혼외자 박병삼으로 태어났다. 태어나자마자 아버지는 일제 경찰을 피해 잠행하고 어머니는 친정에 잡혀가면서 어린 박병삼은 남의 손에 컸다. 해방 뒤 좌우 대립 정국에서는 남조선노동당 핵심 간부들 사이에 섞여 비밀 아지트에서 지냈다. 한국전쟁이 터지자 아홉 살 어린 나이에 먼 친척인 한산 스님 손에 이끌려 머리를 깎고 지리산으로 들어가 빨치산하고 함께 살았다.

휴전 뒤에도 절에서 살던 원경은 김일성과 북한 정권이 아버지를 미국 제국주의 간첩이라는 누명을 씌워 처형한 사실을 알고는 복수를 한다며 유디티에 지원해서 북파 공작원을 훈련하는 특수 부대 교관으로 근무했다. 전역 뒤 20년 만에 어머니를 만나지만 기구한 신세를 비관하며 음독해 14일 만에 살아났다. 정신적으로 방황하는 와중에 환속한 친구들을 도와 40 대 1의 싸움을 벌여 18명을 쓰러트린 뒤 출동한 경찰에 잡혀갔다.

제주도에서 생활하다가 호적이 없다는 이유로 박정희 정권이 만든 국토건설단에 잡혀가 1100도로를 건설하는 강제 노역에 동원됐다. 1970년대 들어 간신히 가호적을 얻지만 10월 유신 뒤 군 정보기관에 납치돼 뭇매를 맞으며 박헌영의 아들이라는 사실을 실토할 수밖에 없었다. 빨갱이 자식이라는 색깔론에 평생을 시달리지만 《이정 박헌영 전집》을 출간하고 아버지 제사를 모셨다.

—

《한 스님》은 '한 인물을 통해 본 한국 현대사'이자 어떤 이야기보다도 더 극적인 '휴먼 드라마'다. 다만 전제가 있다. 여러 면에서 부족하고 '미완성' 상태라는 사실이다. 원경 스님과 어머니가 가진 기억과 회상에 의존하고 있기 때문이다. 사람의 기억이란 불완전하다. 원경 스님은 숨겨진 과거를 1989년부터 공개적으로 밝히기 시작하는데, 그 뒤에 한 여러 인터뷰에서 몇몇 모순이 발견된다. 시대가 바뀌어 그동안 하지 못한 이야기를 더하거나 자기의 뿌리와 좌익 운동 역사를 조사해 채운 곳도 보인다.

원경 스님은 뒤늦게 자기 삶을 기록하기로 결심하고 그동안 꺼리던 이야기들을 좀더 솔직히 털어놓다가 갑자기 입적했다(2021년 12월 6일, 법랍 62년, 세수 81세). 안타까운 일이다. 나는 나름대로 자료를 비교하고 정황을 고려해 이야기를 고쳤다. 의문이 들 때는 언론 보도, 관련자 인터뷰, 현지 답사 등을 거쳐 문제되는 부분을 각주에 밝혔다. 증거는 없지만 확실해진 사실도 있었다. 원경 스님은 어머니를 빼어 닮았다. 예전에는 아버지는 체격이 크지 않은데 아들은 기골이 장대하다는 이유로 원경 스님이 박헌영의 아들이라는 사실 자체를 의심하는 사람도 적지 않았지만, 어머니가 한 증언을 비롯해 여러 정황이 밝혀지면서 이제 그런 이들은 거의 없다. 다섯 살 때부터 20년간 원경을 키워준 한산 스님 이야기도 마찬가지였다. 원경 스님하고 매우 가까운 사이이자 승려 출신이라 불교계를 잘 아는 김성동 작가가 한산 스님을 모른다고 증언하고 하나뿐인 사진도 신분을 보호하려 얼굴을 잘라 낸 탓이었다. 그렇지만 한산 스님이 가상 인물이라면 원경 스님이 어린 시절에 혼자 살아남은 과정을 설명할 수 없다.

—

내가 원경 스님을 처음 만난 때가 미국 유학에서 막 돌아온 1980년대 말이니, 그사이 30여 년이 흘렀다. 그 뒤 스님이 하는 이야기를 직접 듣고 인터뷰를 모두 읽으면서도 이런 글을 쓸 생각은 하지 않았다. 계기는 우연히 찾아왔다. 바로 코로나19다. 코로나19와 원경 스님 일대기가 무슨 상관이냐고 물을 수 있겠지만, 연관이 있다. 불교에서는 연기설緣起說에 따라 모든 것이 연결돼 있다고 하니 말이다.

코로나 19가 터지면서 외국 여행이 어려워졌다. 나는 훨씬 나이 들어 하려고 생각한 한국 현대사 기행을 결행하기로 했다. 2020년 봄부터 준비를 시작해 100여 개 주요 사건이나 인물을 고른 뒤 여름부터 답사를 시작했다(이 기행은 《한국일보》와 《프레시안》에 연재한 뒤 《키워드 한국 현대사 기행 1》과 《키워드 한국 현대사 기행 2》로 출간됐다). 기행 목록에는 박헌영 생가도 들어 있었다. 원경 스님에게 전화를 해 주소를 물었다.

"손 석학(원경 스님이 2018년 정년 퇴임을 한 나를 부를 때 쓴 호칭), 저랑 같이 갑시다."

스님은 충청남도 예산에 흩어진 박헌영 유적을 직접 안내했다. 그 뒤 동학에 관련된 전라북도 정읍과 남원부터 빨치산 현장인 지리산과 4·3의 아픔을 간직한 제주도 등 역사 현장을 함께 다니면서 당신의 삶에 관련된 비화를 많이 들려줬다. 나는 이 이야기를 기록해야겠다고 생각했다.

"중이 무슨!"

"스님, 이런 이야기는 한 개인의 기록을 넘어 한 시대의 기록으로 반드시 남겨야 합니다."

나는 여러 자료를 참고해 만든 〈원경 스님 연대기〉를 보내 설득했다. 스님은 이 연대기를 고쳐 보내며 화답했고, 나는 스님 행적을 따라 세운 답사 계획을 다시 보냈다.

"12월 13일까지는 종정 선거로 바쁘니, 선거 끝나면 새해부터 바람도 쐴 겸 같이 다닙시다."

며칠 뒤 원경 스님은 갑작스럽게 입적했다. 기구한 삶의 행적을 돌아보는 답사는 영원히 떠날 수 없게 됐고, 나 혼자 전국을 다니면서 스님의 행적을 톺아봤다. 당사자 증언을 듣지 못한 만큼 공백으로 남은 곳이 많았다. 출간 작업을 포기하려는 생각도 했지만, 이런 한계를 고려하더라도 바탕으로 삼을 만한 큰 줄기는 세운 만큼 책을 쓰라는 주변 권유 때문에 쓰기로 결심했다.

한마디로 이 책은 원경 스님과 어머니가 한 회상에 기초하는 '다큐멘터리'이지만 이야기를 생생히 전달하려 소설 비슷한 형식을 택했다. 앞에서 말한 대로 행적은 객관적 상황을 빼면 모두 원경 스님과 어머니가 한 회상에 기초했다. 회상을 사건 형식으로 풀어 썼으며, 전체 맥락을 고려할 때 당연히 오갈 이야기를 대화 형태로 재구성하기도 했다. 부록에는 원경 스님의 복잡한 가계도와 원경 스님 연대기, 주요 등장인물 해설을 넣었다. 몇몇 유명 인사는 유족이 만에 하나라도 고인의 명예에 누가 된다고 생각할지 몰라 성씨의 초성만 밝히고 이름은 '○○'로 표시했다.

병삼, 유동, 세원, 현준, 일우, 명초, 성진, 혜공, 혁, 원경. 원경 스님이 생전에 쓴 이름이다. 스님은 이름을 모두 14개를 썼는데, 이 사실 자체가 기구한 삶을 웅변한다. 나는 그때그때 꼭 필요하지 않으면 병삼과 원경이라는 이름을 쓴다. 또한 원경 스님의 삶, 특히 어린 시절과 청년 시절이 일제 강점기 말부터 해방 정국, 한국전쟁, 5·16 쿠데타 등 격변기인 만큼 시대적 배경이 스님의 삶을 제대로 이해하는 데 매우 중요하다. 그러나 이야기 흐름을 방해하지 않아야 하기 때문에 설명은 되도록 줄이고 간단한 각주를 달았다.

—

나는 이 이야기를 2022년 2월부터 5월 말까지 한 주에 두 번 각 두 편씩 모두 64편을 《프레시안》에 연재했다. 이 연재를 바탕으로 연재 뒤에 밝혀진 새로운 사실을 추가하고 오류를 수정했다. 1945년부터 1953년까지 해방 정국 이야기를 다룬 유병윤 화백의 《무너진 하늘 — 혁명과 박헌영과 나》(전 3권), 손석춘 교수가 쓴 《박헌영 트라우마》, 윤해동 박사 등이 한 인터뷰, 원경 스님 자작 시집 《못 다 부른 노래》에 실린 자서전 〈나의 이야기〉를 참고했다.

스님을 따라 저세상으로 떠난 김성동 작가, 허유 화백, 안종관 선생 등 원경 스님하고 교류한 여러 분들이 한 증언도 스님의 삶을 되살리는 데 도움이 됐다. 특히 김세균 서울대학교 명예 교수, 심지연 경남대학교 명예 교수, 최갑수 서울대학교 명예 교수는 스님 생전에 제주도, 지리산, 예산 등을 함께 답사했다. 이 세 분에 더해 양승태 이화여자대학교 명예 교수와 최풍만 동지가 고인의 흔적을 찾아 전국을 함께 답사했다. 스님이 입적하기 며칠 전 광주에서 올라와 '마지막 만찬'을 같이한 황광우 박사와 유미정 박사, 김윤기 씨, 임경석 교수, 스님을 다루는 연극을 연출한 김민정 극단 무브먼트 대표, 사진 등 자료를 도와준 박용옥 영해박씨 종친회 총무, 이동순 시인, 김미연

사진작가, 만기사에서 스님을 모신 박 보살과 이 처사, 후임 만기사 주지가 돼 스님의 유업을 이어가는 덕조 스님, 출간에 필요한 경비를 지원한 여러 분 등 직간접으로 도움을 준 모든 이들에게 감사드린다. 《프레시안》에서 연재를 담당한 임경구 기자와 출판사 이매진 정철수 대표에게도 고마움을 표하고 싶다.

역사 현장을 답사하고 글을 쓰는 동안, 나는 거의 잠도 자지 못했고 우울증에 시달렸다. 경찰 습격 뒤 어린 원경이 남로당 아지트에 홀로 남아 느낀 두려움 같은 감정을 나도 느껴야 했다. 빨리 글을 끝내고 고통에서 벗어나고 싶다는 생각을 여러 번 했다.

이 자리를 빌려 다시 한 번 한국 현대사의 희생자인 박병삼 씨의 명복을 빈다. 아니, 원경 스님의 극락왕생을 기원한다. 그리고 원경이 소원한 대로 '남북한에서 모두 저주받은 자' 박헌영이 빠른 시간 안에 치열한 독립운동가와 실패한 혁명가로 최소한 역사적인 수준에서 복권되기를 바란다.

원경 스님은 평소에 말했다. "산 자의 그리움은 족쇄와 같아서 살아 있는 사람이 내려놓지 않으면 망자는 떠날 수가 없습니다." 이제 나도 그리움을 내려놓으려 한다.

2022년 분당에서

손호철

박헌영과 정순년

박헌영 생가 앞, 2020년 7월

해방 무렵 혜화장

혜화장, 2022년

원경 스님(맨 위 오른쪽 둘째)과 얼굴 없는 한산 스님(맨 위 오른쪽 첫째)

빨치산이 인쇄소로 쓴 뱀사골 석실

충청북도 단양군 구인사의 초창기 모습

경상남도 남해군 금산 부소대

전호주와 의 관계	박헌영 의 자				전호적	
부	박 헌 영	성별	남	본	입적 또는 신호적	
모	정 순 년					
호 주	박 병 삼(朴秉三)				출 생	서기 1941년 2월 8일
					주민등록 번호	410208 - 1224819

충청북도 청주시 이하 미상번지에서 출생

2000년 9월 5일 수원지방법원 호적정정허가, 동월 14일 신청, 출생란 출생년 (1937년)을 (1941년)으로 정정

위 등본은 호적(제적)의 원본과 틀림없음을 인증합니다.

'박헌영의 자'로 정정된 호적, 2000년

제주도 서귀포 봉림사 앞에 선 원경 스님, 2020년

고 김성동 작가, 2022년

대종사 품계를 품서받는 원경 스님, 2015년

원경 스님이 설립을 이끈 역사문제연구소

경기도 평택에 자리한 만기사

모스크바에서 만난 박비비안나 부부와 원경 스님, 1991년

원경 스님 친척 모임

정순년 여사 장례식, 2004년

만기사에 들머리 언덕에 세운 세 탑, 2017년

젊은 시절 원경 스님(가운데)

도서관에 비치된《이정 박헌영 전집》, 2017년

이정 박헌영 기일, 2018년

이정 해원탑을 찾은 추모객들, 2019년

원경 스님 80세 생신 축하 모임, 2021년

4·3 유적 답사, 2021년

제주도 시절을 회상하는 원경 스님, 2020년

제주도에서 상념에 잠긴 원경 스님, 2021년

원경 스님 다비식과 영정, 2021년

여운 작가가 그린 원경 스님, 2004년

차례

3부 복수심을 버리다

4부 공수래공수거

부록

1부 버려진 소년

복수

"김일성 개새끼, 반드시 내가 네 목을 따고 말 거야!"

1959년 겨울, 살을 에는 추위 속에 경상남도 진해시 지하를 관통하는 하수구에서 뭔가가 움직이고 있었다. 건장한 청년이었다. 청년은 죽을힘을 다해 오물로 가득한 하수구를 지나 바다 쪽을 향해 기어갔다. 추위와 피로에 온몸이 마비되고 의식마저 잃을 정도였다. 그때마다 청년은 김일성을 생각하면서 이를 악물었다.

얼마를 기었을까, 바다가 가까워졌다. 긴장이 풀리자 지난 18년 동안 이어진 파란만장한 삶과 지옥 같은 훈련이 주마등처럼 지나갔다.

"이천구백구십!"

몇 번이나 포기하고 싶은 마음을 이겨내고 병삼은 유디티 훈련 조교가 외치는 구령에 맞춰 팔 굽혀 펴기를 계속했다. 이미 가슴과 팔 등 모든 근육은 감각이 사라진 지 오래됐다.

"이천구백구십일, 이천구백구십이, 이천구백구십삼……이천구백구십구, 삼천!"

3000번을 채운 병삼은 땅바닥에 그대로 뻗었다. 팔 굽혀 펴기 3000번은 일상이었다. 이런 기초 체력 훈련은 약과일 뿐이었다. 공수 낙하 훈련과 수중 폭파 훈련 등 훈련 강도가 높아질수록 낙오자도 늘어났다. 병삼도 훈련을 포기하고 싶은 유혹에 빠졌다. 악명 높은 '지옥주'와 '생식주' 때문이었다.

"제군들, 지금부터 자네들은 지옥이 무엇인가를 직접 체험하게 될 것이다."

조교가 한 말대로 120시간 동안 잠을 자지 못하고 옷도 갈아입지 못하는 지옥주는 지옥 자체였다. 절정은 갯벌 극복 훈련이었다. 질퍽대는 갯벌에서 80킬로그램 넘는 소형 고무보트를 머리에 인 채 구보 등을 하는 훈련이었다.

"병삼아, 병삼아."

고통이 극에 이르자 청년은 갑자기 오래전 세상을 떠난 이현상 아저씨가 자기를 부르는 소리를 들었다.* 환청이었다. 지옥주의 끝에는 생식주가 기다리고 있었다.

"앞으로 120시간 동안 여러분에게 지급되는 것은 이 앞에 있는 물 한 병이다. 나머지는 여러분이 알아서 해결해야 한다."

어린 시절 지리산에서 지낼 때 굶주림에 맞서 싸운 적 있지

---

* 일제 강점기 말 박헌영하고 함께 조선공산당 재건 운동을 벌였고, 한국전쟁 시기에는 지리산 빨치산 부대인 남부군을 지휘한 인물(〈부록 3〉 참조).

만, 벌써 오래 된 일이고 120시간 굶기는 생각조차 한 적 없었다. 체격이 큰 병삼에게는 고문이나 다름없었다.

이 청년은 왜 김일성을 생각하면서 지옥 훈련을 받고 있을까? 극우 이승만 정부에서 흔하게 했던 반공 투사일까?

아니다.

청년은 한국 현대사에서 가장 비극적인 한 인물에 밀접히 관련된 사람이다. 그 인물은 이정 박헌영이다. 박헌영은 일본 제국주의에 저항해 조선공산당을 이끈 지도자다. 감옥에서 자기 똥을 먹는 광인 행세를 해(진짜 정신병을 앓았다는 주장도 있다) 병보석으로 석방된 뒤 소련으로 도주한 박헌영은 상하이로 가서 독립운동을 벌이다가 잡혀 다시 감옥살이를 했다. 해방 뒤 조선공산당 당수로 남한 좌파 운동을 주도하다가 미군정이 탄압하려 하자 1946년 가을 북한으로 넘어갔다. 한국전쟁 휴전 직전인 1953년 3월 김일성에 체포돼 1955년 미제 간첩이라는 누명을 쓰고 사형을 선고받은 뒤 이듬해 총살된 비운의 혁명가다.

하수구를 기어가면서 김일성에게 복수를 다짐한 청년은 박헌영의 아들 박병삼이다. 박병삼은 우리가 아는 원경 스님이다.

아버지의 죽음

"병삼아, 나를 따라서 절을 해라"

"예."

머리를 빡빡 깎고 승복을 입은 열일곱 살 병삼은 한산 스님을 따라 절을 했다.* 때는 1958년 12월 15일이고 장소는 충청남도 예산군 광시면에 자리한 작은 절 대련사였다.

한산 스님은 병삼의 고종사촌 형이자 박헌영의 최측근 비밀조직원이었다. 박헌영이 월북하고 한국전쟁이 가까워지자 한산 스님은 병삼에게 머리를 깎게 했다. 아홉 살 어린아이를 보

* 원경 스님에 따르면 한산 스님은 병삼의 고종사촌 형이자 박헌영의 최측근 비밀 조직원으로 본명은 김제술이고 도쿄 제국대학을 나온 엘리트다. 아홉 살 때부터 성인이 될 때까지 병삼을 키운 사람이라는 점에서 중요한 인물이지만 실체가 명확하지 않다. 원경 스님하고 매우 가까운 사이이자 승려 출신이라 불교계를 잘 아는 김성동 작가도 모른다 하고 딱 하나 남은 사진도 신분을 감추려 한산 스님으로 추정되는 인물은 얼굴이 찢긴 상태다. 만약 한산 스님이 가상 인물이라면 병삼이 아홉 살 때부터 최소한 10대 초반까지 아무런 도움 없이 혼자 살아남은 과정을 설명하지 못한다. 그전에는 자기도 실체를 모른다던 병삼은 2000년대 들어 한 친척이 보낸 익명 편지를 받았다. 한산 스님의 본명이 김제술이라는 내용이었다. 박갑동과 안재성 등에게 김제술이라는 인물에 관해 확인한 원경 스님은 사람들에게 한산 스님이 김제술이라고 설명하기 시작했다. 여러 정황을 비롯해 조봉희와 김소산 등 가족 관계를 고려할 때 한산이 김제술이라는 이런 판단은 상당히 근거가 있다.

호하려면 빨치산을 찾아 지리산으로 들어갈 수밖에 없었다. 휴전 뒤 이곳저곳 절을 떠돌던 병삼은 1958년 봉수산 대련사에 머물고 있었다.

평소 같지 않게 침통한 표정을 한 한산 스님은 잘 지냈느냐 묻지도 않고 곧장 부엌으로 들어갔다. 조금 뒤 사과, 배, 고사리 등 제수를 들고 나온 한산 스님은 투박하지만 아름다운 오층탑을 지나 법당으로 향했다. 한산 스님은 붓을 꺼내 뭔가를 쓰기 시작했다. '朴憲永 靈駕.' 병삼은 충격을 받았다.

"'박헌영 영가'라니! 아버지가 돌아가셨다는 말이에요?"

"병삼아, 따라오너라."

"예, 스님."

절을 끝낸 한산 스님은 아무 말 없이 산을 오르기 시작했다. 눈 덮인 산은 미끄럽고 겨울바람에 살이 에이는 듯했다. 스님은 말없이 임존산성으로 향했다. 대련사에서 30분 정도 올라가야 하는 이 산성은 둘레가 2450미터에 이르는 백제 시대 최대 산성이다. 백제가 나당 연합군에 무너진 뒤 백제 부흥 운동의 중심이 된 곳이기도 했다.

어릴 때부터 빨치산을 따라다니며 단련된 병삼은 숨 하나 흐트러지지 않고 한산 스님을 따라갔다. 산꼭대기에 다다르자 일제가 만든 가장 큰 저수지인 예당저수지를 비롯해 예산이 한눈에 들어왔다. 한동안 말이 없던 한산 스님은 예당저수지를 손으로 가리키며 천천히 이야기를 시작했다.

"저기 아래 저수지 앞에 작은 학교 보이느냐?"

"예. 보입니다."

"저기가 이정 선생님이 공부한 대흥국민학교*다."

"아."

"저기 가면 선생님이 삼일운동에 실패하고서 독립운동을 하려고 상해로 떠나면서 심은 소나무가 있단다."

아버지 이야기가 나오자 병삼은 눈물을 억지로 참았다.

"여기에서는 안 보이지만 예당저수지를 지나 조금만 가면 네 할머니가 큰 국밥집을 하면서 이정 선생님을 키운 신양면이, 거기서 더 가면 이정 선생님이 태어난 광시면 서초정리 마을이 나온다."

"그런가요?"

"그렇다. 이정 선생님 고향이 바로 이 동네다. 부처님이 묘하셔서, 이런 날에 너를 선생님 고향, 그러니까 네 뿌리인 이 동네로 이끌어 오셨구나. 저 아랫동네에 네 친척들이 살았지만 대부분 이정 선생님 때문에 전쟁 통에 죽거나 행방불명이 됐단다. 혹 살아남은 먼 친척이 있을지도 모르고 너희 가계를 아는 사람을 만날 수도 있으니 저 동네는 절대 가서는 안 된다. 얼씬

---

* 이때는 국민학교를 초등학교로 바꾸기 전이었다.

도 하지 마라."

"스님, 알았습니다."

"아니, 내가 누차 말하지만 이 동네가 아니더라도 세상 사람들하고 어울리면 무슨 일이 생길지 모른다. 너는 부처님만 모시고 산속에서 조용히 살아야 한다."

"예."

천천히 말을 이어가던 한산 스님은 가장 중요한 이야기를 꺼내기 시작했다.

"오늘 제사를 지내면서 너도 짐작했겠지만, 그 어른이 이제 돌아가신 듯하구나. 얼마 전 김일성이 처형을 시킨 모양이다. 미국 제국주의의 간첩이라는 터무니없는 누명을 씌웠다고 한다. 정확히 언제 돌아가신지 모르지만, 1955년 12월 15일, 3년 전 오늘 사형 선고를 받은 사실이 신문에 나왔느니라. 그러니 오늘이 기일이라 생각하고 잊지 말고 제사를 모셔야 한다."

"아니 아버지가! 그것도 미제의 간첩이라니!"

병삼은 망치로 머리를 맞은 기분이었다. 분노가 치밀어 피가 거꾸로 솟는 듯했다. 아버지 잃은 아들은 복수심에 불타 주먹을 불끈 쥐었다.

잘못된 만남*

"응애!"

"축하합니다. 아들입니다."

1941년 3월 5일(음력 2월 8일), 충청북도 청주시 무심천을 등진 한 초가집에서 산파가 건네는 아이를 안은 여인은 눈물을 흘렸다.** 아이가 건강하게 태어나 기쁘면서도, 엄혹한 일제 치하에 독립운동을 하며 도망 다니는 투사의 아들이자 정식 결혼을 하지 않은 혼외자가 겪을 운명이 걱정스러웠다. 여인은 손가락에 낀 쌍가락지를 바라보며 아이 아버지를 생각했다.

—

"제가 사람이 필요하고 시집가기 전에 신학문도 가르칠 겸

---

* 이 부분은 《역사비평》 1997년 여름호에 실린 원경 스님 어머니 정순년 여사 회고에 기초한다.

** 2000년대 들어 고친 호적에는 생년월일이 1941년 2월 8일이다. 원경 스님은 이 날짜는 음력이고 양력으로 하면 3월 10일이라고 줄곧 말했다. 그러나 《이정 박헌영 일대기》에는 1941년 3월 21일 출생이고, 1941년 음력 2월 8일을 양력으로 바꾸면 1941년 3월 5일이다.

순년이를 경성으로 데리고 가겠습니다."

"그런가? 자네만 믿겠네. 자네가 잘 가르쳐주게."

충청북도 영동군 포수 집안에서 태어난 정순년은 열여덟 살인 1939년 경성제국대학을 나온 당숙 정태식*을 따라 경성으로 왔다. 가난한 시골에서 자라며 교육을 받지 못한 순년은 신학문을 배운다는 기대에 부풀었다.

"순년이라며? 나는 이순금이야."

경성에 도착하자 순년보다 열 살 정도 나이 많은 여자가 기다리고 있었다. 가장 인기 있는 사회주의 운동가 이관술의 배다른 동생 이순금이었다. 이순금도 경성콤그룹에서 활동했다. 동덕여자고등보통학교 시절 광주학생독립운동 동조 투쟁을 주도하는 등 가장 많이 투옥된 여성 사회주의자이기도 했다. 한방을 쓰게 된 이순금은 정순년이 기대한 신학문하고 전혀 다른 교육을 하기 시작했다.

"조선은 일본에서 해방을 해야 해. 독립을 위해 일하는 선생님이 한 분 계시는데, 네가 그분을 도와야 한다."

순년은 혼란스럽기만 했다.

"순년아, 짐 싸고 채비해라. 잠시 청주로 내려가 있어야겠다."

---

* 일제 강점기 '조선공산당 3대 이론가'의 한 명. 일제 강점기 말 활동한 사회주의 지하 조직인 '경성콤무니스트그룹(경성콤그룹)'에서 활동했다.

그해 겨울 정태식이 청주에 있는 아담한 초가집으로 정순년을 데려갔다. 방 두 칸에 부엌을 갖춘 집 뒤로 청주 시내를 관통하는 무심천이 흐르고 마당에는 우물과 측간이 있어 살림하는 데 좋은 집이었다. 얼마 뒤 이순금도 그 집에 왔다.

"며칠 뒤 이정 선생님이 오시는데, 그분은 참으로 소중하고 훌륭한 분이시니 부모님처럼 소중하게 모셔야 한다."

얼마 뒤 정태식이 두 사람을 데리고 나타났다. '머리는 밤송이처럼 새까맣고 손질을 말끔하게 한 덜 자란 머리를 하고' 키가 작아 첫 인상이 '이상한' 남자하고 얼굴이 넓은 사람이었다.

"내가 이야기한 이정 선생님이네. 자네가 잘 보살펴드리게."

"예, 알았습니다."

"아, 그리고 옆에 있는 이분은 이정 선생님을 돕는 김삼룡 선생님이고."*

"예."

순년은 고개를 숙이고 다소곳하게 답했다. 수염 긴 노인이겠거니 짐작한 '선생님'은 30대 후반에서 40대 초반으로 보이는 '젊은' 남자였다. '이정 선생님'으로 불린 이는 얼마 전 서대문형무소에서 출소한 조선공산당 최고 지도자 박헌영이었다.

---

* 김삼룡은 이재유, 이현상하고 함께 1930년대 사회주의 노동운동을 한 '경성트로이카'로 활동했다. 이재유가 체포되자 잠적한 뒤 1939년 조선공산당을 재건하려는 경성콤그룹을 조직했다.

정태식은 먼 친척인 순년을 박헌영을 위한 '아지트 키퍼'로 삼았다. 배운 것도 없고 아는 것도 없는 순박한 한 시골 여인의 인생은 이렇게 기구하게 꼬이기 시작했다.

"순년아, 밥 들고 들어 와. 같이 식사하지."

부랴부랴 저녁밥을 지은 순년이 밥상을 들여놓고 나오려 하자 정태식이 말했다. 순년은 처음 보는 남자들하고 겸상하기가 쑥스러워도 집안 어른이 하는 권유를 뿌리치기 어려웠다. 밥상이 작아 이순금과 순년은 방바닥에 그릇을 놓고 밥을 먹었다.

"동지, 된장 끓이는 솜씨며 음식 솜씨가 우리 어머님하고 똑같소. 동지가 한 수고를 고맙게 생각하겠소."

박헌영이 순년에게 처음 한 말이었다. 순년은 처음 보는 여자에게 '동지'라고 부르다니 이상한 사람이라고 생각했다.

그날 다른 사람들이 모두 경성으로 올라가고 무심천변 초가집에는 박헌영과 순년만 남았다. 박헌영은 아랫방을 쓰고 순년은 윗방을 썼다. 식사 준비와 빨래를 비롯해 이정 선생님을 보살피는 일이 순년에게 주어진 몫이었다. 박헌영은 아는 것은 없어도 어릴 때부터 집안일을 도맡아 살림을 잘하고 눈치가 빠른 순년이 마음에 들었다.

아지트 키퍼

"자, 채비를 하고 경성으로 올라갑시다."

한 달 뒤 박헌영은 순년을 데리고 경성역에 내렸다. 정태식, 김삼룡, 이순금 등이 마중을 나왔다. 두 사람이 함께 지내는 아지트에는 여러 사람이 드나들었다. 다들 이정을 '선생님'이나 '이정 선생님'이라 부르며 존경을 표하자 순년도 점점 정이 들면서 박헌영을 마음으로 좋아하게 됐다. 어느 날인가 둘은 한 방을 쓰기 시작했다.

"우리가 머지않아 해방이 된다."

"양반 상놈 제도를 없애야 한다."

"농민들이 자기 농지를 가지고 농사를 지으며 살 수 있는 새로운 정부를 만들어야 한다."

박헌영은 시간이 날 때면 순년에게 교양 강의를 했다.

"죄송하지만, 선생님, 결혼을 하셨나요?"

"아, 했지. 헌데 딸 하나 낳고 헤어졌어. 어디 사는지도 모르고, 아마 죽었을 것이네."

당황한 박헌영은 대충 둘러댔다.* 그러고는 조금 언짢은 얼굴로 덧붙였다.

"다음부터는 그런 것 묻지 말게."

"예."

순년은 박헌영의 아이를 뱄다. 열여덟 나이에 신학문을 공부하려고 당숙 정태석을 따라온 여자가 22살이나 나이 많은 독립운동가의 아이를 잉태했다.

"내 이름은 이춘이고 충남 예산 신양이 고향인데, 칠십 넘은 어머님이 한 분 계시고 형님 내외분은 신양에서 어머님이 하던 숙박업을 하고 있네."

순년은 이춘이라며 자기소개를 한데다가 정태식을 비롯해 모두 이정이라 불러서 아이 아버지가 박 씨라는 사실은, 게다가 조선 최고 공산주의자 박헌영인 줄은 몰랐다. 해방 전까지 그냥 독립운동가로 알았지 공산주의자인 줄도 몰랐다.

시간이 흐르자 순년은 배가 불러왔다. 박헌영과 정태식은 출산을 하라며 순년을 청주로 다시 내려 보냈다.

"그동안 고생이 많았네. 청주에 가서 조용히 지내고 있으면 고향에서 어머님이 오셔서 출산을 도와주실 것이네."

"예, 알았습니다. 선생님."

---

* 박헌영은 주세죽하고 첫 결혼을 하지만 주세죽이 상하이에서 김단야를 만나 연애를 하자 헤어졌다. 박헌영은 러시아에서 유배를 살고 있는 주세죽을 죽은 사람 취급해 어머니에게도 세상을 떠난 사람이라고 말했다.

"그동안 자네가 참으로 내게 큰 힘이 돼줬네. 해방이 되는 날, 모든 사람들한테서 고맙다는 인사를 들을 것이네."

"알았습니다. 선생님도 건강 잘 챙기시고 잘 지내세요."

"참, 내 이름은 영해 박 씨에 헌영이네. 그리고 이것은 우리 사이 정표네."

박헌영은 그제야 본명을 알리면서 순년에게 민들레 문양을 새긴 쌍가락지를 끼워줬다.

—

순년은 청주에서 혼자 출산을 준비했다. 집안에서 알면 뻔히 큰일이 날 테니 두려움에 떨며 하루하루를 보낼 뿐이었다.

"누구 있나요?"

출산 보름 전, 낯선 할머니와 아주머니가 미역을 비롯해 짐을 잔뜩 들고 나타났다. 급한 연락을 받고 예산에서 달려온 박헌영의 어머니 이학규였다.*

"아이고, 색시, 내 아들을 잘 돌봐주고 아이까지 가지다니 너

* 이학규는 충청남도 예산군 광시면 서초정리에 사는 광산 부잣집 조 씨 집안에 시집와 딸을 하나 뒀다. 남편이 일찍 세상을 떠나자 광산을 운영하다가 광산에 쌀을 대는 미곡상 박현주 사이에서 박헌영을 낳은 뒤 쫓겨났다. 그 뒤 예산군 신양면에서 국밥집을 운영해 큰돈을 벌어 박헌영을 공부시켰다.

무 고맙네!"

"예, 어머니."

"우리 헌영이가 말이지……."

어머니는 아들이 독립운동을 하다가 세 번이나 감옥을 간 일부터 집안 이야기를 상세히 들려줬다. 손자가 태어나자 이학규는 작명가에서 부탁해 박병삼이라는 이름을 지었다.

"야, 이년아! 신학문 공부하라고 경성 보냈더니, 결혼도 안 하고 애를 낳아!"

순년이 병삼에게 젖을 먹이고 있는데 갑자기 친정 부모들이 들이닥쳤다. 부모들은 다짜고짜 멱살을 잡더니 순년을 친정으로 끌고 갔다. 병삼은 태어난 지 백일 만에 어머니하고 생이별을 했다.*

---

* 정순년은 원경 스님보다 더 기구한 삶을 살았다. 한 연구자는 정순년처럼 어린 나이에 아무것도 모르고 좌파 독립운동가의 아지드 키퍼로 살게 된 여자의 삶을 페미니즘 시각에서 비판적으로 평가하기도 했다.

박헌영의 아들

"아이고, 이정 선생님 애를 어떻게 합니까?"

"이정 선생님 어머니는요?"

"몸이 안 좋아 예산으로 내려가신다고 연락이 왔습니다."

"큰일이네요. 어쩌겠어요, 우리가 키워야지요."

정순년이 산후 백일 만에 친정에 잡혀간 뒤 이학규는 큰아들 박지영에게 식당을 맡기고 과천에 와서 손자를 키웠다. 그러나 1년 뒤에 병이 나 예산으로 내려간다며 정태식에게 연락을 해왔다.

정태식은 아이를 과천에 사는 김삼룡의 애인 이옥숙에게 데려갔다.* 아버지 박헌영의 동지들 손에서 자란 병삼은 어린 시절 집 뒤 쪽으로 보인 관악산을 또렷이 기억했다.

---

* 원경 스님은 입적하기 전까지 자기를 1950년까지 키운 사람이 이순금이라고 회상했다. 그렇지만 이순금은 1941년 뒤에는 박헌영을 따라 전남 광주에서 지내다 1946년에 월북했다. 원경을 키우다가 1950년 3월 김삼룡하고 함께 체포된 부인도 경찰 보고 등에는 이순금이 아니라 이옥숙으로 돼 있다. 원경 스님이 이옥숙을 이순금으로 착각한 사실이 확실해 여기에서는 이옥숙으로 썼다. 1946년 월북한 뒤 박헌영이 미제 간첩이라고 증언해 살아남은 이순금은 1980년대까지 북한 언론에 등장했다.

—

"지영아, 네 동생 헌영이한테 어린 아들이 하나 있다. 어미 쪽 친척이고 헌영이 친구이기도 한 정태식을 찾으면 행방을 알 테니, 해방되면 반드시 그 아이를 찾아 헌영이에게 데려다줘라."

1943년 이학규는 해방을 보지 못하고, 따라서 일제를 피해 숨어 지낸 아들 헌영을 다시 만나지 못한 채 숨을 거두기 전 박헌영의 배다른 형 박지영에게 병삼을 부탁했다.

충청남도 예산군 광시면 서초정리에 폐광이 하나 있다. 구한말 조 씨 집안이 운영한 광산이다. 이학규는 이 양반집 둘째 며느리로 시집와 딸 조봉희를 낳았는데, 남편이 결핵으로 일찍 세상을 떠났다. 혼자 된 이학규는 광부들 밥을 하면서 광산을 실질적으로 운영하다가 쌀장수 박현주를 만나 아들을 낳았다. 그 아이가 박헌영이다. 조 씨 집안은 불륜을 저지른 며느리를 내쫓았고, 이학규는 가까운 신양면에 있는 우시장에 국밥집을 열어 큰돈을 벌었다. 박현주가 본처 사이에서 낳은 아들, 곧 박헌영의 이복형이 박지영이다.

어릴 때부터 총명하던 박헌영은 두 시간 걸어 대흥보통학교(지금 대흥초등학교)에 다니면서 뛰어난 성적을 거둬 경성제일고등보통학교(지금 경기고등학교)에 진학했다. 여기에서 작가 심훈을 만나 우정을 나눴다. 삼일운동에 참여한 박헌영은 독립을 하려면 새로운 도전을 해야 한다고 생각했다. 일본을 거쳐 상하이로 간 박헌영은 고려공산청년회 등 사회주의 운동에 참여했고, 1921년 여성 공산주의자 주세죽을 만나 결혼했다. 1922년에는 사회주의 운동을 벌이려 국내에 잠입하다가 신의주에서 체포돼 투옥됐다.

1924년 만기 출소한 박헌영은 1925년 조선공산당 창립에 관여하고 고려공산청년회 책임비서에 다시 선출됐다. 《동아일보》와 《조선일보》에서 기자로 일하다가 일제가 외압을 행사해 잇달아 해직된 뒤 조선공산당 사건으로 체포돼 살인적인 고문을 당했다. 감옥에서 똥을 먹고 광인 행세(진짜 정신병을 앓은 적 있다는 주장도 나온다)를 해 병보석으로 석방된 박헌영은 1928년 8월 주세죽하고 함께 두만강을 넘어 소련으로 도주했다. 이때 블라디보스토크에서 모스크바로 가는 시베리아 횡단 열차에서 딸 박비비안나가 태어났다. 모스크바 국제레닌학교에서 공부한 뒤 다시 상하이로 간 박헌영은 조선공산당 재건 운동을 벌이다가 1933년 7월 일제 경찰에 체포돼 서울로 압송돼 6년 형을 받고 수감됐다. 상하이에 남은 주세죽은 김단야하고 다시 결혼해 소련으로 떠났다.

5년 만인 1939년 가석방된 박헌영은 1940년 2월 이현상, 김삼룡, 이재유 등이 이끈 경성콤그룹에 결합해 조선공산당 재건 운동을 시작했다. 이때 마련한 아지트에서 정순년을 만나 아들 병삼을 낳았다. 그 뒤 경성콤그룹 사건이 터지자 전라남도 광주로 잠적해 벽돌 공장에서 일하며 지하에서 활동하다가 해방을 맞았다.

박헌영은 조선공산당 책임비서가 되면서 일제하 민족해방운동을 가장 치열하게 펼친 좌파 그룹의 최고 지도자로 부상했다. 남한에 이승만을 중심으로 친미 정권을 세우기로 결정한 미군정은 조작 혐의가 짙은 정판사 위조지폐 사건 등을 이유로 들어 1946년 9월 조선공산당을 불법 단체로 규정하고 박헌영 체포 명령을 내렸다. 박헌영은 여운형이 이끈 조선인민당, 남조선신민당, 조선공산당이 합당해 남조선노동당(남로당)을 만들도록 조치한 뒤 월북했다. 소련이 제공한 지원을 발판으로 북한을 장악한 김일성 밑에서 부수상과 외무상을 지낸 박헌영은 한국전쟁 중인 1953년 초 체포된 뒤 1956년 미국 제국주의의 간첩이라는 누명을 쓰고 처형됐다.

업

한산 스님은 병삼에게 아버지 박헌영의 '영웅적'이면서도 비극적인 삶을 담담하게 들려줬다. 다만 시대 상황을 염두에 둔 탓인지 박헌영이 공산주의자라는 말은 하지 않았다(한산 스님이 공산주의 활동을 비롯해 아버지에 관련된 모든 이야기를 해준 때는 병삼이 1963년 어머니를 만나고 신세를 비관해 자살을 시도한 뒤였다).

박지영만이 아니라 병삼을 13년 동안 키우고 보살핀 한산 스님도 아버지 쪽 가계에 연결돼 있었다. 한산 스님은 아버지가 다른 박헌영의 동복누이 조봉희의 아들로, 병삼에게는 고종사촌이었다. 폐병을 앓는 아버지하고 떨어져 경성에서 자란 조봉희는 열다섯 사춘기에 어머니가 불륜으로 쫓겨나자 충격을 받아 보문동에 자리한 어느 절에 승려가 되려고 찾아갔다. 마침 권번을 운영하는 여자가 수양딸로 데려가 글과 시, 춤을 가르쳐 기녀로 키웠다.

조봉희의 머리를 얹어준 사람은 전라북도 익산에 사는 만석갑부 김병순이었다.* 그 사이에서 낳은 아들이 바로 한산 스님이다. 본명이 김제술로 추정되는 한산 스님은 도쿄 제국대학을 나온 엘리트였다. 박헌영의 비선 조직이었고, 북한으로 넘어간 박헌영과 남한에 남은 남로당 핵심을 연결하는 임무를 수행했으며, 1950년부터 어린 병삼을 맡아 키웠다. 조봉희는 딸 하나를 더 뒀다. 바로 해방 정국에 벌어진 미녀 간첩 사건의 주인공 김소산으로, 조봉희와 김소산은 성북동에서 유명 요정 대원각을 함께 운영했다. 한산 스님에게는 김해균이라는 배다른 형도 있었는데, 해방 뒤 박헌영이 명륜동에 자리한 김해균 집에 잠시 머물기도 했다.

"아버지는 어떤 사람이었나요?"

병삼은 아버지 고향 예산을 내려다보며 오랫동안 가슴속에 묻어둔 질문을 던졌다.

"백년에 한번 나올까 말까 한 분이셨단다."

"……."

"만일 내가 다시 태어난다면, 그때도 선생님이 계신 곳에 같이 나고 싶다. 그래서 선생님이 이번 생에 못 다하신 일을 하신다면, 그때에도 나는 서슴없이 온몸을 바쳐 그 일을 도울 테다. 네가 앞으로 어떤 생각을 할지 모르지만, 그분을 네 아버지이기 전에 우리 민족이 절대 잊어서는 안 되는 분으로 기억해야

---

* 김병순은 이미 《정경조선》 등에 실명이 보도돼 익명 처리를 하지 않았다. 원경 스님 가계에 관해서는 〈부록 1〉 참조.

한다. 네가 가슴에 품고 있는 그분은 너무나 큰 분이다. 그분은 보통 사람들하고 다르게 스무 살 나이에 조국 해방을 위해 자기 삶을 바치겠다고 결심하고는 그 마음을 평생 실천한 대단한 분이다."

"……."

"그러니 너라도 양력 12월 15일, 이 날을 잊지 말고 밥이라도 챙겨서 천도 의식을 올려야 한다. 억울하게 돌아가신 그분 영혼이 어두운 세계를 헤매지 않고 이고득락離苦得樂*하시기를, 그래서 고통 없는 세상에 다시 태어나시기를 기원하는 것이 어쩔 수 없는 네 운명이다. 알았느냐?"

"네."

"나무석가모니불, 나무아미타불, 나무관세음보살."

한참 지나자 한산 스님은 다시 말을 이어갔다.

"너는 지금까지 남들하고 다르게 고생도 많이 하고 기구한 삶을 살았다. 앞으로도 그럴 것이다. 그렇다고 아버지를 원망하지는 말아라. 아버지가 그런 삶을 살아 네게 그런 고통을 안겨준 것도 그분의 운명이고, 네가 그런 분을 아버지로 둬 고통받는 것도 네 운명이자 업이란다."

어릴 때부터 갖은 풍파를 겪고 산 병삼이지만 말라버린 줄

---

* 고통을 떠나보내고 기쁨을 얻는다는 뜻으로, 불교에서 해탈을 가리킨다.

알던 눈물이 자기도 모르게 흘러내려 두 뺨을 적셨다.

"모든 것이 업이다. 네가 아버지 때문에 고통받는 것이 아니니 마음속에서 모든 원망과 미움을 버려 해방을 찾아야 한다. 세상에 베풀고 사는 삶이 가장 중요하다. 남 허물을 보지 마라. 그러면 세상에 적이 없단다. 항상 착하게 살아라. 너만 착하게 살면 이 세상이 다 착해진다. 알았느냐?"

"네."

"지금 못 먹고, 지금 못 쓰고, 지금 못 배우고, 그런 데 너무 슬퍼하고 연연하지 마라. 모든 것이 다 너에게 주어져 있다. 네가 남들처럼 학교가 못 가고 못 배웠지만, 책 만 권을 읽고 나면 어떤 공부한 사람보다 네가 더 뛰어나게 된다. 남들처럼 학교 못 다닌다고 슬퍼하지 말고 시간 있을 때마다 책을 읽어라. 무슨 책이든지 읽고 또 읽어라. 그것이 진짜 공부란다."

아버지를 만나다

'지하에 숨어 있는 박헌영 동지여! 어서 나타나서 있는 곳을 알아라.* 그리하여 우리의 갈 길을 지도하라!'

1945년 8월 15일, 해방이 되자 경성에는 박헌영을 찾는 벽보가 사방에 나붙었다. 일제 경찰을 피해 잠적한 박헌영이 어서 나타나서 새로운 조국을 건설할 방향을 이끌어달라고 호소하는 벽보였다.

"선생님! 선생님!"

한 청년이 전라남도 광주에 자리한 어느 벽돌 공장으로 뛰어들며 숨이 넘어가는 목소리로 누군가를 찾았다.

"웬 호들갑이냐?"

일하던 키 작은 중년 남자가 벽돌을 내려놓고 물었다.

"일본이 항복했답니다!"

"그래? 드디어 올 것이 왔구나!"

검거망을 피해 벽돌 공장에 숨어 있던 박헌영은 일제가 패

---

* '알아라'는 요즘 말로 하면 '알리라'는 뜻이다.

망한 소식을 듣자마자 경성으로 갈 교통편을 수소문했다. 마침 경성으로 가는 목탄 트럭 한 대를 얻어 탈 수 있었다.

"해균아, 외삼촌 묵을 곳이 필요하니 네 집을 좀 내주어라."

"예, 어머니."

박헌영의 동복누이 조봉희는 해방 정국을 맞아 바쁘게 움직이는 동생 박헌영을 위해 의붓아들 김해균에게 명륜동 이층집을 비워주라고 부탁했다. 경성제국대학을 나와 보성전문학교(지금 고려대학교) 영문과 교수로 일하던 김해균은 공산주의 독서회에 참여해 정학을 당하고 반제동맹 사건으로 구속될 정도로 급진적인 지식인이었다.* 박헌영은 1945년 8월 20일 혜화장이라 부른 이 집에서 '조선공산당재건준비위원회'를 조직했다.

해방은 어린 병삼에게도 중요한 변화를 가져왔다.

"제가 박헌영의 형입니다. 어머니가 유언으로 헌영이에게 아들이 있다고 하셨는데, 제 조카 병삼이를 찾아야겠습니다."

박지영 부부는 해방이 되자 어머니의 유언을 떠올리고 조카 병삼을 찾으려 정태식을 만났다. 정태식은 두 사람을 과천에 있는 이옥숙에게 안내했다. 이옥숙은 김삼룡하고 비밀 결혼을 해 함께 살고 있었다.

---

* 김해균은 가족을 내리고 월북해 김일성대학교 교수를 지냈다. 박헌영 숙청 때 증인으로 동원된 뒤 《노동신문》 교정 기자로 일한 적이 있다는 소문이 돌았다.

"네가 병삼이냐? 내가 큰아버지다. 이제 나하고 함께 살자."

박지영은 낯선 사람이 두려워 이옥숙 뒤에 숨는 조카를 번쩍 들어 올렸다. 병삼은 만 네 살이 돼 처음 만난 큰아버지 품에 안겼다.

다음 날 김삼룡과 박지영은 병삼을 데리고 박헌영이 머무는 명륜동 혜화장으로 갔다. 호남 만석꾼이 경성에 마련한 집답게 대지 400평에 건평 200평인 웅장한 저택이었다.* 이층으로 올라가 서재에 들어서자 양복 차림으로 서류들이 어지럽게 놓인 책상에서 일을 보던 박헌영이 일행을 맞았다.

"선생님, 이 아이가 병삼이입니다. 병삼아, 아버지다. 어서 인사 드려라."

김삼룡이 하는 말을 듣고도 병삼은 낯선 사람에게 다가가지 않으려 하면서 큰아버지 박지영 뒤로 숨었다.

"아이고, 네가 병삼이냐? 많이 컸구나."

박헌영은 가까이 와 병삼을 끌어안았다. 병삼은 어쩔 줄 몰라 꿈쩍도 하지 않았다.

"큰형님, 정말 오랜만입니다. 그리고 오갈 데 없는 병삼이를 챙겨주셔서 감사합니다. 어머님도 조금만 더 살아 해방을 보고 돌아가셔야 했는데……."

---

* 이 집은 아직도 남아 있다.

"그렇지 않아도 어머님이 돌아가시면서 너하고 병삼이 걱정을 많이 하셨다."

"제가 불효자지요."

인사가 끝나자 박헌영은 다른 일행에게 부탁했다.

"우리 부자끼리 오붓한 시간을 갖고 싶으니 다들 잠시 나가주시지요."

모두 물러가자 박헌영은 아들에게 말했다.

"병삼아, 아버지가 할 일이 많으니 옆에서 놀아라. 오랜만에 만나니 너를 옆에 두고 노는 모습을 보고 싶구나."

지긋한 눈으로 한참 동안 병삼을 바라보던 박헌영은 뭔가에 쫓기듯 책상 위 서류들을 읽기 시작했다. 몇 년 만에 보는 아들이지만, 급변하는 정세 때문에 한가로운 시간을 보낼 수 없었다. 시간이 조금 지나면서 긴장이 풀리자 병삼은 주변을 둘러보고 이곳저곳 돌아다니기 시작했다.

"병삼아, 다 좋은데 책상 위에 있는 물건들은 절대 손대면 안 된다."

한참 지나 볼 일 때문에 방을 나서던 박헌영이 어린 아들에게 당부했다. 호기심 넘치고 장난기 많은 병삼은 신기한 물건이 쌓인 책상에 다가가지만 아버지가 한 당부가 생각나 손을 대지는 않았다.

조금 뒤 박헌영은 김삼룡을 데리고 들어와 조용한 목소리로 뭔가를 지시하기 시작했다.

"병삼아, 오늘은 이만 가보고 조만간 다시 찾아오너라."

박헌영은 병삼을 안으며 다정하게 말했다. 박헌영이 한 지시를 따라 김삼룡은 박지영에게 새로운 제안을 했다.

"박 선생님, 예산에 내려가야 농사나 지어야 할 테고 병삼이를 돌볼 사람도 필요하니 저희들하고 같이 지내시지요. 이정 선생님 뜻이기도 합니다. 저희 집 옆에 집을 하나 마련할 테니 쌀이나 반찬을 파시면서 병삼이를 돌보며 지내시지요. 경제적인 문제는 저희가 책임지겠습니다."

짧은 행복

"병삼아, 아저씨 허리 꽉 잡아라"

"와, 신난다. 빨리 가세요."

선글라스에 밀짚모자를 쓴 김삼룡이 병삼을 자전거 뒤에 태우고 예지동과 장충동 일대를 돌기 시작했다. 병삼은 자전거 뒤에 앉아 호기심 가득한 눈으로 빠르게 지나가는 상점과 사람을 쳐다보느라 정신이 없었다.

"자, 이제 잘 놀았으니 들어가서 한글 공부해라."

"예, 아저씨."

김삼룡은 박헌영을 만난 뒤 지시받은 대로 예지동과 장충동 경계에 자리한 적산 가옥을 세 채 사들였다. 일제 강점기에 일본인이 살다가 해방이 되자 버리고 간 집들이다. 가운데 이층집은 박지영 부부와 병삼이가, 오른쪽 집은 김삼룡과 이옥숙이, 왼쪽 집은 테러나 검거에 대비해 젊은 경호원들이 살면 될 듯했다. 김삼룡은 젊은 일꾼들을 시켜 각 집을 연결하는 비상문을 설치했다. 이곳은 조선공산당(1946년 겨울부터는 남로당)의 핵심 아지트였다.

"이층에서는 살림을 하고 아래층에서는 쌀하고 반찬을 팔면 될 겁니다."

김삼룡은 박지영 부부에게 새집을 보여주면서 각 층 용도도 설명했다. 병삼이 큰아버지 부부를 따라 이층으로 올라가자 일본식 집답게 다다미방들이 나타났다.

"병삼아, 저 방은 네가 쓰면 되겠다."

난생처음 자기 방이 생긴 병삼은 신이 났다.

1945년 가을부터 1950년 봄까지, 특히 아버지 박헌영이 북으로 넘어가는 1946년 가을까지는 병삼에게 생애에서 가장 행복한 시간이었다. 어머니가 곁에 없지만 가끔 아버지를 만날 수 있었고, 큰아버지 부부는 조카를 친아들처럼 정성껏 보살폈다. 박헌영의 아들인 만큼 김삼룡 부부를 비롯한 젊은 남로당원들도 극진하게 대접했다. 아직 초등학교도 들어가기 전이지만 이옥숙에게 한글도 배웠다. 그러나 병삼은 당수, 곧 가라데를 가장 좋아했다. 그때는 태권도가 대중화되기 전이었다.

"이보게, 이 동지, 언제 무슨 일이 생길지 모르지만 병삼이가 자기 자신을 지킬 수 있도록 자네가 무술을 가르쳐주게."

김삼룡은 무술이 뛰어난 한 경호원을 불러 병삼이에게 무술을 가르치라고 지시했다. 조금은 왜소한 박헌영하고 다르게 어머니를 닮아 체격이 큰 병삼은 공부보다는 무술 연마를 더 좋아한데다가 소질도 있었다.

—

"네가 병삼이구나."

1946년 초, 민머리에 양복을 입은 한 남자가 나타나 병삼이 머리를 쓰다듬었다. 작은 키에 얼굴이 유난히 검은데다가 볼품이 없지만 눈빛만은 범상치 않았다. 처음 보는 사람이 나타나 수줍어하는 병삼에게 김삼룡이 말했다.

"병삼아, 인사드려라. 한산 스님이다."

나중에 어린 병삼을 10년 넘게 돌보는 한산 스님은 박헌영의 동복누이 조봉희가 낳은 아들로 둘은 고종 사촌 사이였다. 도쿄 제국대학을 졸업한 뒤 머리를 깎고 스님이 됐지만, 극소수만 아는 박헌영의 비선 조직으로 극비 임무를 수행하고 있었다.

"병삼아, 아버지 뵈러 가자."

한산 스님은 앞장서서 병삼을 혜화동으로 데리고 갔다.

"병삼이, 잘 지냈지? 불편한 것은 없니?"

"없는데요."

이층 서재에서 일을 하던 박헌영이 병삼을 반갑게 맞았다. 병삼도 둘째 번 만나는 아버지를 덜 경계했다. 서재에는 또 다른 사람이 함께 있었다. 눈매가 날카롭고 건장한 남자였다.

"병삼아 인사드려라, 아버지가 아끼는 이현상 아저씨다."

"안녕하세요."

"아, 네가 병삼이구나. 똘똘하게 생겼네."

이현상은 김삼룡, 그리고 옥사한 이재유하고 함께 1930년대 사회주의 운동을 이끈 경성트로이카의 한 명으로, 출소 뒤 1940년대에도 조건공산당을 재건을 목표로 활동한 경성콤그룹을 이끌었다. 한국 전쟁 기간 남부군 사령관으로 지리산 빨치산을 지휘한 이현상은 한산 스님에 이어 병삼을 돌봤다.

—

"누님, 환갑 축하드립니다."

"고맙네, 바쁠 텐데 이렇게 자리도 만들어주고."

"축하드립니다."

"축하드립니다."

"축하드립니다."

"아이고, 이 아이가 병삼이인가요?"

"네, 누님, 맞습니다."

"병삼아 이리 와라. 한번 안아보자!"

1946년 2월 혜화장에 환갑을 맞은 조봉희를 축하하러 박헌영을 비롯해 김삼룡, 이현상, 한산 스님 등 최측근들이 모였다. 병삼도 참석해 고모 조봉희를 처음 만났다.

"자, 사진 찍게 다들 서시지요."

조봉희가 가운데에 자리를 잡자 옆으로 박헌영과 아들 병삼이 손을 잡은 채 섰다. 그 오른쪽에 이현상과 김삼룡이, 왼쪽에 한산 스님과 이주하가 나란히 자리를 잡았다. 사진 안 찍기로 유명해서 경찰이 얼굴을 몰라 애를 먹은 김삼룡도 이날은 기념사진에 모습을 남겼다. 병삼이 아버지 박헌영을 마지막으로 만난 날이었다.*

"병삼아, 이거 잃어버리지 말고 잘 간직해야 한다."

며칠 뒤 한산 스님은 작은 종이 한 장을 병삼에게 건넸다. 혜화장에서 아버지하고 함께 찍은 사진이었다. 한산 스님은 사진 뒷면에 글씨를 썼다. '1946年 2月.'

---

* 그 뒤 한산 스님은 병삼이 아버지 박헌영을 여섯 번 만난 적 있다고 말했지만, 원경은 두 번만 기억난다고 회상했다. 그날 모임이 환갑 맞은 조봉희를 축하하는 자리라는 사실도 한산이 나중에 사진을 보면서 설명해 알게 됐다.

월북

예지동 아지트는 남로당 핵심 간부 중에서도 이현상, 한산 스님, 이주하 정도만 드나들었다. 1929년 원산 총파업을 주도한 이주하는 박헌영, 김삼룡, 이현상, 한산 스님하고 다르게 북쪽 출신이지만 남쪽으로 내려와 박헌영하고 함께 활동했다. 경성에 예지동 말고도 효제동, 아현동, 공덕동, 이태원 등 일곱 군데 아지트를 마련한 김삼룡은 수염을 달거나 선글라스를 쓰는 등 변장한 채 자전거를 타고 다니며 박헌영이 내리는 지시를 받아 조선노동당을 지휘했다.*

병삼은 나름대로 행복한 나날을 보내고 있었지만 박헌영을 비롯한 공산주의자들은 그렇지 못했다. 2차 대전 중 동맹국 자격으로 한반도를 분할 점령한 미국과 소련이 냉전으로 치달은 끝에 남한과 북한에 친미 정권과 친소 정권을 세우려 하면서 정국이 요동친 때문이었다. 해방된 민중은 친일파 척결과 농지

---

* 김삼룡은 변장의 귀재여서 체포될 때 선글라스를 9개 갖고 있더라고 담당 검사는 회고했다. 김삼룡을 체포한 검찰 관계자는 회고록에서 이 아지트가 쌀가게 간판을 내걸고 있으면서도 거의 장사를 하지 않아 이웃들이 수상하게 여기더라고 회상했다.

개혁을 바랐다. 여기에 나름대로 부응하려 한 소련에 견줘 미군정이 이런 바람을 억압하면서 남한 정국은 엉뚱한 방향으로 흘러갔다.

"이 결과를 보십시오."

1946년 여름, 보고서를 받아든 존 리드 하지 미군정 사령관은 얼굴을 찌푸렸다. '자본주의 14.1%, 사회주의 71.4%, 공산주의 6.8%, 모르겠다 7.7%.' 해방된 한반도 남쪽 주민들에게 '귀하께서 찬성하는 것은 어느 것입니까?'라고 물은 미군정 여론국 사회 조사 결과였다. 남한에 친미적 자본주의 정권을 세우려는 미군정 처지에서는 아주 안 좋은 상황이었다.

설상가상으로 친일 경찰을 비롯한 친일 관료를 그대로 고용하고 농지 개혁과 식량 정책이 실패하면서 일어난 쌀 파동 탓에 민심은 싸늘하게 돌아섰다. 이런 여론에 개의치 않고 좌파 탄압에 나선 미군정은 조작 가능성이 큰 정판사 위조지폐 사건을 빌미 삼아 1946년 9월 박헌영과 이주하 등을 대상으로 체포 영장을 발부했다.

"쌀을 주소! 배고파 죽겠소!"

"탕, 탕, 탕."

1946년 10월 1일, 대구역 앞에서 기아 대책을 마련하라고 요구하는 노동자들에게 경찰이 총을 쏴 사망자가 발생했다. 이 사건은 그동안 친일파를 중용하고 농지 개혁을 거부한 미군정에 민중이 품고 있던 불만에 불을 질렀다. 바로 '대구 10월 항쟁'이었다. 대구경찰서를 포위한 시민 1만 5000명은 경찰을 무장 해제한 뒤 정치범을 풀어주고 소총 200여 정을 탈취해 친일 경찰과 친일파를 처단했다. 박정희의 형 박상희도 구미경찰서를 습격하고 도주하다가 사살됐다. 미군정은 대구 지역에 계엄령을 선포하고 장갑차를 동원해 항쟁을 진압했다. 항쟁은 추수 봉기 형태를 띠고 전국으로 번졌지만, 산발적으로 벌어진 탓에 실패했다.

이런 격동 속에서 미군정과 친일 경찰을 피해 잠행하던 박헌영은 북한으로 넘어가 남한 혁명을 지휘하기로 결정했다.

"선생님, 안전을 위해 북으로 넘어가셔야 할 것 같습니다."

"아무래도 그래야 할 것 같으이."

"앞으로 이쪽은 김삼룡 동지가 총책을 맡고 이주하 동지가 군사, 정태식 동지가 선전과 기관지를 맡아주세요."

"네, 알겠습니다."

"그리고 우리 병삼이를 부탁합니다."

"네, 그럼요. 걱정 말고 올라가십시오."

1946년 가을 박헌영은 김삼룡과 한산 스님에게 병삼을 부탁하고 북한으로 향했다.

폭풍 전야

"병삼아, 밥 먹어라."

"네, 큰아버지."

1946년 가을, 북한으로 넘어간 아버지는 더는 볼 수 없지만 병삼은 큰아버지 부부와 김삼룡 부부가 드리운 그늘 아래 행복한 나날을 보냈다. 이제 경성에서 이름이 바뀐 서울은 해방 때 거리를 가득 메운 기대하고는 정반대 방향으로 흘러가고 있었다. 병삼을 둘러싼 어른들도 안색이 점점 어두워졌다.

"아이고, 이 동지. 그래도 살아 나왔군요!"

1947년 4월, 김삼룡 앞에 피투성이가 된 이현상이 모습을 드러냈다. 해방 뒤 결성된 조선노동조합전국평의회(전평) 위원장 허성택 등하고 함께 체포된 지 두 달 만이었다.

"얼마나 고생이 많았습니까? 몸은 많이 상하지 않았나요?"

조심을 하느라 전차를 여러 번 갈아타며 서울 곳곳을 뺑뺑 돌아 찾아온 뒤에도 혹시 미행이 붙은지 몰라 한참을 창밖을 내다보던 이현상이 마침내 입을 열었다.

"노덕술 개새끼!"

노덕술은 일제 강점기에 여러 독립운동가를 고문한 친일 경찰로 악명이 높았다. 미군정이 친일 관료와 경찰을 중용한 덕분에 해방 뒤에도 경찰로 남아 김원봉을 비롯한 사회주의자 독립운동가들을 잡아들여 참혹하게 고문하고 있었다. 노덕술은 이현상을 상대로 남로당 총지휘관 김삼룡이 머무는 은신처를 추궁했다.

김삼룡, 이주하, 정태석 등은 박헌영이 북으로 넘어가며 내린 지시를 충실히 이행했다. 1946년 11월 조선공산당과 여운형이 이끈 조선인민당, 중국 공산당 본거지 옌안에서 활동한 김두봉 등 연안파 공산주의자들이 이끈 남조선신민당을 합쳐 남조선노동당, 곧 남로당을 만들었다. 남로당은 허헌이 당수이지만 조직 관리는 김삼룡이 맡았다. 이승만 정부는 김삼룡을 찾느라 혈안이었다.

1948년에 접어들면서 미군정과 이승만을 중심으로 남한만 총선거를 실시하고 단독 정부를 수립하려는 움직임이 속도를 더했다. 김구가 통일을 위해 삼팔선을 베고 쓰러지겠다며 북한으로 넘어가 남북연석회의에 참석하지만 별다른 성과가 없었다. 4월 3일 제주도에서 단독 총선거에 반대하는 봉기가 일어나는 등 저항이 거셌지만, 결국 남한과 북한에 따로 단독 정부가 수립됐다. 활동이 더욱 힘들어진 예지동 식구들은 언제 들이닥칠지 모를 경찰에 대비해 보안에 더욱 힘을 썼다.

"병삼아, 아저씨 이야기 잘 듣고 외워보아라."

병삼은 김삼룡이 시키는 대로 김삼룡이 한 말을 외웠다.

"잘했다. 아저씨하고 자전거 타고 돌 때 들르는 빵집 알지? 거기 가면 한복 입은 아저씨가 있을 거야. 그 아저씨에게 이 말을 전해라. 그 아저씨가 하는 이야기를 잘 듣고 와서 나에게 그대로 전해야 한다."

감시가 점점 심해져서 보안을 지키기 어려워지자 김삼룡은 어린 아이라 의심을 사지 않을 병삼을 연락책으로 활용했다.

"수고했다. 상이다."

빵은 병삼이 가장 좋아하는 간식이었다.

이현상

"아이고, 이 동지, 웬일이에요?"

1948년 가을, 북한으로 넘어간 이현상이 갑자기 나타나자 김삼룡은 놀랐다.

"수하들이 하도 김일성을 숭배하니까 이 동지가 이정 선생님에 대면 아무것도 아니라고 대들어서 대판 싸움이 벌어지고 러시아 유학도 취소됐다면서요. 노발대발하는 김일성을 이정 선생님이 설득해 강동정치학원*으로 보낸 이야기는 들었는데……."

"예, 거기서 유격 훈련을 받았습니다. 이정 선생님이 남으로 내려가 유격전을 준비하라고 해서 내려왔습니다."

"아이고, 그 나이에 유격 훈련이라니 고생이 많으십니다. 하여간 잘 오셨습니다."

"병삼이는요?"

"나가서 동무들하고 노나 봅니다."

---

* 북한이 남로당계 월북자들을 훈련시켜 대남 공작원과 유격대원으로 양성하려 세운 학교.

"보고 싶은데, 바빠서 못 보고 가네요. 저는 이제 지리산 쪽으로 내려갑니다."

"건투를 빕니다. 몸조심하십시오."

얼마 뒤인 1948년 10월 여수에 주둔하던 국방경비대(국군 전신) 제14연대에 제주도로 출동해 4·3 사건을 진압하라는 명령이 내려왔다. 그러자 지창수 하사 등 남로당계 군인들은 출동을 거부하고 봉기했다. 경찰, 친일파, 기독교도 등을 처형한 봉기 세력은 진압군에 밀려 올라간 순천에서도 경찰과 친일파 등을 학살했다.

"이런 행동은 당적 죄악입니다."

이현상은 한숨을 깊이 내쉬었다. 여순 사건은 남로당 지도부가 이끈 봉기가 아니라 일선 비선 조직이 일으킨 돌출 행동이었다. 대구 10월 항쟁처럼 전면적 '민중 봉기'가 아니라 군대 내부 소수 남로당원들이 주도한 '모험주의적 봉기'였다. 나중에 민간인은 말할 것 없고 군인이나 경찰 같은 포로를 죽이기는 커녕 훈계하거나 차비까지 쥐여 살려줄 정도로 '인도주의자'이던 이현상은 제14연대가 군인과 경찰은 물론 우파 인사와 기독교도까지 학살한 사실에 분노했다. 그렇지만 이미 엎질러진 물이었다. 이현상은 사태를 수습하려 순천으로 달려갔다.

순천역에는 살아남은 봉기 세력 800명이 모여 있었다. 이현상은 이 패잔병들을 이끌고 지리산으로 들어갔다. 고립된 빨치산들은 매서운 추위와 부족한 식량 때문에 고통을 겪다가 1949년 겨울 국군이 감행한 동계 토벌 작전에 밀려 거의 소멸했다. 이현상을 비롯한 극소수만 겨우 살아남았다.

모험주의적 봉기는 안타까운 결과로 이어졌다. 여수와 순천에 사는 죄 없는 사람들이 수천 명 학살당했다. 진압군을 지휘한 김종원은 일본군 출신이었다. 작전을 잘못 지휘해 여수항에 상륙하던 진압군이 여럿 목숨을 잃게 한 김종원은 부역자를 가린다며 주민들을 여수 중앙초등학교에 불러 모았다. 자의적 기준 아래 부역자로 분류된 사람들은 김종원이 휘두르는 일본도에 목이 잘렸다. 화풀이나 마찬가지인 피의 복수극이었다.

—

"병삼아 오늘부터 너도 학교에 가야 한다."

"정말요?"

가까운 남산초등학교에 다니게 된 병삼은 신이 났다.* 아버지 박헌영의 피를 물려받은 병삼은 총명했지만, 공부에는 별 관심이 없고 체육 시간과 운동만 좋아했다.

---

* 원경은 1950년 남산초등학교 3학년에 적을 뒀지만, 1학년부터 다닌 곳인지 3학년만 다닌 곳인지 정확히 기억하지 못했다. 그렇지만 공부한 기억이 별로 없으니 3학년에 편입한 듯하다고 회상했다.

버려진 소년

"모두 꼼짝 마!"

"김삼룡 이 새끼, 어디 있어!"

1950년 3월 15일, 모두 잠든 한밤중에 예지동 아지트에 경찰이 들이닥쳤다. 체포된 비서가 고문을 이기지 못하고 아지트 위치를 실토한 탓이었다. 고함 소리에 잠이 깬 젊은 당원 이세범은 김삼룡 등이 도주할 시간을 벌려고 필사적으로 저항했다. 그사이 김삼룡은 담을 타고 넘어 옆집으로 달아났다.

"아이고!"

김삼룡은 경찰을 피해 달아나지만 담을 넘다가 철조망에 걸려 다리를 심하게 다쳤다. 예지동을 벗어나 낙산 쪽으로 방향을 틀지만 다친 다리 때문에 속도를 낼 수 없었다. 결국 골목에 있는 큰 일본식 쓰레기통에 들어가 뚜껑을 닫았다.

"다리 저는 놈들은 무조건 잡아!"

경찰은 김삼룡이 흘린 핏자국을 발견해 추격하지만 때마침 비가 와 흔적이 사라졌다. 경찰은 도주 경로에서 다리 저는 사람은 무조건 잡아들였다. 김삼룡이 지하 활동만 한 탓에 얼굴을 알 수 없기 때문이었다.

"다리 저는 놈, 거기 서라!"

그날 서울 시내에서 다리 저는 사람 300명이 붙들려 조사를 받았다. 새벽이 되자 김삼룡은 쓰레기통을 빠져나오지만 촘촘한 감시망을 뚫을 수는 없었다. 피를 많이 흘리고 탈진한 탓에 제대로 저항도 하지 못했다.

"아저씨! 아줌마! 다 어디 갔어요!"

경찰이 아지트를 습격한 때 박지영 부부는 도주했고, 김삼룡이 도주할 시간을 번 청년 당원들과 세 살짜리 아이를 돌보던 이옥숙은 현장에서 체포됐다.* 위층에서 자던 병삼은 몰래 내려와 쌀가마니 뒤에 숨었다. 한바탕 소란이 끝나고 경찰이 철수하자 인기척이 사라졌다. 기이한 적막만 흘렀다. 병삼은 쌀가마니 뒤에서 나올 수 없었다. 아홉 살짜리 아이는 밤새 울면서 공포에 떨었다.

"아이 추워."

병삼은 갑자기 추위가 몰려와 눈을 떴다. 쌀가마니 뒤에서 잠이 든 모양이었다. 해가 중천에 떠서 날이 훤했다. 가마니 뒤

---

* 이승만 정부가 이옥숙을 미끼로 전향을 유도하지만 김삼룡은 거부했다. 한국전쟁이 터지자 김일성은 직접 차를 보내 이옥숙과 아이들을 북으로 데려왔다. 김일성은 박헌영 등하고 다르게 이승만 정권에 처형된 김삼룡을 예우해 혁명열사릉에 가묘를 썼다. 2016년 100세 생일을 맞은 이옥숙이 김삼룡 묘 앞에서 가족사진을 찍은 일이 북한 언론에 보도되기도 했다.

에서 살금살금 나와 가게를 돌아보니 아무도 없었다. 배가 고팠다. 허겁지겁 물을 들이켰다. 시장기가 어느 정도 가시자 다시 두려움이 엄습했다. 병삼은 가마니 뒤에 쪼그려 앉아 있다가 이내 잠들었다.

한참 뒤 깨어나니 배가 고파 참을 수 없었다. 또 물을 마셨다. 이번에는 소용없었다. 쌀가게인 만큼 사방에 쌀가마니가 쌓여 있지만 밥을 해본 적은 없었다. 이곳저곳 뒤지니 밀가루가 눈에 띄었다.

"수제비 해 먹으면 되겠네."

큰어머니가 수제비 끓이는 모습을 본 기억이 났다. 밀가루를 반죽하고 솥에 물을 부은 뒤 부뚜막에 불을 피웠다. 간장을 적당히 넣어 간을 맞춘 뒤 물이 끓자 밀가루 반죽을 잘라 넣었다. 큰어머니가 끓인 수제비에 견주면 맛이 없지만 한 그릇을 다 비웠다. 혼자서 먹고 자면서 공포와 불안에 떠는 시간이 며칠이나 계속됐다.

실패한 구출 작전

"누구 없나요?"

얼마가 지났을까, 한 중년 남자가 쌀가게에 들어오더니 사방을 두리번거리며 나지막하게 말했다. 병삼이 가만히 보니 가끔 들르던 이주하였다.

"아저씨!"

병삼은 반가워 뛰어나갔다. 이미 이곳에서 벌어진 사태를 잘 아는지 다른 사람들 행방은 묻지도 않았다.

"아이고, 무사하구나. 천만다행이다. 배고프지? 일단 나가서 요기를 하자."

이주하는 가까운 식당으로 병삼을 데려갔다. 병삼은 추어탕 한 그릇을 숨도 쉬지 않고 다 먹었다.

"너뿐이 없구나."

"예?"

"김삼룡 아저씨가 도망을 쳤는데, 잡힌지 안 잡힌지 모르겠다. 확인해 보니 아직 아저씨가 경찰에 붙잡힌 기미는 없다."

"다행이네요."

"도망하다가 아저씨가 다리를 다쳤다. 경찰이 다리 저는 사람은 모두 잡아들였다는데, 아저씨를 잡아놓고도 얼굴을 몰라서 잡은지 모를 거거든. 경찰서에 가서 아저씨가 그 안에 있는지 확인해야 하는데, 의심받지 않고 거기에 들어갈 만한 사람은 너뿐이구나."

이주하와 정태식은 김삼룡이 경찰에 잡혀 있다면 서울에 사는 남로당 당원들을 동원해 탈출을 시도하되 실패할 때는 대구 팔공산 유격대를 상경시켜 무력으로 구출한다는 무모한 계획을 세웠다.

—

"살아 있나 면회라도 하게 해야지 않나요?"

"밥이라도 넣게 해주세요."

중부경찰서 앞은 연행자 가족들이 몰려와 북새통이었다.

"병삼아, 나는 여기서 기다리고 있을 테니 안에 들어가 잘 보고 와라."

"예, 아저씨."

병삼은 떨리는 가슴을 안고 경찰서에 들어갔다.

"꼬마야, 어디 가니?"

"삼촌이 여기 일하시는데 어제 안 들어오셔서 엄마가 별일 없나 보고 오라고 해서요."

연행된 사람들로 가득한 경찰서 안을 병삼은 두리번거렸다. 낯익은 얼굴이 보였다. 김삼룡이었다. 여기저기 피 묻은 바지를 입고 수갑을 뒤로 찬 채 긴 의자에 앉아 있었다.

'아저씨!' 하고 부르려는 순간 병삼을 알아본 김삼룡이 깜짝 놀라더니 무서운 얼굴로 아는 척하지 말라는 표정을 지었다. 턱을 옆으로 흔들면서 빨리 나가라는 신호를 했다. 김삼룡은 자기가 잡힌 일도 한심한데 박헌영의 아들이 자기 때문에 잡히는 사태는 어떻게든 막아야 했다.

"잡았다! 이주하를 잡았다!"

병삼이 놀라서 나가려는데 밖에서 난리가 났다.

경찰들이 병삼을 기다리던 이주하를 붙잡은 모양이었다. '아니 아저씨가!' 병삼은 온몸이 굳었다.

경찰을 비롯해 남로당에도 이주하나 김삼룡을 알아볼 수 있는 사람은 거의 없었다. 두 사람 얼굴을 아는 얼마 안 되는 사람 중 한 명이 남로당 서울시당 위원장을 지낸 홍민표였다. 홍민표는 전향해 남로당을 색출하는 정보 경찰로 일하고 있었다. 연행한 용의자 무리에서 김삼룡을 찾아내려 중부경찰서 안으로 들어오던 홍민표가 군중 속에서 이주하를 발견했다.*

본능적으로 이곳을 떠야 한다고 생각한 병삼은 경찰에 붙잡힌 두 아저씨를 떠올리면서 울먹였다. 집으로 뛰어 들어와 쌀가마니 뒤에 숨은 병삼은 그제야 마음 놓고 대성통곡했다.

이제 병삼을 돌볼 사람은 정태식과 한산 스님뿐이었다. 그런 정태식도 일주일 뒤에 검거됐다. 이주하가 검거되자 무장 탈출 작전을 포기하고 현직 검사를 거쳐 두 사람을 빼내려 시도하다가 경찰이 판 함정에 걸렸다. 한국전쟁 직전인 1950년 3월, 남로당은 이렇게 해서 완전히 와해됐다. 남은 세력은 산속에 들어간 이현상부대, 전남도당과 경남도당 지도부, 이 두 지도부를 경호하는 유격대뿐이었다. 병삼은 버려진 예지동 아지트에 혼자 버려졌다.

---

* '사상 검사' 선우종원이 1998년에 낸 회고록 《격랑 80년》에서 밝힌 내용은 조금 다르다. 이 회고록에 따르면 김삼룡이 도주하다가 부상한 사실은 일치하지만 이주하는 예지동 아지트에서 붙잡히고 김삼룡은 북아현동 아지트에서 검거된다. 그러나 여러 신문에는 원경 스님 기억하고 비슷하게 김삼룡이 종로5가에서 붙잡힌 사실을 알리는 기사가 실린다. 선우종원이 회고록에 밝힌 내용은 검찰과 경찰이 공을 부풀리려 다양한 이야기를 지어낸다는 말이 도는가 하면 홍민표처럼 선향자를 보호하려 진상을 왜곡할 수도 있는 만큼 지금에 와서 진실을 알기는 어렵다. 체포 관련 보도가 2주 지난 1950년 5월 1일에 나온 점이 이런 가능성을 시사한다.

구세주

"집이 왜 이 모양이 됐지? 아무도 없습니까?"

공포와 불안 속에 지샌 며칠이 지나고 인기척이 나더니 말소리가 들렸다. 쌀가마니 뒤에서 슬쩍 내다보니 승복 입은 한산 스님이었다.

"스님!"

병삼은 반가운 마음에 울면서 스님에게 달려가 안겼다.

"무슨 일 있었느냐? 다들 어디 갔느냐?"

병삼은 한산 스님에게 자초지종을 설명했다. 한산 스님은 긴 한숨을 쉬셨다.

"내가 이정 선생님 뵈러 북을 다녀온 동안에 사단이 났구나. 어찌해야 하나?"

"……."

"이럴 때가 아니다. 경찰이 언제 다시 들이닥칠지 모르니 우리라도 빨리 몸을 숨기자."

한산 스님은 병삼을 데리고 어딘가로 향했다. 성북동에 자리한 커다란 한옥이었다. 안으로 들어가자 예쁜 여자들이 바삐 오가고 있었다. 한산 스님 어머니인 조봉희와 여동생 김소산이 운영한 대원각이었다. 나중에 요정 정치의 산실이 되는 곳이지만 당장에 안전한 피난처가 될 듯했다.

"오빠, 무슨 일로 여기에 다……병삼이 아니에요? 얘까지 데리고 어떻게 이런 곳에?"

미모가 뛰어난 여자가 나타나 한산 스님과 병삼을 보고 놀라서 물었다. 한산 스님의 여동생 김소산이었다. 어머니가 소유한 요정을 경영하면서 특출한 외모와 육감적 훌라춤으로 권력자들을 녹여 중요한 정보를 빼낸 뒤 남로당에 넘기던 김소산인 만큼 한산 스님도 급박한 상황을 알렸다.*

"일단 들어가 쉬세요."

이튿날 김소산은 한산 스님에게 말했다.

"오빠, 여기는 정계와 경찰 등 고위층이 자주 출입하는 곳이라서 신분이 노출될 가능성이 적지 않아요. 아무래도 서오릉 어머니 댁에 가는 편이 나아 보여요."

"네 말이 맞다."

병삼은 다시 한산 스님을 따라나섰다.

---

* 박정희 정권이 강요한 반공 정책에 맞춰 1970년대 제작된 〈특별수사본부〉 시리즈는 김수임과 김소산 등 해방 정국에 등장한 '미모의 여간첩'을 '한국판 마타하리'로 그려 인기를 끌었다. 영화 〈특별수사본부 기생 김소산〉(1973)은 김소산이 사랑을 가장한 미남 남로당 공작원에 넘어가 간첩이 된다고 묘사한다. 원경 스님은 김소산이 박헌영의 친척이며 원래 사회주의자라고 반박했다.

"어머니, 저 왔습니다."

"스님 어서 오세요. 헌데 병삼이는 왜? 병삼아 이리 오너라. 한번 안아보자."

조봉희는 반가운 마음에 병삼을 끌어안았다. 병삼은 고모 조봉희에게서 푸근한 엄마 품을 느꼈다. 예지동 아지트가 습격당하자 두려움에 떨며 쌀가마니 뒤에 혼자 숨어 지내다 손님들이 들락거리는 대원각에서도 불안해 잘 자지 못한 참이었다. 병삼은 오랜만에 편하게 쉬고 늦잠을 잤다. 조봉희가 걱정스러운 얼굴로 말했다.

"스님, 시대가 하 수상하니 이 아이를 여기에 둬도 안심할 수 없어요. 그럴 리야 없지만 잡혀간 사람들이 무슨 말을 할지 모르니……."

"그러면 어쩌지요?"

"익산 아버지 댁에 들러서 지리산으로 가세요. 거기 가면 야산대*도 있고 하니. 그리고 이 아이를 살리려면 머리를 깎아야지 싶어요."

"머리를요?"

"그래야 의심받지 않고 스님에게 무슨 일이 생겨도 의탁할 곳이 생기지 않겠어요?"

---

* 처음에 빨치산을 부른 명칭.

"어머니 말씀이 맞습니다. 그래야겠네요. 이 아이를 살리려면 부처님 품에 맡겨야 하겠네요. 나무석가모니불."

지리산으로

"병삼아, 여기서 잠깐 기다려라."

"예, 스님."

조금 뒤 한산 스님은 배낭을 맨 젊은 남자와 여자하고 함께 나타났다.

"자, 빨리 움직이자."

일행은 인사도 나누지 않은 채 움직이기 시작했다.

"무겁지 않은가? 좀 쉬어갈까?"

"아, 괜찮습니다."

배낭이 무거운지 청년은 연신 힘들어했다. 그 배낭에는 한산 스님이 북한에서 박헌영을 만나 남로당 활동 자금으로 받은 사금 9관(34킬로그램)이 들어 있었다. 남과 북이 화폐가 달라 남쪽에서 빨리 현금으로 바꾸려면 금이 필요했다. 금괴는 발각될 가능성이 크기 때문에 가루로 된 사금을 가져와 남쪽에서 금괴로 만들었다.

젊은 여자는 한산 스님을 아주 다정하게 대했다. 한산 스님도 마찬가지였다. 이화여자대학교 국문과를 나온 전○○과 한산 스님은 사회주의 운동을 함께하는 연인 사이였다.

서울을 벗어난 일행이 도착한 곳은 안양이었다. 조금 걸어가자 거대한 방직 공장이 나타났다. 담을 따라 한 바퀴 돌면 10리가 된다고 했다. 한산 스님은 사장실로 향했다.

"스님, 웬일이십니까?"

중년 남자가 일어나 인사를 했다(남로당 자금을 관리한 이 사람은 사업가로 크게 성공한 뒤 박정희 정권하에서 정치인으로 활동하기도 했다).

"사방이 난리인데 별일 없으시지요."

"예, 저는 괜찮습니다."

"그 배낭 내려놓아라."

청년이 무거운 배낭을 벗어 탁자 위에 놓았다.

"이정 선생님을 뵙고 받은 당 자금이니 잘 보관해주세요."

"예, 알았습니다."

공장을 나온 뒤 청년은 인사를 하고 사라졌다. 청년이 사라지자 한산 스님은 여인에게 안타까운 표정으로 말했다.

"아무래도 남쪽은 더는 안전하지 않은 듯하니 어서 빨리 북으로 넘어가세요."

"알았습니다. 스님도 조심하세요."

한산 스님은 여인을 가볍게 안으며 작별 인사를 했다.*

---

* 전○○는 30년 뒤 원경 스님 앞에 다시 나타난다. 4부 중 〈한산의 흔적〉 참조.

안양을 떠난 두 사람은 발길을 재촉해 전라북도 익산군 함라면에 도착했다.

"스님, 웬 집이 이렇게 커요. 담이 끝이 없네요. 궁궐 같아요."

"그렇지? 길이가 거의 100미터나 된다더구나. 이곳이 네가 아버지를 만난 해균 형님네 본가란다."

두 사람은 그 집에서 하루를 묵고 지리산으로 떠났다.

"병삼아, 지금부터 네 이름은 병삼이 아니라 현준이다."

"예? 현준이요?"

"그래 현준이. 누가 이름을 묻거든 박현준이라고 해야 한다."

"왜요?"

"너도 알다시피 우리는 쫓기는 신세라서 병삼이라는 이름을 쓰면 안 된다."*

"알았습니다."

어린 병삼은 이해가 되는 듯하면서도 혼란스러웠다. 자신이 없어서 걸으면서도 새 이름을 반복해서 읊조렸다.

"박현준, 박현준, 박현준, 박현준."

"다 왔다."

"여기가 어디예요?"

"화엄사란다."

---

* 원경 스님은 본명 병삼을 비롯해 이름을 모두 14개나 썼다.

머리를 깎다

“이거 입어봐라.”

한산 스님은 병삼, 아니 현준에게 승복을 건넸다. 동자승용인지 그런대로 맞았다.

“여기 바닥에 앉아라.”

승복을 입고 밖으로 나간 현준에게 한산 스님 옆에 선 구례 화엄사 주지 서동월 스님이 엄숙한 어조로 말했다. 젊은 스님이 바닥에 앉은 현준에게 다가오더니 커다란 칼로 머리카락을 밀기 시작했다.

“나무석가모니불.”

“나무관세음보살.”

두 스님은 불경을 외웠다.

병삼이 스님으로 새 삶을 시작한 순간이었다. 자발적 선택이 아니라 시대가 강제한 운명이었다. 한산 스님도 아홉 살 어린 나이에 머리를 깎아야 하는 병삼 때문에 마음이 아팠다. 이정 선생님이 어떻게 생각할지, 이런 반동의 세월이 얼마나 계속될지 답답했다.

하나뿐인 믿을 사람 한산 스님이 살려면 머리를 깎아야 한다는데, 스님이 된다는 것이 무슨 의미인지 잘 모르지만, 바닥에 떨어지는 검은 머리카락을 본 현준은 자기도 모르게 눈물을 흘렸다.

"알아볼 일이 있어 다녀올 테니 주지 스님 말 잘 들어라."

또다시 버림받는다는 불안감이 엄습하자 현준은 잡념을 잊으려 넓은 절 마당을 쓸거나 열심히 잡일을 했다. 오랜 역사를 증언하는 중후한 각황전 앞을 쓸 때면 왠지 마음이 편안했다.

"혜화동이랑 예지동에서 몇 번 본 이현상 아저씨 기억나지?"

"예."

"이현상 아저씨가 피아골에 있지 싶다. 그쪽으로 가야겠다."

며칠 뒤 나타난 한산 스님은 짐을 싸 피아골로 가자고 했다.

"스님, 골짜기가 너무 예쁘네요."

"그렇지? 가을에는 단풍이 정말 기가 막히지. 이 땅에서 단풍이 가장 아름다운 곳이 여기란다."

"그렇겠네요."

골짜기를 걸어 올라가자 작은 절이 나타났다.

"다 왔다. 연곡사란다. 작지만 상당히 의미 있는 절이다."

"의미가 무슨 말이지요?"

"아, 뜻이라는 말이다. 임진왜란 때 불타고, 조선조 말에도 의병 운동 본거지여서 왜놈들이 다시 불을 지른 곳이다. 왜놈들이 물러가니 미국과 친일파 놈들이 판을 치고 아버지를 따르던 애국자들은 지리산으로 올라가고 있으니, 또 불타지 않을까 걱정이다."*

연곡사에서 며칠 머문 한산 스님과 현준은 본격적으로 지리산을 올랐다. 드넓은 산은 걸어도 걸어도 끝이 없었다. 한참을 오르자 분홍색으로 뒤덮인 풍경이 나타났다. 5월이라 꽃이 한창이었다.

"스님, 참 예뻐요."

"그렇지? 철쭉이다. 잎에 독이 있어 아무리 배가 고파도 먹으면 안 된다. 그래서 개꽃이라고 부른단다. 개나리는 먹어도 되지만 철쭉은 절대 안 된다. 버섯도 마찬가지다. 보기에 예쁜 버섯일수록 독이 든 버섯이란다. 살아가면서, 무엇이든 절대 겉으로 보기 좋은 데 넘어가면 안 된다. 알았느냐?"

"예, 스님."

중턱으로 올라가자 산이 깊어졌다.

"웬 놈들이냐?"

산사람들이 나타나 두 사람에게 총을 겨누었다.

---

* 한산 스님이 걱정한 대로 한국전쟁이 터지고 지리산이 빨치산 본거지가 되자 이승만 정부는 빨치산이 숨어들 수 있다면서 연곡사를 또 불태웠다. 전쟁이 끝난 뒤 중건하면서 연곡사는 뜰에 피아골에서 죽어간 모든 이들을 기리는 추모비를 세웠다. 반면 원경이 머리를 깎은 화엄사는 차일혁 총경이 방화 명령을 거부해 화마를 피했고, 절 입구에 '차일혁 추모비'를 세워 이 사실을 기렸다.

"이현상 동지를 찾아왔습니다."

"아, 스님!"

바로 뒤에 현준이 예지동에서 몇 번 본 아저씨가 나타났다. 이현상이었다.

〈부용산〉

부용산 산허리에 잔디만 푸르러 푸르러

솔밭 사이로 회오리바람 타고

간다는 말 한 마디 없이

너만 가고 말았구나

피어나지 못한 채 붉은 장미는 시들었구나

부용산 산허리에 하늘만 푸르러 푸르러

저녁이면 빨치산들은 이 노래를 자주 불렀다. 처음에 한 사람이 시작하면 한 사람씩 따라 부르다가 어느새 모두 합창을 했다. 어린 현준도 구슬픈 가락이 좋아 자기도 모르게 노래를 따라 불렀다.

"아저씨, 무슨 노래지요?"

"〈부용산〉인데, 슬픈 사연이 얽힌 노래란다."

"슬픈 사연이요? 사연이 뭐예요?"

"현준이는 사연이라는 말을 아직 모르겠구나. 사연은 이야기라는 뜻이다. 저 아래 바닷가 쪽에 가면 벌교라는 곳이 있는

데, 거기서 자란 박기동이라는 학교 선생님이 계셨단다. 일본에 유학을 다녀오고 글도 잘 쓰는 분인데, 몇 년 전 여동생이 결혼하자마자 병이 나서 어린 나이에 죽었단다. 근처 부용산 중턱에 동생을 묻고 와서 그리운 마음을 담아 시를 썼는데, 그 시가 바로 이 노래 가사란다. 그다음 해 박 선생님이 목포에 있는 한 여자 중학교로 전근을 갔는데, 거기에서 한 음악 선생하고 아주 친해졌단다. 이름이 뭐라더라……."

"안성현입니다."

다른 빨치산 대원이 거들었다.

"맞다, 안성현."

"현준아, 너 〈엄마야 누나야〉 노래 알지?"

"알아요. 학교에서 배웠어요."

"안 선생님은 그 노래를 만든 뛰어난 음악가란다. 두 선생님이 곧 친해졌는데, 이번에는 안 선생님이 아끼는 제자가 폐병으로 죽었단다. 그래서 안 선생님이 제자를 그리면서 박기동 선생님 시를 노래로 만들었다는구나. 이 노래를 알게 된 교장 선생님이 학생들에게 학예회에 발표하게 해서 유명해졌고, 전라도 지역에 퍼졌단다."

"그런데 왜 이 구슬픈 노래를 산에서 부르는 거지요?"

한산 스님이 물었다.

"구슬픈 가락과 노랫말이 저희 신세 같아서 그렇습니다. 소문을 들으니 우리 빨치산들이 이 노래를 하도 부르니까 안 선생님이 학교에서 쫓겨났답니다."*

"아이고, 망할 놈들! 아름다운 노래를 만든 보답이 겨우 해직이라니!"

마침 순찰을 돌고 온 이현상이 나타났다.

"현준아, 이제 자야지."

"예."

현준은 이현상을 따라나섰다. 이현상부대는 서넛이 조를 짜 아지트를 꾸렸는데, 현준과 이현상, 한산 스님은 동굴 속에서 잠을 잤다. 야외 잠자리가 편할 리 없지만 5월 말이라 견딜 만은 했다.

"현준아, 운동하자."

한산 스님은 시간이 나면 현준에게 무술을 가르쳤다. 당수를 비롯해 자기가 잘하는 검도를 훈련시켰다. 반동과 폭력의 시대에 이정 박헌영이 유일하게 남긴 핏줄이 살아남으려면 자

---

* 안성현(1920~2006)은 한국전쟁 중 월북하고 박기동(1917~2005)은 오스트레일리아에 이민했다. '빨치산 국가'라 불린 이 노래는 한때 잊혀 있다가 원경 스님과 빨치산 출신 장기수 등을 거쳐 1970~1980년대 민주화 운동 진영에 알려졌고, 1997년 가수 안치환이 정식으로 발표했다. 박기동은 오스트레일리아까지 사람이 찾아와 권유하자 2절 가사를 짓고 2002년에는 영구 귀국했다. 부용산 중턱에는 '부용산 노래비'가, 벌교천에는 노랫말을 쓴 박기동 시인 기념 조형물이 있다. 2007년에는 안성현이 태어난 나주 드들강 솔밭유원지에 '엄마야 누나야 노래비'가 세워졌다.

기 방어력을 갖춰야 한다고 생각한 때문이었다.

무술을 연습하는 현준을 지켜보는 한산 스님 머릿속에 한반도 산사람의 역사가 영화처럼 펼쳐졌다.

산사람은 조선 말 제국주의와 봉건제에 저항해 일어난 동학 농민군 중에서 일본군과 관군, 민보군(양반과 향리 등이 조직한 토벌대) 연합 세력에 처참하게 짓밟힌 뒤 살아남은 일부가 지리산 등에 들어간 데 뿌리가 있다. 일제 강점기 말에는 새로운 흐름이 나타났다. 징용이나 징병을 피해 산에 들어간 젊은이들이 초보적이지만 일제에 저항해 무장 투쟁을 벌였다. 지리산 지역에서 하준수가 이끈 보광당이나 경상북도 경산시 대왕산에서 죽창을 들고 일본에 저항한 결심대가 그런 사례다.

해방 뒤 사라진 산사람은 1946년에 일어난 대구 10월 항쟁을 거치며 빨치산이라는 이름으로 다시 나타났다. 봉기 주도 세력은 추격하는 미군정과 경찰을 피해 산으로 들어가 야산대가 됐다. 별 존재감이 없던 야산대는 1948년 10월 여순 사건 때 토벌대에 밀린 패잔병들이 지리산으로 들어가면서 주목받지만 1949년 동계 토벌 작전을 거치며 극소수만 살아남았다. 바로 이현상부대였다.

"스님, 현준이하고 짐을 싸시지요."

한국전쟁 발발 열흘 전인 1950년 6월 15일, 더는 버티기 어렵다고 생각한 이현상은 지리산을 빠져나가 북쪽으로 이동하기로 했다. 이현상부대 70여 명은 하동군 악양면 쪽 야산으로 내려와 덕유산 쪽을 향했다.

2부

소년 빨치산

전쟁의 포화 속으로

"선생님! 이현상 선생님!"*

한 빨치산 대원이 뛰어오면서 소리를 질렀다.

"무슨 일인데 그리 호들갑인가요?"

"선생님, 드디어 해방입니다! 해방!"

"무슨 소리지요?"

"북조선이 6월 25일 새벽에 남침을 해서 서울을 점령하고 파죽지세로 남하하고 있답니다. 무주도 경찰이 다 도주해 텅 비었답니다."

"그래요? 올 것이 왔네요."

산 아래 마을에 다녀온 부대원이 전한 소식에 이현상은 벌떡 일어났다. 평소 감정을 잘 드러내지 않는 성격이지만 이승만이 도주하고 드디어 해방이 된다니 반가운 표정이 뚜렷했다. 7월 초라 전쟁이 일어난 지 이미 열흘은 지난 때이지만 산속에

---

* 이현상은 부하에게도 반드시 존댓말을 쓰는 등 권위가 아니라 인품으로 부대를 통솔했다. 나중에 남부군 사령관이 된 뒤에도 부하들은 이현상을 '대장님'이니 '사령관'이 아니라 '선생님'이라 불렀다.

서 움직이는데다가 중앙 지도부가 괴멸된 탓에 외부 연락이 끊겨 상황을 몰랐다.

"만세! 만세!"

빨치산들은 감격에 겨워 눈물을 흘렸다. 그러나 조금 뒤 이현상은 얼굴에 묘한 어둠이 스쳐 지나갔다. 마음속 깊은 곳에는 북한에서 김일성 추종자들하고 벌인 충돌이 떠올랐다. 이러다가 해방을 위해 가장 치열하게 투쟁한 박헌영이 아니라 김일성이 판치는 세상이 되지 않을까 염려됐다.

"선생님, 듣자니 경찰 놈들이 도주하면서 마을에 있는 보도연맹 가입자들을 모아다 골짜기로 끌고 가서 처형했답니다."

"천벌을 받을 놈들!"

국민보도연맹은 이승만 정부가 좌익을 전향시켜 대한민국에 충성을 맹세하도록 '보호'하고 '지도'한다며 강제로 가입하게 한 조직이었다. 경찰이나 공무원이 실적을 올리려 무고한 민간인까지 끌어들인 탓에 한국전쟁 전에 가입자가 30만 명을 넘었다. 패주하는 이승만 정부가 옛 동지들과 무고한 민간인을 얼마나 죽인 걸까 생각하니 이현상은 가슴이 메어지고 분노가 치솟았다.*

"이 동지, 서울이 해방되고 이승만은 도주 중이라면서요?"

소식을 들은 한산 스님이 병삼이를 데리고 나타났다.

"스님, 그렇답니다."

"그러면 저는 병삼이를 데리고 과천으로 올라가겠습니다. 이정 선생님이 서울로 내려오실지 모르니."

"그러시지요. 저는 전투 상황 정보를 더 수집하고 병력도 충원해서 서울로 올라가겠습니다. 서울에서 뵙겠습니다."

병삼, 아니 현준은 지리산 생활 한 달 만에 한산 스님을 따라 서울로 향했다. 내려올 때하고 다르게 함양과 김천을 거쳐 추풍령을 넘었다. 전쟁을 피해 남쪽으로 내려오는 피란민들을 자주 만났다.

"현준아 서두르자. 아버지가 기다리고 계실지 모른다."

한산 스님은 하루라도 빨리 서울로 올라가야 한다는 생각에 어린 현준은 생각하지 않고 발걸음에 속도를 냈다. 7월 말 땡볕 더위는 현준을 더욱 힘들게 했다.

---

* 이승만 정부가 학살한 국민보도연맹 가입자는 10만 명에서 20만 명으로 추정된다. 대부분 대전 산내 골령골 같은 골짜기에서 학살돼 '골로 간다'는 표현까지 생겼다. 보도연맹 조직을 주도한 공안 검사 오제도도 학살은 잘못된 행위라며 비판했고, 2008년에는 노무현 대통령이 학살 피해자에게 공식 사과를 했다.

노근리

추풍령을 넘어 충청북도 영동군에 접어들었다. 황간면 노근리에 들어서자 위로 철도가 지나고 아래로 자동차가 다니는 쌍굴다리가 나타났다. 아름다운 모습하고 다르게 다리 근처에 가니 역한 냄새가 강하게 풍겼다. 총 맞고 죽은 시신이 사방에 널려 있었다. 다리 밑 시신들은 그나마 형태라도 남아 있지만 철도 위 시신들은 포탄에 맞은 듯 갈가리 찢긴 채였다. 군인이 아니라 민간인이었고, 여자와 어린이도 많았다. 7월 말 더위에 시신들은 빠르게 부패하고 있었다.

"아니 무슨 이런 일이?"

산전수전 다 겪은 한산 스님도 말을 잇지 못했다. 현준은 역한 냄새에 코를 가린 채 얼이 빠져 울 수도 없었다. 학살 현장은 아홉 살 아이가 감당하기에는 너무 충격적이었다. 한산 스님은 인민군이 아직 이곳까지 내려오지 않은 만큼 이승만 정부가 저지른 짓이라고 추측했다. 두 사람이 목격한 참상은 1950년 7월 26일 일어난 노근리 민간인 집단 학살 사건이었고, 범인은 미군이었다.*

한산 스님은 노근리를 지나 북서쪽에 있는 용산면으로 향했다. 조금 전 받은 충격 때문에 둘은 아무 말 없이 걷기만 했다. 세 시간 정도 걷자 골짜기가 하나 나타났다.

"한여름에 웬 한기가!"

골짜기에서 으스스한 기운이 느껴져 한산 스님은 저도 모르게 소리를 질렀다. 가까이 다가가니 역한 냄새가 코를 찔렀다.

"아이고, 여기에도……."

시신이 부패하며 나는 냄새라는 사실을 직감한 한산 스님은 울음 같은 신음 소리를 뱉었다. 많은 사람이 죽어 있었다. 대부분 젊은 남자였다.

"스님, 사람들 손을 다 전깃줄로 묶었네요."

현준이 말한 대로 죽은 사람들은 모두 두 손이 전깃줄로 묶여 있었다. 수갑을 채우려니 너무 인원이 많아 전깃줄로 묶어 끌고 온 뒤 집단 학살한 듯했다.

"이 동네 보도연맹 사람들 같구나."

한국전쟁 발발 직후 정찰을 다녀온 이현상부대 산사람들이 전한 보도연맹 가입자 학살 현장이 확실했다. 노근리 학살보다

---

* 2000년 미국 에이피 통신이 보도해 전세계에 알려진 노근리 학살 사건은 한국전쟁 초기 선발대로 온 스미스 부대가 연패하고 윌리엄 딘 소장이 북한군에 포로로 잡히자 화가 난 미군이 저지른 반인륜 범죄다. 미군 수뇌부는 피란민 사이에 위험 분자가 숨어 있을지 모르니 피란민 대열을 군사 작전 대상으로 삼으라고 지시했다. 미군은 자기들이 통제하던 피란민들을 전투기로 폭격하고 폭격을 피해 다리 밑에 숨은 사람들에게 기관총을 쏴 200여 명을 학살했다.

훨씬 전에 벌어진 만큼 시신이 더 심하게 부패하고 신원을 알기 어려운 사례가 많았다.

"현준아, 아무리 갈 길이 멀지만 이대로 올라갈 수는 없구나. 너무 훼손돼 자손들이 찾아와도 신원을 확인할 수 없는 시신은 우리가 화장을 하고 가야겠다."

한산 스님은 옷으로 마스크를 만들어 쓰고 훼손이 심한 시신들을 골라 따로 모았다. 현준도 똑같이 마스크를 만들어 쓴 뒤 구역질을 참으며 도왔다.

"태울 만한 마른 나뭇가지들을 구해 오너라."

현준은 산으로 올라가 산사람들이 하던 대로 나뭇가지를 모았다. 한산 스님은 억울하게 죽은 이름 모를 시신들 위에 나뭇가지를 쌓고 불을 붙였다.

"마하반야바라밀다심경 관자재보살 행심반야바라밀다시 조견오온개공 도일체고액."

"극락왕생하소서, 나무석가모니불."

"나무석가모니불."

현준도 불경을 따라 외우며 죽은 이들의 명복을 빌었다.

"김삼룡 동지, 이주하 동지, 이관술 동지, 정태식 동지가 모두 무사해야 하는데……."

한산은 잡혀간 동지들의 안위가 걱정돼 긴 한숨을 내쉬었다. 죄 없는 민간인도 이렇게 학살하는 판에 이승만이 남로당 핵심들을 살려둘 리 없다는 불길한 생각이 엄습한 탓이었다. 그나마 잡혀간 동지들하고 북한에 잡혀 있는 조만식을 교환하는 논의가 진행되고 있으니 쉽게 죽이지는 않겠지 기대하면서 걸음을 재촉했다.

과천

"스님, 저 산 관악산 아니에요?"

"맞다. 어릴 때 네가 자란 동네인데 기억이 나느냐?"

"저 산만 기억나요."

"네 살 때니 기억이 안 나겠지. 어쨌든 이제 다 왔다."

두 사람은 이옥숙이 병삼을 키운 과천 아지트로 향했다.

"누구 계십니까?"

"아이고, 스님 어서 오십시오!"

"정태식 동지, 다행히 살아 있었군요."

"아저씨!"

"병삼아, 건강하니 다행이다."

현준은 정태식에게 달려가 안겼다. 오랜만에 현준이 아니라 병삼이라는 이름을 듣자 반가우면서도 어색하게 느껴졌다.

"정 동지가 김삼룡 동지와 이주하 동지 구출 작전을 펴다가 잡힌 소식은 들었습니다. 이승만 졸개들이 전쟁이 나자 좌익 의심자들은 다 처형했다는데, 어떻게 살아나셨습니까?"

"잡힌 지 얼마 되지 않아 인민군이 내려와 이승만 도당이 급히 도망가는 와중에 한 양심적인 수사관이 서대문형무소에게 빼내준 덕분에 이렇게 살아 있습니다."

"천만다행입니다. 그런 양심적인 수사관도 있군요. 김삼룡 동지하고 이주하 동지 소식은 들었나요?"

"……전쟁이 터지자마자 이승만이 남산으로 끌고 가 총살시켰다고 하네요."

"나무관세음보살! 조만식하고 교환 협상을 하고 있다 해서 한 가닥 희망을 가졌는데……."

한산은 긴 한숨을 내쉬었다.

"정 동지, 이정 선생님 소식은 들었습니까?"

"아직 평양에 계시고 서울은 안 내려오신 듯합니다."

"돌아가신 분들은 돌아가신 분들이고, 그 죽음이 헛되지 않게 혁명 과업을 본격적으로 재개해야지요."

"맞습니다. 살아남은 동지들을 모으는 일이 급선무입니다. 중단된 남로당 기관지 《해방일보》도 빨리 만들어야지요. 먼 길 피곤할 테니 일단 쉬십시오. 저는 이것저것 알아보러 나가봐야겠습니다."

며칠 뒤 집 앞에 소련제 군용차가 멈추더니 인민군복을 입은 여자가 내렸다.

"스님!"

"이게 누구야, 소산이 아니냐?"

군복에 빨간 부츠를 신고 채찍을 손에 든 김소산이었다.

"예, 사냥개 오제도 검사에 추적당하다가 인민군이 내려와 이렇게 살아났습니다."

"다행이구나."

"참 병삼이는요?"

"어린 나이에 고생이 많지만 건강하게 잘 있다. 병삼아!"

한산 스님이 부르는 소리에 숨어 있던 병삼이가 나타났다.

"병삼아, 이리 와라. 누나가 한번 안아보자."

소산은 병삼을 꼭 안았다.

"몇 달 사이에 좀 큰 것 같구나. 이제 세상이 바뀌었으니 아버지를 빨리 만나야 하는데! 시간 있으면 너를 평양에 데려갈 텐데 내가 시간이 없구나. 허기는 이정 선생님이 서울로 내려오실 테니 조금만 참아라. 스님, 저는 바빠서 가봐야겠어요. 조금 더 기다리면 이정 선생님이 내려오실 거예요."

"그래 너도 몸조심하고."

소산과 한산, 병삼이 만난 마지막 순간이었다.* 소산이 떠난 뒤 정태식이 들어왔다.

"스님, 아무래도 이정 선생님이 못 내려오시나 봐요. 어서 오

---

* 김소산은 인천 상륙 작전 뒤 북으로 가지 않고 서울에 숨어 있다가 체포돼 1950년 크리스마스이브에 총살됐다. 마지막 순간에도 눈을 가리지 말라 부탁하고 당당하게 죽음을 맞은 일화가 전해진다.

서서 조직을 재건하고 해방 작업을 이끄셔야 하는데……."

"물론 북에도 일은 많겠지만 김일성이 선생님을 잡아두는 듯합니다. 최대 경쟁 상대를 북쪽에 고립시키는 편이 낫지, 굳이 내려보내 물 만난 고기로 만들려 하겠어요?"

"아무래도 그렇겠습니다."

한산 스님과 정태식은 긴 한숨을 내쉬었다.

인천 상륙 작전

"스님, 큰일 났습니다."

정태식이 숨이 넘어가게 뛰어 들어오며 소리쳤다.

"정 동지, 무슨 일인데 이리 소동인가요?"

"미군이 인천에 상륙했답니다."

"아니! 낙동강에서 전선이 교착되더니 결국 허를 찔렸군요."

"미국 놈들이 인천에 들어오면 서울은 시간문제지요. 인민군도 철수 준비를 하고 있고 저도 북으로 가야겠습니다. 스님도 빨리 피란 준비를 하십시오."

"그래야겠네요. 그런데 저는 북으로 가지 않겠습니다. 여기에서 병삼이를 지켜야지요. 어린 병삼이까지 북으로 보낼 수는 없습니다."

"어떻게 하시려고요?"

"이현상 동지를 찾아가야겠습니다."

"그 편이 맞겠네요. 스님, 건강하시고 병삼이 잘 돌봐주십시오. 북에 가면 이정 선생님에게 안부 전하겠습니다."*

한산 스님과 병삼은 다시 보따리를 싸서 길을 떠났다. 이번에는 남쪽이 아니라 동쪽으로 향했다.

"스님, 우리 어디로 가요?"

"미군이 서울로 들어온다니 피란을 가야 한다. 이현상 아저씨가 태백산맥을 타고 양양으로 올라온다고 하니 우리도 동쪽으로 가자."

이현상 아저씨를 만난다는 말에 병삼은 은근히 신이 났다. 그렇지만 길을 가며 만난 산하와 민초들은 전쟁으로 고통받고 있었다. 가는 곳마다 피란민이 줄을 잇고 불타거나 부서진 집과 나무가 즐비했다. 원주와 정선을 지나 강원도 깊은 산속으로 들어갔다.

"스님, 계곡이 정말 예뻐요."

"그렇지? 이곳이 유명한 삼척(지금은 동해) 두타산 무릉계곡이다. 우리가 가려는 삼화사에 거의 다 왔다."

"이현상 아저씨가 여기 계세요?"

"아마 이 근처에 있지 싶다. 찾아봐야지."

계곡을 조금 걸어가자 큰 텐트가 나타나고 인민군복을 입은 군인과 젊은 여자들이 보였다.

"꼬마 스님이 귀엽게 생겼네요. 어린 나이에 고생이 많네요. 이리 와 보세요."

---

* 정태식은 월북 뒤 농림부에서 일하다가 1953년 남로당 숙청 때 처형당했다.

젊고 예쁜 누나들이 자기를 부르자 병삼은 왠지 가슴이 뛰고 기분이 묘했다.

"겨울이 코앞인데 옷이 이래서 어떻게 해요? 여기는 아주 추운 곳이에요. 꼬마 스님, 잠깐 기다려요. 따듯한 겨울옷 금방 만들어줄게요."

누나들은 병삼에게 두꺼운 옷과 장갑, 버선을 건넸다.

"꼬마 스님, 이건 내 선물!"

어떤 누나가 만든 귀 달린 토끼 모자는 머리에 딱 맞았다. 그 모자를 쓰고 두 사람은 다시 길을 나섰다.

"저기 보이는 산이 두타산이고 저 절은 삼화사란다."

"예."

한산 스님은 그 절로 올라가지 않고 옆쪽 오솔길로 빠졌다.

"스님, 절로 안 가나요?"

"여기에서 한참 올라가면 관음암이라는 암자가 있다. 아무도 찾아올 수 없는 안전한 곳이니 거기로 가야 한다."

관음암으로 가는 길은 가파른데다가 끝이 보이지 않았다.

"천이백, 천이백일, 천이백이……."

병삼은 계단 수를 세다가 포기했다.

"스님, 너무 힘들어요. 좀 쉬다가 가지요."

큰 바위에 앉아 아래를 내려다보니 지나온 무릉계곡이 까마득했다. 한참을 더 올라가자 작은 암자가 나타났다. 이런 곳에 어떻게 암자를 지은 걸까 궁금할 정도였다.

"병삼아, 다 왔다."

관음암은 암자라 부르기가 뭐할 정도로 초라한 움막인데다가 오랫동안 버려져 엉망이었다. 두 사람은 쉴 틈도 없이 서둘러 암자를 청소했다.

관음암

"내려가서 이현상 아저씨를 찾아보고 올 테니 여기에 꼼짝 말고 있어라."

"저 혼자요?"

병삼은 혼자 버려져 지낸 예지동 아지트 시절이 떠올라 겁이 덜컥 났다.

"그래야지. 길이 험해서 너를 데리고 다닐 수도 없고."

"……."

"여기는 아무도 모르는 안전한 곳이니 걱정하지 마라."

"……."

"참, 내 정신 봐라. 깜박 잊을 뻔했다. 병삼이 이리 와봐라."

한산 스님이 병삼을 부엌 아궁이로 불렀다. 옆에는 작은 주머니와 병이 놓여 있었다.

"여기 보리쌀과 된장으로 네가 밥을 해 먹어야 한다."

"……."

"보리쌀은 솥에 물을 솥에 이 정도 넣고 한소끔 끓으면 먹을 수 있다. 된장을 풀어 국도 끓여 먹어라."

"예."

"병삼아, 이리 와봐라."

한산 스님은 소나무 앞으로 병삼을 데려가더니 나뭇가지를 툭 꺾었다.

"빨리 돌아올 생각이지만 나도 얼마나 걸릴지 확실히 모른다. 혹시 쌀이 떨어지면 저 언덕에 올라가서 이 청솔가지를 태워라. 그럼 산사람들이 식량을 가지고 나타날 게다."

한산 스님이 떠나고 밤이 됐다. 사방에서 나뭇가지가 바람에 흔들리고 간간이 먼 곳에서 짐승들 우는 소리가 들려서 병삼은 두려움에 떨었다. 지리산에서 한 달 가까이 살 때는 한산 스님과 이현상 아저씨 곁에서 느끼지 못한 공포였다. 예지동 아지트에서 혼자 지낼 때도 듣지 못한 소리였다. 두려움도 잠깐, 과천 아지트에서 두타산 관음암까지 오랜 여정에 지친 병삼은 스스르 곯아떨어졌다.

"아, 밥이 제대로 안 됐네."

병삼은 한낮이 돼서야 눈을 떴다. 스님이 알려준 대로 밥을 지었다. 배가 무척 고파 설익은 밥이라도 먹을 수밖에 없었다. 몇 번 시행착오를 겪은 뒤에야 밥이 제대로 됐다. 병삼은 아침이면 밥을 먹고 삼화사에서 관음암으로 올라오는 산길이 보이는 곳에 앉아 있었다. 며칠이 지나도 스님은 오지 않고 보리쌀마저 떨어졌다. 하루를 굶고 버티지만 너무 배가 고팠다. 할 수 없이 청솔을 꺾어 언덕에 올라가 불을 붙였다. 매캐한 연기에 눈물이 났다.

그날 밤 누군가 암자로 걸어오는 발자국 소리가 들렸다.

"스님!"

병삼은 반가운 마음에 문을 열고 뛰어나갔다. 수염이 덥수룩한 젊은 남자가 등에 뭔가를 지고 다가왔다.

"쌀이 떨어졌구나. 여기 보리쌀하고 된장, 소금, 그리고 남은 배추가 있어서 좀 가져왔다."

"한산 스님은요?"

"잘 모르겠는데, 곧 오시겠지. 조심하고, 잘 지내라."

구인사

"스님!"

만날 쭈그리고 앉아 내려다보던 산길에 익숙한 모습이 나타났다. 병삼은 반가워 단숨에 한산 스님에게 뛰어갔다.

"잘 있었느냐?"

"무서워 죽는 줄 알았어요."

"혼자 잘 버텼구나. 장하다, 장해."

"이현상 아저씨는요?"

"못 만났다. 양양 쪽에서 북으로 넘어가려다가 새로운 지령을 받고서 소백산맥 따라 남으로 내려갔다는데, 우리도 그쪽으로 가야겠다."

두 사람은 남쪽으로 발길을 돌렸다.

"병삼아, 바보 온달 이야기 들어봤느냐?"

"예, 학교에서는 안 배우고 아저씨들이 이야기해줬어요."

"저기 산 위를 봐라. 바보 온달이 장군이 돼 신라에 쳐들어와 쌓은 온달산성이란다."

"그래요?"

"온달 장군이 여기에서 싸우다가 죽었단다."

두 사람은 소백산 자락에 자리한 충청북도 단양군 영춘면에 도착했다.

"이현상 동지가 이쪽으로 내려온 듯한데……. 여기에 내가 잘 아는 고승이 계신단다. 우선 거기 가서 좀 쉬자꾸나."

소백산에서 넷째로 높은 수리봉 쪽으로 한참을 올라가자 해발 600미터 되는 고지에 초가집 몇 채가 나타났다.

"상월 있는가?"

한산은 멀리 떨어진 곳부터 큰 소리로 불렀다.

"이게 누군가? 난리통에 안 죽고 살아 있네 그려. 반갑네."

"자네도 무탈하다니 다행이네. 여기 이 산속 명당이야 안전하겠지만."

"한산, 머리 깎은 저 아이는 누구인가?"

"이정 선생님 아들이네."

"아, 그런가?"

상월은 병삼을 찬찬히 훑어봤다.

"쯧쯧."

"상월, 왜 그러나?"

"아쉬워서 그러지."

"뭐가?"

"꼭뒤가 한 치만 더 나오면 팔자가 필 텐데……."

상월은 병삼의 뒤통수를 어루만지며 안타까워했다.

"병삼아, 이현상 아저씨 찾으러 다녀올 테니 큰스님 말씀 잘 듣고 있어라."

병삼은 한산 스님하고 다시 떨어져야 한다니 싫었지만 관음암 때처럼 홀로 남겨지지 않아서 그나마 다행이었다.

상월 스님

"병삼아, 한산 스님 오실 때까지 나랑 한문 공부나 하자."

상월 스님은 병삼에게 천자문을 건넸다.

"하늘 천, 따 지, 검을 현, 누를 황."

병삼은 열심히 천자문을 읽고 외웠다.

"그 녀석 똘똘하네."

오늘이면 오시려나 날마다 기다려도 시간만 흘러갔다.

"병삼아 놀자."

그동안 병삼은 마을 아이들하고 동무가 됐다.

"뭐 할까?"

"귀신놀이 하자!"

병삼은 아이들을 온달 동굴에 데려가 귀신놀이를 했다.

"재미없다. 이제 온달산성 가서 병정놀이하자."

귀신놀이가 지루해지면 온달산성에 올라갔다. 온달산성에서 남한강을 내려다보면서 병삼은 아이들에게 무술을 가르쳐줬다. 무술 훈련이 끝나면 병삼이 대장이 돼 병정놀이도 했다. 어릴 때부터 보고 배운 대로 경찰과 국군은 나쁜 놈 역을 맡았다.

어느 날 병정놀이를 끝내고 돌아오니 댓돌에 낯익은 신발이 보였다. 반가워서 방으로 뛰어 들어가려는데 안에서 말소리가 들렸다. 무슨 이야기인지 궁금했다. 입 밖으로 나오려던 '스님' 소리가 본능적으로 멈췄다. 한산 스님과 상월 스님이 이야기를 나누고 있었다. 병삼은 숨을 죽이고 귀를 기울였다.

"한산, 자네가 간 뒤 내가 가르쳐보니 병삼이가 한 달 만에 천자문을 떼었네. 아버지를 닮아 보통 영특한 아이가 아니네."

"고맙네. 바삐 여기저기 도망 다니느라 제대로 가르치지를 못 했네. 배울 기회가 없어서 그렇지, 똑똑한 아이네."

"그래서 말인데, 저 아이를 이 전쟁 통에 어디까지 끌고 다닐 텐가? 자네한테 무슨 일이라도 나면 저 아이는 어떻게 되겠나? 차라리 나에게 맡기게. 내가 책임지고 잘 키우고 가르칠 테니."

병삼은 가슴이 덜컹했다. '싫어요'라고 소리치며 방으로 뛰어 들어가고 싶지만 꾹 참았다. 긴 침묵이 흘렀다.

"자네 말이 일리가 있고, 그렇게 신경을 써주니 고맙네. 아무리 고민해도, 이정 선생님을 생각해도, 이 아이는 내가 끝까지 돌봐야 할 듯하네. 이 아이의 운명인 그렇지 싶으이."

"자네 생각이 그렇다면 할 수 없지. 나무관세음보살."*

* 그 뒤 상월 스님은 깨달음을 얻어 1966년 천태종을 중창했다. 한국 불교 3대 종단에 꼽히는 천태종은 신도 수 200만 명을 헤아린다. 구인사도 1만 명이 들어가는 5층짜리 현대식 대법당을 비롯해 전각 50채를 거느린 초대형 절로 발전한다.

가마골

"모스크바가 함락될지언정 가마골은 함락당하지 않는다."

가마골에 주둔한 빨치산 부대 노령병단 김병억 대장이 1951년 봄에 한 말이다. 이제 이름난 유원지가 된 가마골은 전라남도 최북단으로 전라북도 도계에 맞닿은 담양군 용면에 자리한다. 영산강 발원지인 이곳은 백두대간에서 남서쪽으로 뻗어 내린 노령산맥에 이어진 지맥으로, 해발 450미터 용추봉 등 험준한 산과 울창한 숲으로 둘러싸인 천혜 요새다.

한국전쟁, 특히 인천 상륙 작전 이후 빨치산은 전혀 다른 양상을 띠었다. '구빨치'가 여순 사건 때 산으로 올라간 소규모 세력이었다면, 인천 상륙 작전 이후 나타난 '신빨치'는 허리가 끊겨 북으로 퇴각하지 못한 인민군까지 가세해 1만 5000명에서 2만 명에 이른 대규모 부대였다. 지지 세력까지 합치면 4만 명이 넘었다.

가마골에는 노령병단, 인천 상륙 작전 때문에 북으로 퇴각하지 못한 인민군 기포부대(기관총과 박격포로 무장한 부대), 카츄샤부대, 번개부대, 전남도당, 광주시당과 목포시당이 장기 주둔했다. 지형 조건이 좋고 민가가 가까운 덕분에 식량 등 보급품을 구하기 쉬운 곳이었다. 빨치산들은 학교를 만들어 사상 교육부터 유격 교육까지 다양한 교육을 했다. 고장 난 지뢰로 사제 폭탄을 제조하는 폭탄 공장과 벼를 찧고 쓿는 도정 공장까지 있었다. 빨치산들은 가까운 칠보수력발전소를 공격해 전력 공급을 중단시키기도 했다.

한산 스님은 이현상부대를 찾아 남하하다가 이곳에 머물렀다. 빨치산 1000여 명 말고도 영호남 지역 남로당 간부 가족과 피란민 등 3000여 명이 모여 있었다. 인민군 지도부와 노령병단 등은 남로당 간부들이 데려온 자녀들을 엄격하게 심사했고, 이렇게 선발된 아이들은 특공대가 비밀 경로를 거쳐 북으로 올려 보냈다.

"병삼아, 저기 폭포까지 누가 먼저 가나 내기하자."

병삼은 다른 아이들하고 공부도 하고 용소폭포에서 수영 경주도 하며 즐거운 시간을 보냈다. 한산은 병삼을 어떻게 해야 할지 판단이 서지 않았다. '북으로 보내야 할까? 끝까지 데리고 다녀야 할까? 나에게 무슨 일이 생기면 어떻게 해야 할까?' 이현상이 옆에 있으면 같이 상의할 텐데 그렇지 못해 한산 스님은 너무 아쉬웠다.

"이 동지, 어디 있습니까?"

그날 밤 한산 스님은 꿈에서 이현상을 만났다.

"스님, 저는 우리가 끝까지 병삼이를 지켜야지 북으로 보내면 안 된다고 봅니다."

"그렇겠지요. 저도 그렇게 생각은 하는데, 여기 두면 아이를 객사시킬 듯하니 이정 선생님에게 보내야 하나 염려도 됩니다."

"스님은 잘 모르시겠지만 저는 직접 겪지 않았습니까? 오죽하면 그놈들하고 술상을 뒤집어엎으면서 싸웠겠습니까? 서울이 수복된 뒤에도 이정 선생님을 내려보내지 않고 잡아두는 꼴을 보십시오. 김일성은 전쟁이 끝나면 이정 선생님을 비롯해 우리 남로당 세력을 다 제거할 겁니다."

"그럴 가능성이 크지요."

"그런 마당에 병삼이를 북으로 보낼 수는 없습니다. 이정 선생님 아들만은 남쪽에 남아 있어야 하고, 우리가 목숨 걸고 지켜야 합니다. 이정 선생님도 병삼이가 남쪽에 남아 있기를 바랄 겁니다."

"맞는 말입니다."

다음 날 한산은 짐을 싸서 가마골을 떠나 덕유산으로 올라갔다. 1951년 8월 25일, 빨치산 토벌대가 전투기로 네이팜탄을 투하하면서 대대적인 진압 작전을 벌여 가마골을 점령하자 빨치산들은 지리산으로 후퇴했다.

다시 만난 이현상

한산 스님과 병삼은 가마골을 떠나 동북쪽으로 향했다. 그전에 봐둔 전라북도 무주군 원통사로 가는 길이었다. 덕유산 남쪽 자락 해발 1050미터 망봉과 860미터 명천안산 사이 첩첩산중에 자리한 원통사는 한말 문태서 등이 의병을 일으킨 곳이었다.* 명천호 자락에 도착한 두 사람은 끝없는 산속으로 걸어 올라갔다.

"이제 다 왔다."

한산과 병삼은 일단 원통사에 자리를 잡았다. 빨치산이 이동할 중요 통로인 만큼 이곳에 머물면서 이현상부대를 기다리기로 했다. 기다리는 김에 한산 스님은 병삼에게 무술 훈련을 시켰다. 병삼도 열심히 훈련에 몰두했다.

어느 날 군인들 한 무리가 나타났다. 박격포 같은 중화기를 맨 사람도 있었다. 빨치산이었다.

---

* 이 절은 한국전쟁 때 불타 지금은 절터만 남아 있다. 지금 우리가 아는 원통사는 그 옆에 새로 지은 절이다.

"스님, 산아저씨들이에요!"

행렬 앞쪽에 성큼성큼 내려오는 키 큰 사람이 눈에 익었다.

"이현상 아저씨!"

이현상을 발견한 병삼은 반갑게 달려갔다.

"이게 누구야, 병삼이 아니냐! 네가 웬일로 여기에……."

전혀 생각지 못한 곳에서 병삼을 만난 이현상은 깜짝 놀라면서도 병삼이를 안으며 기뻐했다.

"스님은?"

병삼이 대답하려는데 한산 스님 목소리가 들렸다.

"이 동지!"

절 쪽에서 한산 스님이 웃으며 걸어오고 있었다.

"아이고, 무사하셨군요. 반갑습니다. 어떻게 지내셨어요?"

"이 동지를 찾아 병삼이를 데리고 전국을 누볐지요. 이 동지가 북으로 넘어가려고 양양으로 향한다는 소문을 듣고 삼척 삼화사에 갔지요. 소백산맥 따라 단양 구인사에 머물다가 가마골로 갔지요. 거기서 병삼이를 북으로 보낼까 고민하다가 안 되겠다 싶어 여기로 왔습니다. 이 동지가 남쪽으로 내려가면 이곳을 지날 듯해서."

"죄송합니다. 고생 많았습니다."

"저야 뭐, 병삼이가 고생 좀 했지요."

"병삼이도 병삼이지만 아이 데리고 전쟁 통에 다니는 스님은 오죽 고생했겠습니까?"

"고생이야 전쟁 통에 어쩔 수 없지요."

"그래도 스님이 신통력을 발휘해 이곳에 지키고 계셔서 이렇게 만나네요."

"신통력은 무슨……. 참, 이 동지는 어떻게 지냈습니까?"

"스님하고 헤어진 뒤에 서울에 내려온 이승엽 동지하고 연락이 닿았는데, 대구 팔공산 쪽으로 가서 후방을 교란하라는 지시를 받았습니다."*

"아, 이승엽하고 연결이 됐군요."

"예, 그래서 낙동강을 건너가서 교란 작업을 신나게 벌이는데 이상하게 미군들이 사라지더라고요. 알고 보니 인천 상륙작전으로 인민군이 후퇴하면서 전선이 북쪽으로 옮겨진 탓이었어요. 북으로 가야 할 듯해 울진에서 일월산을 타고 태백산맥에 들어가 삼척을 거쳐 삼팔선 있는 양양까지 갔지요."

"저도 이 동지가 양양으로 간 소식을 듣고는 병삼이 데리고 삼척 삼화사까지 갔는데, 이 동지를 못 찾고 내려왔습니다."

"그러셨군요. 거기서 평양 쪽으로 가려고 서북쪽으로 가로지르다가 철원에서 이승엽 동지를 만났습니다. 이 동지가 남조

---

* 이승엽은 일제 강점기에 조선공산당을 중심으로 독립운동을 했고, 해방 뒤에는 박헌영하고 활동하다가 월북했다. 북한군이 점령한 서울에서 시장을 지냈지만, 1954년 미제 간첩으로 몰려 처형됐다.

선 해방 지구의 군사 전권을 자기가 쥐고 있다면서 중공군이 참전한 만큼 다시 공세로 전환될 테니 남조선 빨치산을 모아 조선인민유격대 산하 남반부 유격대, 그러니까 남부군을 창설하라고 지시하더군요. 그래서 유격대 500여 명으로 남부군을 만들어서 오던 길을 되돌아 남쪽으로 내려오다가 소백산에 자리 잡고 죽령길을 장악해 수송을 교란시켰지요."

"저도 이 동지가 소백산에 있다는 풍문을 듣고 구인사에 머물며 수소문했는데, 가까운 데 있으면서 못 찾았네요."

"그러게 말이에요. 그 뒤 미군 폭격 때문에 속리산으로 옮겨 청주를 급습하고 영동 민주지산에 주둔하면서 경부선을 교란시키다가 이리로 내려오는 길입니다."

"고생 많았습니다. 일단 고생한 부하들, 군장 내려놓고 쉬게 하시지요."

남부군

"스님 다녀오겠습니다."

1951년 6월, 이현상은 부하들을 이끌고 덕유산으로 올라갔다. 전남과 전북, 충남과 충북, 경남과 경북 등 남한 6개 도당 위원장에 연락원을 보내 송치골에 불러 모았다. 각 도당이 반발하지 않도록 회의 목적은 유격대 경험을 공유하고 투쟁 방향을 논의할 '경험교환회'라고 에둘러 설명했다. 6개 도당 위원장이 호위병을 대동한 채 삼엄한 감시망을 뚫고 며칠씩 산을 탔다. 박영발 전남도당 위원장은 건강이 아주 나빠 업힌 채로 도착하기도 했다. 참석자가 다 모이자 이현상은 회의를 연 진짜 목적을 공개했다.

"6개 도당을 통합 지도할 남부 지도부를 만들어 그 위원장에 여운철 전 충남도당 위원장을 임명한다."

이현상은 이승엽이 지시한 사항을 전달했다. 도당 위원장들이 술렁였다. 이현상은 거침없이 다음 지시 사항을 전달했다.

"각 도당 휘하 무장 부대를 총괄하는 남부군을 창설해 각 부대는 사단으로 편입하며, 그 사령관에는 이현상을 임명한다."

"말도 되지 않습니다. 현지 사정을 잘 아는 도당이 지도해야 효율적이지, 현장을 잘 모르는 남부군 사령부가 어떻게 무장 투쟁을 지휘합니까? 그리고 이렇게 중요한 사항을 공식 문서 없이 구두 명령으로 결정할 수는 없습니다. 중앙당 정식 명령이 없이는 남부군에 소속될 수 없습니다."

박영발 전남도당 위원장이 거세게 반발했다. 방준표 전북도당 위원장도 동조했다.

"도당이 현지 사정을 잘 아니 작전 지휘권을 가져야 한다는 주장 등 각 도당이 제기하는 반론에 수긍할 만한 부분이 적지 않습니다. 그러나 유격대가 도당별로 분산된 탓에 전투력과 무기 공급에 문제가 많습니다. 중앙당이 내린 지시는 따라야 하니, 넓고 안전한 지리산에 남부군 사령부를 두되 각 도당의 자율성을 보장하도록 노력하겠습니다."

격렬한 논쟁이 사흘 동안 이어진 끝에 참석자들은 절충점에 합의했다. 남한 지역 6개 도당 산하 빨치산을 남부군으로 통합하는 한편 이현상을 총사령관으로 임명하되 각 도당이 나름대로 자율성을 지닌다는 등 6개 항 합의 사항이었다. 남부군 사령관이 된 이현상은 특별 지시를 내렸다. 남부군은 약탈과 민간인 사살, 방화 등을 절대 해서는 안 되며 민심을 얻는 데 주력하라는 내용이었다.

"병삼아, 이현상 아저씨가 남부군 총사령관이 됐단다."

"남부군 총사령관이 뭐예요?"

"어떻게 설명해야 하나……남부군은 우리 산아저씨들 부대를 말하고, 총사령관은 대장 중의 대장이라는 뜻이란다."

"야, 신난다!"

병삼은 이현상 아저씨가 산아저씨들 부대 총대장이라고 하니 괜히 어깨가 으쓱해지는 기분이었다.

이현상은 송치골 회의에서 정식으로 남부군을 결성한 뒤 직접 지휘하는 직할 부대 400명을 데리고 지리산으로 향했다. 덕유산을 떠나 경상북도 함양군 황석산과 산청군 범머리재를 지나 대원사계곡을 거쳐 지리산으로 들어갔다. 여순 사건 뒤 제14연대 잔류병들을 데리고 들어가 한국전쟁이 시작되고 내려온 뒤 1년 만에 지리산에 다시 돌아왔다. 이번에는 한산 스님과 병삼도 함께했다.

'삼금'과 '세 가지 각오'

"여러분! 남부군 합류를 축하합니다. 모두 자축하는 의미에서 박수 한번 칩시다."

이현상은 단심폭포 앞에 모인 빨치산들에게 사기를 북돋울 축하 박수를 치자고 했다. 단심폭포는 전라북도 남원군 뱀사골계곡에서 탁룡소와 병풍소 등을 거쳐 반야봉 방향으로 1시간 반 정도 올라가야 나타난다. 나지막하고 수량도 적지만 폭포 앞 공터가 넓어 새로 빨치산이 되면 붉은 마음을 조국에 바치자고 맹세하는 집회를 열었다. 박수 소리가 잦아들자 이현상이 강연을 시작했다.

"빨치산이 되려면 '삼금'과 '세 가지 각오'를 해야 합니다. 삼금은 자기 위치를 노출시키지 않기 위해 피해야 할 세 가지인데, 능선과 연기와 소리입니다. 화력이 좋지만 연기는 안 나는 땡감나무와 싸리나무로 밥을 하고 연료로 써야 합니다. 행군할 때도 적들 눈에 띌 수 있기 때문에 능선을 피해야 합니다. 물론 소리도 적에게 위치를 노출시키니 주의해야 합니다."

신입 대원들은 초롱초롱한 눈으로 경청했다.

"대장님, 세 가지 각오는 뭐지요?"

"굶어 죽을 각오, 얼어 죽을 각오, 총 맞아 죽을 각오."

모두 숙연해졌다.

이현상부대를 비롯한 빨치산을 가장 괴롭힌 문제는 토벌대가 아니라 굶주림과 추위였다. 특히 겨울 지리산은 혹독했다. 먹을거리를 구하기도 쉽지 않고 살을 에는 추위에 동상은 예사였다. 눈이 오면 발자국이 남기 때문에 식량을 구하러 마을로 내려갈 수도 없어서 움직임이 아주 제한됐다. 여름에도 장마철에는 비에 젖은 싸리나무가 잘 타지 않을뿐더러 매캐한 연기가 나 음식 조리를 아예 포기해야 할 때도 많았다.

모든 부대원이 똑같이 생활하면서도 어린 병삼에게는 먹을거리를 배려했다. 소금만 넣어 희멀건 '백운탕白雲湯'이라도 한 그릇 더 퍼 줬다. 식량이 부족할 때는 병삼이라고 해도 어쩔 수 없어서 똑같이 굶었다. 토벌대에 쫓길 때는 밥을 해 먹지 못하니 생쌀을 씹어 먹고 바위 틈새에 떨어지는 물을 마셨다.

"여러분들은 조선인민유격대 남부군의 일원으로 조국과 인민, 당을 위해 원수들을 무찌르는 싸움에서 영웅성을 보여줘야 할 뿐 아니라 인민의 생명과 재산을 보호해야 합니다. 빨치산과 인민은 물고기와 물 같습니다. 물고기가 물 없이 살지 못하듯 빨치산은 인민의 지지 없이 살 수 없습니다. 인민의 이익을 유린하며 군중 규율을 어기는 행동은 빨치산과 인민을 이간시키고 조국과 당을 반역하는 이적 행위입니다. 따라서 상부 명령 없이 인민의 가택을 출입하여 수색하거나 물품을 강요하고 강탈하는 자, 상부 명령 없이 인민의 가축과 가금을 무단 강탈하는 자, 인민을 공갈하고 위협한 자는 반역자로 선고하고 군중 앞에서 총살할 것입니다."

이현상은 부드러우면서도 단호한 목소리로 신입 대원들에게 빨치산 행동 지침을 확실히 각인시켰다. 신입 대원들은 말만으로 듣던 엄한 규율에 감동하면서도 섬뜩해했다.

이현상부대는 적에게 들키지 않고 적의 공격을 받지 않도록 전투나 회의가 있지 않는 한 흩어져 생활했다. 서너 명이 무리를 지어 아지트를 만들었다. 병삼이는 한산 스님, 이현상하고 함께 빗점골 등에 자리한 동굴 아지트에서 지냈다. 동굴 속이라 바깥보다는 나은 편이지만 한겨울 추위는 어쩔 수 없었다. 한 곳에 머물지 않고 움직이는 부대를 따라 병삼도 같이 이동했다. 작전이 있을 때는 험준한 산속을 구보로 오가는 대열에서 낙오하지 않으려 힘껏 뛰었다.

어느 날 토벌대가 공격하자 병삼은 호위대원 뒤를 따라 죽을힘을 다해 뛰어 다른 산으로 도망쳤다.

"이현상 아저씨랑 한산 스님은 어디 가셨지?"

한순간 돌아보니 다른 사람들이 안 보였다. 본대를 잃어버린 두 사람은 거의 한 달 동안 산속을 헤맸다. 병삼은 시간이 흐를수록 한산 스님과 이현상 아저씨를 영원히 만나지 못할까 불안해졌다. 이현상도 수색대를 풀어 병삼을 열심히 찾았다.

“빼꾹, 빼꾹.”

“병삼아, 드디어 찾은 모양이다.”

“예? 아무것도 안 보이는데요.”

“잘 들어봐라. 빼꾸기 소리 들리지?”

“예.”

“본대에서 보내는 신호란다.”

빼꾸기 소리 덕분에 병삼은 한 달 만에 한산 스님과 이현상 아저씨를 재회할 수 있었다.

“아저씨!”

가짜 이현상

병삼은 이현상을 보고 반가워 눈물을 흘리며 달려갔다. 뭔가 이상했다. 아무리 상황이 힘들어도 '우리 병삼이' 하면서 따뜻하게 안아주는 이현상이 병삼이를 멀뚱멀뚱 쳐다만 봤다.

"아저씨가 왜 저러지?"

뒤따라온 한산 스님이 급하게 현준을 불렀다.

"현준아, 저리 가자."

"스님, 왜요?"

한산 스님은 병삼이를 끌고 사람들 없는 곳으로 갔다.

"현준아, 이현상 아저씨가 좀 이상해 보여도 절대 내색하면 안 된다."

"왜요?"

"설명하기가 참 그렇구나."

"……."

"아저씨를 해치려는 사람들이 있어서 아저씨하고 비슷하게 생긴 사람을 가짜 이현상 아저씨로 꾸며 세워놓았단다."

병삼은 알 듯도 하고 모를 듯도 했다. '펑.' 한 달 전 일어난 수류탄 폭발 사고가 떠올랐다. 다행히 이현상은 다치지 않지만 이현상부대는 벌집을 쑤신 양 난리가 났다.

"누가 던졌지?"

토벌대가 침투해 수류탄을 던지기는 힘든 상황이었다.

"그럼 도대체 누구지?"

아무리 생각해도 내부 소행이었다.

"내부 누구?"

"아마도 북에서 자객을 보낸 모양입니다."

남쪽 빨치산 부대와 북쪽 정규군 사이에 상당한 알력이 있다는 점, 특히 이현상이 반김일성주의자라는 점이 공공연한 사실인 만큼 충분히 벌어질 만한 일이었다.

"이 동지, 아무래도 대책을 세워야겠습니다."

"스님, 무슨 대책을?"

"체격과 용모가 이 동지를 꼭 빼닮은 부대원이 있더군요."

"아, 김학성 동지? 사람들이 가끔 저하고 착각하지요."

"그러니까요. 그 동지한테 이 동지 복장을 입혀 대역을 맡기는 겁니다. 토벌대에 혼선을 일으킬 뿐 아니라 암살에 대비할 수도 있으니 일석이조지요."

"역시 스님이십니다. 좋은 계획입니다."

소년 빨치산

병삼이는 열 살 남짓 된 어린 나이지만 그저 어른들을 따라다니기만 하지는 않았다. 나름대로 임무를 수행하는 소년 빨치산, 곧 '애빨'*이었다. 임무는 보급 투쟁, 척후병, 연락병 등 세 가지였다.

"병삼아, 된장이 떨어졌구나. 마을에 가 된장 좀 얻어 와라."

병삼은 지리산 깊은 곳에 자리한 아지트에서 호위 부대하고 함께 마을로 내려왔다. 마을 어귀에 다다르면 호위 부대는 숲 속에 숨고 병삼이 혼자 마을로 들어갔다.

"꼬마 스님, 웬일이세요?"

"저하고 상좌 스님이 이 근처를 지나다가 연곡사 쪽에 들러 지내고 있는데 먹을거리가 떨어져 된장 좀 얻으러 왔습니다."

"상좌 스님은 어쩌고?"

"발을 다쳐 움직이기가 어려우세요."

"꼬마 스님이 고생이 많네요. 조금 기다리세요."

---

* 18세 미만 어린 빨치산을 가리킨 '애기 빨치산'의 준말이다.

아주머니는 뒤뜰로 가서 된장을 퍼왔다.

"된장, 여기 있습니다."

"감사합니다. 나무관세음보살!"

정찰도 병삼이 가끔 맡은 중요한 임무였다.

"병삼아, 곧 마을에 작전을 나가니까 네가 먼저 가서 정찰을 좀 해라."

"예, 아저씨."

"경찰이나 군인이 나타나면 지난번처럼 연락해야 한다."

"알았어요."

"참, 쑥솜*은 챙겼지?"

"아, 참."

"이놈아, 그것 안 가지고 가면 어떻게 연락하려고!"

산아저씨는 눈을 크게 뜨고 혼내는 시늉을 했다.

병삼은 이현상부대하고 같이 작전 대상 지역으로 내려온 뒤 먼저 마을로 들어가 동네 아이들하고 금세 사귀었다. 숨바꼭질도 하고, 말뚝박기도 하고, 땅따먹기도 했다.

"저기 군인 아저씨들 오네!"

"아이고, 오줌 마려워. 나 오줌 좀 누고 올게."

아이들 사이에 섞여 놀다가 군인이나 경찰이 나타나면 병삼

* 쑥을 말려서 비비면 남는 솜. 부싯깃으로 쓴다.

이는 오줌 누러 간다는 핑계를 대고 아무도 없는 외진 곳으로 달려갔다. 안전지대에 도착하면 옷 안에서 쑥솜을 조금 꺼내 돌 위에 놓고 다른 돌로 그 돌을 치면 불이 붙었다.

"경찰이나 군인이 나타났구나!"

병삼이 피운 연기를 확인한 빨치산들은 철수하거나 공격에 대비했다.

중요한 전달 사항이 있으면 이현상은 의심을 받지 않는 병삼을 연락병으로 삼았다. 목적지가 멀어 병삼이만 보내기 껄끄러울 때는 머리 깎고 승복 입은 한산 스님이 같이 갔다. 그럴 때도 편지는 의심을 덜 받는 병삼이 간직했다. 두 사람은 며칠을 걸어 전북도당이 자리한 전라북도 순창군 회문산까지 가서 중요한 메시지를 전달하고 온 적도 있었다.

석실

"언제 봐도 멋있어!"

병삼은 천년송을 올려다보며 감탄사를 터트렸다. 전라북도 남원군 뱀사골 입구 해발 800미터에 우뚝 선 천년송은 구름이 누워 있다는 와운마을을 상징했다. 와운마을은 임진왜란 때 산으로 들어온 영광 정씨 등이 산수가 기가 막혀 정착한 곳인데, 한국전쟁이 터지자 마을 사람은 모두 내려가고 빨치산이 장악했다.

병삼은 와운마을을 지나 뱀사골로 내려갔다. 조금 뒤 두 계곡이 만나는 요룡대가 나타났다. 여기서 왼쪽으로 올라가면 단심폭포를 거쳐 반야봉으로 가는 뱀사골 본 계곡이다. 병삼은 오른쪽으로 꺾어 달궁과 반선마을 쪽으로 내려갔다. 커다란 바위가 나타났다.

"이 바위가 맞나?"

병삼은 예전에 한산 스님하고 함께 온 기억을 되살렸다. 이 바위가 맞는 듯한데 뱀사골에는 비슷한 바위가 많아 자신이 없었다. 확인하려면 바위 뒤로 돌아가 살펴보는 수밖에 없었다. 바위 사이에 석실로 들어가는 작은 틈새가 있어야 하기 때문이었다. 바위 사이로 작은 틈새가 보였다. 석실이 맞았다.

"휴, 맞게 찾아왔네."

석실은 거대한 바위 사이에 있는 작은 방으로 쉽게 찾기 힘든 은신처였다. 남부군은 이곳을 인쇄소로 활용해 남부군 기관지 《승리의 길》과 전북도당에서 발간하는 《빨찌산》을 제작했다.* 석실 안에서는 남부군 선전대원들이 열심히 유인물을 찍고 있었다.

"꼬마 스님 오셨네."

"아저씨, 이거 이현상 아저씨가 드리래요."

병삼은 바지 속에서 종이를 꺼냈다. 유려한 필체로 쓴 〈승리사단 및 연합부대 전체 군무자에게 주는 남부군 사령관 동지의 편지〉라는 글자가 눈에 들어왔다. 《승리의 길》에 실릴 이현상이 쓴 서신이었다.

친애하는 남부군 직속부대 승리사단 여단 지대 및 102경남부대, 720전북부대 전체 군무자들이여! 조국의 통일과 독립과 자유와 영예를 위하여 영웅하게 투쟁하였으며 수다한 전투에서 혁혁한 성

---

* 석실은 1988년 출간된 첫 빨치산 수기인 이태의 《남부군》을 통해 대중적으로 알려졌다. 이제는 뱀사골 탐방소에서 뱀사골로 올라가는 탐방로에 표지판이 설치돼 있지만, 탐방로를 벗어나야 하기 때문에 안내자 없이는 석실을 찾기가 쉽지 않다.

과를 쟁취한 용감한 당신들에게 축하를 드리며 아울러 감사의 뜻을 표합니다. …… 나는 여기에서 …… 전체 군무자들에게 마음속으로부터 우러나오는 찬양을 드리지 않을 수 없습니다.

친애하는 동무들! 그러나 우리에게 있어서는 아직도 여러 가지 결점이 많이 있습니다.

첫째로 아직 부분적 부대에서는 간부선봉주의 경향이 완전히 퇴치되지 못하고 있습니다. …… 둘째로 군사정치 교양사업들이 높은 수준에서 전개되지 못하고 있으며 자기를 군사정치적으로 더욱 발전시킬 데에 대한 노력이 부족합니다. 셋째, 인민들을 더욱 발동시키어 궐기시킬 사업 준비가 미약하게 전개되고 있습니다.

"수고했다."

해가 지기 전에 아지트로 돌아가려고 병삼은 뱀사골계곡을 거슬러 올라가 벽소령 쪽으로 바삐 걸음을 옮겼다.

네이팜탄

'원자탄 이외에 인류 역사상 가장 비인도적인 폭탄.' 학자들은 네이팜탄을 이렇게 말한다. 값이 싸 대량 생산이 쉬우면서도 일단 투하하면 삽시간에 불이 붙고 잘 꺼지지 않기 때문이다. 화학 물질에 휘발유를 섞어 만들기 때문에 빨치산들은 '휘발유통'이라 불렀다.

1951년 11월 휴전선을 중심으로 전선이 교착되고 빨치산들에게 고난의 계절인 겨울이 시작되자 이승만 정부는 전면적 동계 토벌에 들어갔다. '쥐잡기 작전'이라 이름 붙인 이 작전에 따라 토벌대는 지리산을 동서남북에서 포위해 포위망을 좁혔다.

벽송사. 지리산 북쪽 한가운데인 경산남도 함양군 마천면 산속에 자리한 절이다. 언덕 위 거목이 인상적인 이 절은 빨치산 야전 병원이 있던 곳이다. 1952년 1월 17일, 포위 작전에 쫓긴 남부군 주력 부대가 벽송사 근처 백무동계곡에서 야영을 준비하고 있었다.

"탕, 탕, 탕."

갑자기 나타난 토벌대가 야간 공격을 시작됐다. 이현상부대는 할 수 없이 여름에도 전문 등산 장비가 필요한 한산계곡을 겨울에, 그것도 야간에 기다시피 해서 건너갔다. 한산계곡을 간신히 빠져나와 세석평전에 도착하자 조금 뒤 천왕봉 아래 법계사계곡에 머물다가 토벌대에 쫓긴 다른 부대도 도착했다. 토벌대가 쫓아오고 있으니 도망갈 곳은 남서쪽 대성리뿐이었다.

"선생님, 대성리 쪽으로 가야겠습니다."

"그래야겠네요."

이현상부대가 대성리에 도착한 뒤 또 다른 부대가, 이어 전남도당을 따라온 피란민들까지 속속 모습을 드러냈다. 토벌대가 벌인 토끼몰이에 쫓긴 유격대와 피란민 2000여 명이 이현상이 주로 머문 빗점골에서 그리 멀지 않은 경상남도 하동군 화개면 대성리 골짜기, 곧 대성골에 모였다.

"아차, 토끼몰이에 당했구나."

여러 부대가 좁은 골짜기에 모인 모습을 보고 사태가 심각하다고 깨달은 이현상은 전령들에게 '빨리 각 부대는 분산해서 대성골을 탈출하라'고 지시했다. 그렇지만 이미 때는 늦었다. 토벌대가 거의 1미터 간격으로 대성골을 포위하고 있었다. 탈출구는 없었다.

"휘발유통이다!"

동이 트기 전 달빛 가득한 새벽에 살육 작전이 시작됐다. 평상시는 분산돼 있던 유격대와 피란민이 좁은 지역에 몰리자 미군은 공습을 감행했다. 사방에 네이팜탄이 떨어지고 화염이 치솟았다. 산 위에서는 총탄이 비 오듯 쏟아졌다. 사지가 찢기고 총탄을 맞은 시신이 나뒹굴었다.

이날 빨치산과 피란민 1000여 명이 죽거나 포로가 됐다. 1963년까지 지리산에서 활동한 '최후의 빨치산' 정순덕도 네이팜탄 때문에 대성골이 불탄 5일 동안 바위 틈새에 서서 버텼다. 이태도 본대를 잃고 산속을 헤매다가 토벌대에 붙잡혔다.

"선생님, 저희가 길을 뚫을 테니 따라오십시오."

포위망을 뚫으려는 호위대를 향해 누군가 다급히 외쳤다.

"선생님, 수류탄 주고 가십시오. 한 놈이라도 더 때려잡고 죽으렵니다."

"동지들, 고맙습니다. 다음 세상에서 봅시다."

이현상은 눈물을 흘리며 부상병들에게 수류탄을 주라고 지시했다. 몇 분 뒤 수류탄 폭발음이 수십 번 이어졌다. 토벌대가 그쪽에 화력을 집중하는 사이 이현상과 호위대는 대성골을 겨우 빠져나갔다.

"아저씨! 스님!"

"병삼아, 지난번처럼 나를 잃어버리지 말고 잘 따라와라!"

병삼은 불바다 속에서 낙오하지 않으려고 죽을힘을 다해 달렸다. 여러 전투를 경험한 애빨 병삼이지만 이날 광경은 지금까지 본 어느 현장에도 견줄 수 없었다. 지옥 자체였다.

"개자식들!"

대성골을 빠져나온 이현상은 분노에 찬 욕설을 내뱉었다. 포위망을 뚫은 이현상부대는 반야봉을 넘어 뱀사골 상류 깊숙한 곳에 자리한 산죽 숲에 숨었다. 병삼은 토벌대가 2차 공세를 끝낼 때까지 사흘 동안 아무것도 먹지 못한 채 추위에 떨었다. 400명에 이르던 이현상부대는 150명만 살아남았고, 그 뒤 예전 같은 힘을 발휘할 수 없었다.

하수복

"꼬마 스님, 손 이리 줘보세요."

"예."

"그래도 많이 다치지 않아서 다행이네요."

젊은 여자 위생병은 병삼이 대성골을 탈출하면서 다친 손을 정성껏 치료했다.

"다 됐어요."

"누나, 고마워요."

병삼은 의무 요원 하수복을 덕유산 원통사에서 이현상을 다시 만난 때 처음 봤다. 낙동강 전투에서 이현상부대에 합류한 하수복은 그 뒤 병삼에게 큰누나처럼 잘해줬다.

"꼬마 스님, 이리 와보세요."

"예, 누나."

시간이 나면 하수복은 병삼을 불러 이것저것 챙겨줬다. 입산한 뒤 병삼은 젊은 여자를 만날 기회가 없었다. 하수복을 보면 한국전쟁 전 한산 스님을 따라가 만난 김소산과 한산 스님 애인이 생각났다. 전투가 치열해지고 부상병이 점차 늘어나면서 하수복은 병삼을 돌볼 시간이 줄었다. 남부군에는 의사 출신도 여럿 있지만 하수복이 의사 못지않은 실력을 발휘한 탓이었다. 몸에 박힌 실탄을 제거하는 비교적 간단한 수술은 말할 것도 없고 손발 절단 같은 큰 수술도 혼자 척척 해냈다. 단 한 사람이라도 더 살리려는 열정에 이현상도 감동했다. 제 몸 돌보지 않는 헌신 덕분에 목숨을 건진 빨치산이 한둘이 아니었다.

"누나, 웬일이야?"

"아, 그게……."

전쟁에서 패색이 짙어지고 대성골 학살 때문에 이현상부대마저 큰 타격을 받아 남부군에 절망감이 감돌던 1953년 초 어느 날, 하수복이 아지트에 나타났다.

"어서 오세요. 병삼아, 쓸데없는 말 묻지 말고 하 동지 누울 자리 좀 만들어라."

한산 스님은 꼬치꼬치 물어보는 병삼을 야단치면서 하수복을 챙겼다. 하수복이 아지트에 들어온 이유를 아는 눈치였다.

"아, 하 동지 왔네요."

"네, 선생님."

얼마 뒤 모두 잠든 아지트에 이현상이 들어왔다. 이현상은 아지트에 있는 하수복을 보고도 놀라지 않았다. 이미 아는 눈치였다. 이날부터 그전까지 병삼, 한산 스님, 이현상이 쓰던 아지트에 하수복이 머물기 시작했다. 한국전쟁 때 함께 만나 숱한 전투에서 생명을 걸고 함께 싸운 하수복이라는 빨치산 위생병이 2년 반 만에 이현상의 애인이 된 날이었다.*

* 빨치산 지도자들이 산속에서 애인을 두는 일은 흔했다. 이현상은 이 문제에 관대하면서도 자기 자신에게는 엄격했다. 지도자로서 절제와 도덕성을 견지해야 한다고 생각하던 이현상마저 어린 하수복하고 사랑에 빠진 사실은 빨치산 생활이 길어지고 전쟁이 절망적인 상황으로 치달으면서 정신적 의지가 무너지기 시작한 증거라고 《이현상평전》을 쓴 안재성은 지적했다.

하산

"이 동지, 전쟁이 어떻게 되고 있답니까?"

"동쪽은 38선보다 조금 북쪽에서, 서쪽은 38선보다 조금 남쪽에서 전선이 교착 상태인 채 지루한 휴전 협상을 진행하고 있다고 합니다. 그 바람에 애꿎은 젊은이들만 매일 죽어나가고 있답니다."

한국전쟁이 시작한 지 3년이 가까워지던 1953년 봄 빗점골 아지트. 한산 스님과 이현상은 병삼과 하수복이 잠든 사이 전황에 관련해 이런저런 이야기를 나누고 있었다.

"경을 칠 놈들!"

"그러게요."

"그래서 말인데, 빨리 이 동지가 북으로 올라가서 남한 빨치산들도 인민군 포로로 분류해 북으로 보내는 방안을 휴전 협정에 포함하라고 설득해야 합니다. 아니면 여기 있는 빨치산들 전멸은 시간문제입니다. 동지들을 살리려면 이 동지가 움직여야 합니다."

"참, 순진하십니다. 그동안 그렇게 보고도 모르십니까? 북이 우리들에게 무기 등 보급품을 중단한 지 오래됐습니다. 우리를 인민군 포로에 포함시켜 북송하도록 협상하는 안은 결코 기대할 수 없습니다. 김일성은 사실상 우리를 적으로 생각하고 이승만과 그 주구들이 빨리 소탕해주기를 바라고 있습니다.* 제가 올라가면 얼씨구나 하고 잡아서 처형할 겁니다. 그렇게 개죽음을 하느니, 저는 최후까지 싸우다가 동지들하고 함께 장렬하게 전사하겠습니다. 아니면 여기를 빠져나가 도시에 숨어들어 지하당 작업을 해야지요."

이현상은 끓어오르는 감정을 어쩌지 못하고 목소리를 높였다. 그 바람에 잠이 깬 병삼은 애써서 인기척을 내지 않고 대화를 엿들었다.

"스님, 그래서 하는 이야기인데……."

이현상은 차마 말을 잇지 못했다.

"무슨 이야기를 하시려고……."

"병삼이 이야기입니다."

"병삼이가 왜요?"

"우리야 이 지리산에서 옥쇄를 할 때 하더라도 병삼이는 무슨 죄가 있습니까? 병삼이는 무슨 수를 써서라도 살려야 합니

* 이현상이 지적한 대로 북한은 긴 휴전 협상 때 한 번도 남한 유격대 문제를 언급하지 않았다. 안재성에 따르면 미군이 지리산과 소백산에 남은 유격대 1000여 명을 안전하게 보내줄 테니 데려가라고 제의하지만 북한은 아무 답도 하지 않았다.

다. 이 아이는 이 아이 세상이 따로 있으니 스님이 그때까지 병삼이를 맡아야 합니다. 조금 있으면 봉쇄 작전이 한층 강화될 테니 그전에 스님이 병삼이를 데리고 산을 내려가셔야 합니다."

한산 스님은 대답 없이 긴 한숨만 쉬었다. 그러고는 한참 뒤 입을 열었다.

"이 동지 말대로 해야겠네요. 그런데 우리만 내려가서는 안 될 듯합니다."

"저요? 저는 안 내려갑니다."

"이 동지가 아니라……."

"그럼 누구요?"

"하수복 동지도 같이 내려 보내야지요. 이 동지도 알겠지만, 하 동지가 이 동지 애를 가진 듯해요. 조금 있으면 토벌대가 대대적인 공세를 시작할 텐데, 산에서 애를 밴 몸으로 어떻게 지내요? 산을 내려가서 이 동지 아이를 낳고 키워야지요."

한산 스님은 곤히 잠든 하수복을 쳐다보며 목소리를 낮춰 이야기했다. 이번에는 이현상이 답 없이 긴 한숨을 쉬었다.

며칠 뒤 한산 스님과 병삼은 토벌대를 피해 산을 내려왔다. 피아골과 노루목을 거쳐 왕시루봉을 지났다.

"이제 한시름 놓았다."

쫄쫄 굶고 죽을 고생을 하면서 지리산을 무사히 빠져나오자 한산 스님은 그제야 긴장이 풀렸다. 남쪽으로 방향을 잡은 두 사람은 며칠을 꼬박 걸어서 갈미봉과 용강리를 거쳐 광양으로 들어갔다.

—

"나도 곧 따라갈 테니 진주에 내려가 있어요."

"싫어요. 선생님하고 같이 있을래요."

"나도 곧 내려간다니까요. 먼저 가 있어요."

얼마 뒤 하수복도 이현상이 설득하자 울면서 산을 내려왔다. 지리산은 잘 빠져나왔지만 오랜 빨치산 생활 탓에 복장이 눈이 띄게 더러웠다. 화개장터에서 경찰에 붙잡힌 하수복은 빨치산에 붙잡혀 의무 요원으로 일한 적은 있지만 전투에 참가한 사실은 없다고 주장했다. 물론 이현상 이야기는 하지 않았다. 하수복은 비교적 가벼운 2년 형을 받고 안동교도소에서 수감돼 있다가 아들을 낳았다.*

---

* 이현상이 사살된 소식을 들은 한산 스님은 병삼을 데리고 하수복을 찾아 나서지만 결국 만나지 못했다. 하수복과 이현상 사이에서 태어난 유복자는 사법 고시를 준비하다가 어머니한테서 아버지 이야기를 들은 뒤 교사가 돼 살아갔다.

이현상 구출 작전

"병삼아, 백운산에서 우리가 같이 간 상백운암 알지?"

"당연히 알지요."

"확실히 아느냐?"

"스님도 참, 제가 안다니까요. 백운산 꼭대기 다 가서 있는 암자잖아요."

"맞다. 워낙 중요한 일이라 그런다."

"중요한 일이요? 상백운암이 왜요?"

한산은 심각한 표정으로 병삼을 쳐다보며 손을 꼭 잡았다.

"병삼아, 이 배낭을 메고 거기로 가거라. 거기 가면 이현상 아저씨나 아저씨 부하가 기다리고 있다. 혹시 없으면 누가 나타날 때까지 기다려야 한다."

"알았습니다. 그런데 배낭에 뭐가 들어 있는데요."

"머리 깎는 바리캉하고 승복이란다. 이 배낭을 전달하면 이현상 아저씨가 머리 깎고 승복 입고서 중으로 가장해 산에서 내려올 수 있다. 잘 가서, 꼭 전해야 한다. 그래야 이현상 아저씨가 탈출할 수 있단다. 네 손에 아저씨 목숨이 달렸다."

"예."

"혹시 경찰이나 누가 물어보면 큰스님이 상백운암에 올라가셨는데 산사람들이 절을 다 불 지른다고 해서 급하게 큰스님 찾으러 가는 길이라고 해야 한다."

"스님, 알았습니다."

병삼은 자기가 잘해야 이현상 아저씨가 무사할 수 있다는 말에 반드시 임무를 완수하겠다고 다짐했다. 지리산에서 내려온 뒤 머물던 광양 향교를 떠난 병삼은 백운산으로 향했다. 백운산은 광양에서 북쪽으로 12킬로미터 정도 떨어진 곳이었다.

"누구냐? 손들어!"

거의 뛰다시피 걸음을 재촉한 병삼이 동곡계곡 학사대를 지나 백운산 초입인 용소 입구에 들어서자마자 경찰이 나타났다.

"아기중이네."

대부분의 경찰은 머리 깎고 승복 입은 어린 병삼을 보더니 총을 내리고 경계를 풀었다. 한 경찰만은 그렇지 않았다.

"무엇하러 가는데?"

"큰스님이 상백운암에 올라가셨는데, 산사람들이 절을 다 불 지른다고 해서 급하게 큰스님 찾으러 가는 거예요."

"그래? 등에 지고 있는 건 뭐야? 배낭 벗어봐!"

배낭에는 바리캉과 승복 밖에 없었다. 그러나 이런 시국에 산으로 간다는 아기중이 의심스럽다고 생각한 그 경찰은 병삼을 광양경찰서로 끌고 갔다.

"너 정말 중이냐?"

"그런데요."

"어느 절에 있는데."

"구례 화엄사요. 거기 서동월 큰스님께 물어보세요."

서동월 스님이 3년 전 머리를 깎아준 일이 생각나 병삼은 자신 있게 말했다.

"이현상 아저씨, 어떻게 해요!"

병삼은 경찰서에 갇힌 자기보다도 이현상 아저씨가 걱정돼 눈물을 흘렸다. 스님으로 변장해 이현상을 구출하려던 작전은 병삼이 잡히면서 실패로 끝났다.

별이 떨어지다

"드디어 휴전이다!"

1953년 7월 27일 3년 동안 이어진 총성이 멈췄다. 많은 사람이 이제 전쟁 끝이라며 기뻐했다. 그러나 휴전은 정전停戰일 뿐 종전終戰이 아니었다. 휴전은 1945년 8월 15일에 시작된 분단이 8년 만에 반항구적 상태로 최종 봉인된 상태를 의미하기도 했다. 이승만과 김일성은 각각 '내부의 적'을 제거하느라 빠르게 움직였다. 내부의 적이란 다름 아니라 박헌영과 이현상 같은 남로당 세력이었다.

"이현상을 잡지 않고 지리산 빨치산을 토벌했다고 할 수 없습니다. 지리산의 평정 없이 대한민국의 평정 없고, 이현상을 잡지 않고는 지리산이 평정됐다고 할 수 없습니다."

휴전 직후 이승만은 어눌한 말투로 직접 빨치산 토벌 특별 성명을 발표했다. 이승만 정부는 이현상 체포에 두둑한 현상금과 특진을 내걸었다. 미국도 훈장과 현상금을 약속했다. 북한군을 상대로 한 전투에서 자유로워진 이승만 정부는 이현상과 빨치산을 토벌하는 데 총력을 기울였다.

북한도 빠르게 움직였다. 김일성은 전쟁이 끝나자 눈을 안으로 돌려 미래에 위협이 될 박헌영과 남로당 세력을 제거하려 했다. 연초에 구금한 박헌영을 정식으로 구속하는 한편 이승엽을 비롯한 남로당계를 미 제국주의에 포섭된 간첩 혐의로 처형했다. 이현상에게도 여파가 미쳤다.

"이현상은 정식 지시도 없이 반북 반국가 종파 분자인 이승엽의 구두 지시에 의해 남부군을 만들어 불합리한 조직 운영과 전술로 유격대를 약화시키는 이적 행위를 저질렀다."

1953년 8월 26일 남부군 회의에서 김일성 지지파인 박영발 전남도당 위원장 등은 이현상을 이렇게 비판하기 시작했다. 또 다른 비판이 이어졌고, 아무도 이현상 편을 들어주지 않았다. 이현상은 눈을 지그시 감고 입을 굳게 다문 채 어떤 변명도 하지 않았다.

"나에 대한 비판을 달게 받겠습니다. 모든 직책을 내려놓고 평당원으로 돌아가 하산하여 지하 활동을 해나가겠습니다."

담배를 끄고 긴 침묵 끝에 이현상이 입을 열었다. 순순히 잘못을 인정하자 회의는 급진전했다. 박영발이 주도해 이현상을 징계하기로 결정했다.

"그동안 박헌영 일파를 추종하고 분파주의적 행동을 해온 이현상의 모든 직위를 박탈하고 평당원으로 강등한다."

이 결정에 따라 이현상은 무장 해제에 이어 반감금을 당했다. 이현상 경호대 등 남부군 직계 부대는 해체해 각 도당에 배정하고 이현상은 경남도당으로 보내기로 했다.

이현상 검거에 혈안이던 토벌대에는 절호의 기회였다. 게다가 새 부대로 이동하다가 붙잡힌 이현상 경호대 대원들이 징계 결정에 불만을 품고 토벌대 대장 차일혁에게 모든 상황을 실토하고 말았다.

차일혁은 9월 17일 밤 빨치산 전향자로 구성한 특별 부대를 빗점골에 매복시켰다. 다음 날 아침 빨치산 대원 두 명하고 함께 경남도당으로 가려고 산을 내려오던 이현상은 매복한 토벌군에 사살됐다.*

'이현상은 죽었다. 무모한 저항을 고만두고 귀순하라.' 이승만 정부는 비행기를 띄워 이현상 시신을 찍은 사진을 넣은 삐라를 지리산 곳곳에 뿌렸다. 토벌대는 이승만에게 전과를 자랑할 생각에 방부 처리한 시신을 서울로 급히 올려 보냈다. 경찰은 이 시신이 이현상인지 확인하려고 충청남도 금산군에서 함께 자란 고향 친구인 야당 정치인 유진산을 불렀다.

---

* 이태 등은 북한이 보낸 자객이 이현상을 죽인 듯하다는 '이현상 암살설'을 주장했지만, 안재성은 여러 정황을 분석해 '토벌대 사살설'이 맞다고 인정했다. 생전에 원경 스님은 몇몇 인터뷰를 비롯해 나를 만나서도 여러 번 한산 스님과 자기가 볼 때 정부가 제시한 시신 사진은 코와 귀가 이상하다는 점을 근거로 이현상이 지리산에서 죽지 않고 어딘가에 살아 있다고 주장했다. 그렇지만 2021년 출간한 《무너진 하늘》에서는 토벌대 사살설을 받아들인 듯하다.

"현상아, 너도 많이 늙었구나."

유진산은 오랜 빨치산 생활에 폭삭 늙어 시신으로 만난 옛 친구를 안고 눈물을 흘렸다. 정작 이승만은 이현상의 시신을 보지 않겠다고 거절했다. 경찰은 빨치산 소탕을 선전할 속셈으로 시신에 바지만 입혀 경복궁에 전시했다.

"내 아들이 죽었을 리가 없다."

이승만 정부는 전시를 끝낸 이현상 시신을 남원으로 가져갔다. 충청남도 금산군 군북면 외부리 고향집에 사는 가족에게 시신을 돌려주려 했지만, 어머니는 아들이 죽지 않고 살아 있다며 인수를 거부했다.* 할 수 없이 이현상을 사살한 차일혁이 시신을 들고 지리산으로 갔다. 적이 돼 총부리를 겨눈 처지이지만 이현상을 마음으로 존경한 차일혁은 빗점골에 가까운 화개장터 근처 섬진강 모래밭에서 시신을 화장했다. 수습한 유골을 철모에 넣고 권총 손잡이로 빻아 골분으로 만든 차일혁은 근처 절에 부탁해 스님을 불렀다.

"스님, 독경을 해주세요."

독경 소리가 울려 퍼지는 섬진강에 뼛가루를 뿌린 차일혁은 하늘을 향해 권총을 세 발 쏴 마지막 길을 떠나는 남부군 사령

---

* 이현상의 아내와 자녀들은 우익 테러에 시달리다가 한국전쟁 때 북으로 넘어갔다. 북한은 이현상이 죽은 뒤 뒤늦게 영웅 대접을 하면서 유가족을 우대했다.

관에게 예의를 표했다.

"탕, 탕, 탕."*

---

* 이 일 때문에 색깔론에 시달린 차일혁 총경은 진급 등에 문제가 생겼다. 1958년 금강에서 익사했는데, 수영을 잘한 만큼 자살이라고 생각한 사람이 많았다. 차일혁에 관해서는 손호철, 《키워드 한국 현대사 기행 1》, 이매진, 2022에 실린 〈18. 토벌대의 두 얼굴〉 참조.

갈칫국 기적

"야, 꼬마야 솔직히 말해, 너, 빨갱이지?"

"아닌데요. 저 빨갱이 아니에요!"

"아닌데 왜 빨갱이들 있는 백운산으로 들어가려고 했어?"

"절에 불 지른다고 해서 산으로 들어간 큰스님 만나려고 들어간 거예요."

"조그만 자식이 계속 거짓말할래!"

"거짓말 아니에요."

"그럼 왜 화엄사에서 너 거기 중 아니라고 했겠냐?"

"화엄사에서 그랬어요?"

"그래!"

"서동월 큰스님이 그랬다고요?"

"누가 그런지는 몰라도 그랬대."

"그럴 리가 없는데요."

"너 이 새끼, 빨리 자백 안 해! 너 애빨이지?"

주먹이 날아왔다. 다른 경찰이 왔다.

"너 진짜 중인지 염불 한번 해봐!"

병삼은 절에서 보고 배운 대로 거침없이 염불을 했다.

“너 화엄사 한문으로 써봐.”

중이면 한문을 쓸 수 있다고 생각한 듯했다. 천자문을 한 달 만에 뗀 실력을 발휘해 단번에 썼다.

경찰은 병삼을 석방하지 않았다. 빨치산으로 몰 증거가 없지만 의심을 풀지 않았다. 병삼은 한 달 가까이 경찰서에 갇혀 있었다. 하루하루 지나갈수록 병삼은 초조해졌다. 이대로 감옥에 갈까 봐 걱정됐다. 이현상 아저씨도 걱정됐고, 한산 스님이 걱정할까 봐 초조하기도 했다.

그러던 어느 날이었다.

“이리들 와 식사하지. 그동안 고생이 많아 특식을 준비했네.”

취조실 문을 열고 대장인 듯한 남자가 들어왔다.

“이 꼬마 중은 뭐야?”

“산으로 들어가려는 놈을 잡았는데, 빨갱이인지 몰라 조사하고 있습니다.”

“그래? 그래도 밥은 먹어야지. 야, 꼬마 중, 이거 같이 먹자. 먹어야 조사도 받지.”

대장이 내민 찌그러진 양은그릇에는 갈치 한 토막을 넣은 시래기 갈칫국에 보리밥 한 덩이가 들어 있었다. 병삼은 배에서 꼬르륵 소리가 나고 목으로 침이 넘어갔다.

“어디 가서든 육고기나 비린 것을 절대 먹어서는 안 된다.”

한산 스님이 귀에 못이 박히도록 한 말이 생각났다. 그래야 사람들이 진짜 중인 줄 안다는 뜻이었다.

"대장님, 저는 괜찮습니다."

"왜 배 안 고파?"

"배는 고프지만, 큰스님이 스님은 아무리 배가 고파도 비린 것은 먹으면 안 된다고 가르치셨습니다."

"그래? 이놈 진짜 중이네. 야, 이 꼬마 중 내보내."

갈칫국이 기적을 일으켰다. 병삼은 대장이 마음을 바꾸기 전에 배낭을 챙겨 경찰서를 빠져 나왔다. 꼬마 중의 배에서는 꼬르륵 소리가 진동하고 있었다.

두 죽음

병삼은 경찰서를 나오자마자 지나가는 할아버지에게 광양향교가 어디 있느냐고 물었다. 경찰서에서 별로 멀지 않아 광양향교에 금세 도착했지만, 한산 스님이 보이지 않았다.

"분명히 여기서 보자고 하셨는데……."

백운산으로 떠날 때 한산 스님은 혹시 일이 잘못되면 무조건 광양향교로 오라고 이야기했다. 너무 오래 갇혀 있어 스님이 떠나신 걸까? 불안해진 병삼은 눈물을 흘렸다. 밤이 깊어지자 예지동 아지트와 삼척 관음암이 생각났다. 그때보다 큰데다가 짐승이 밤새 울어대는 산속도 아니지만, 언제 올지 모르는 한산 스님을 기다리며 낯선 곳에서 혼자 밤을 보내는 일은 열두 살 소년에게 벅찰 수밖에 없었다.

며칠 뒤 기다리던 한산 스님이 나타났다.

"병삼아 무사했구나!"

"스님!"

한산 스님을 보자마자 울음을 터트린 병삼은 백운산으로 가다가 경찰에 잡힌 일부터 앞뒤 사정을 자세히 얘기했다.

"고생이 많았다. 배가 무척 고픈데도 갈칫국을 안 먹고 이렇게 풀려나오다니 장하다. 장해!"

한산 스님이 칭찬을 하자 병삼은 으쓱했다.

"병삼아, 그런데 안 좋은 소식이 있다."

"뭔데요?"

"나는 못 믿겠는데, 이현상 아저씨가 돌아가셨다는구나."

병삼은 자기가 잘못해 벌어진 일 같아 한산 스님 가슴에 얼굴을 묻고 엉엉 울었다.

"울지 마라. 사람은 다 한 번은 죽는 법이다. 우리가 이현상 아저씨 혼을 위로해주자. 나무석가모니불, 나무관세음보살."

병삼이 진정한 듯하자 한산 스님은 한참 뒤 입을 열었다.

"죽은 사람이 또 한 사람이 있단다."

"또요? 누군데요?"

"서동월 스님이다."

"예? 스님이 왜요?"

"네가 안 돌아와서 나는 네가 잡힌 줄 알았다. 네가 잡히면 내가 시킨 대로 화엄사 소속이라고 답하겠지 싶어서 산사람들을 화엄사에 보내 네가 화엄사 소속이라고 확인하는 증명서를 써달라고 서동월 스님에게 부탁했단다. 그런데 스님이 무슨 이유인지 끝까지 거절했다는구나. 네 머리까지 깎아준 사람이 왜 그렇게 했을까? 이해가 잘 안 된다."

"그러게요."

"너 좀 살리려고 증명서 한 장 떼어달라는데 안 해주니까 화가 난 산사람들이 그만 스님을 처형하고 말았다. 전혀 예상하지 못한 사태가 벌어졌구나."

"아니 저 때문에요? 저 때문에 스님이 돌아가셨다고요? 나 같은 놈이 뭐라고 스님이 돌아가세요?"

병삼은 또다시 울음을 터트렸다. 아무리 어린 나이라지만 자기 때문에 소중한 두 사람이 세상을 떠난 사실을 감당하기는 쉽지 않았다. 병삼은 자기 자신이 너무 싫었다.

〈눈물 젖은 두만강〉

"병삼아 술 좀 사 오너라. 소주 두 병만 사 와라."

"한동안 안 드신 술을 왜 갑자기 사 오라고 하세요?"

"이현상 동지도 그렇고, 이름 없이 스러진 젊은이들도 그렇고, 이정 선생님은 또 어떻게 될까 생각하니 나도 취하지 않고는 못 견디겠구나."

한산은 병삼이 사 온 소주 한 병을 벌컥벌컥 다 마셨다. 술이 센 한산 스님이지만 빈속에 안주도 없이 한 병을 단번에 들이키자 취기가 확 올랐다.

"병삼아, 〈눈물 젖은 두만강〉이라는 노래를 아느냐?"

"어떤 노래지요?"

"두만강 푸른 물에 노 젓는 뱃사공……."

"아저씨들 부르는 것 들어봤어요."

"흘러간 그 옛날에 내 님을 싣고, 떠나간 그 배는 어디로 갔소, 그리운 내 님이여 그리운 내 님이여, 언제나 오려나."

스님은 구슬프게 노래를 불렀다.

"병삼아, 이 노래에 나오는 내 님이 누구인지 아느냐?"

"모르는데요. 누군데요?"

"이정 선생님이다."

"아버지요?"

"독립운동을 하다가 붙잡힌 이정 선생님이 감옥에서 나와 부인, 그러니까 네 어머니 말고 전 부인인 주세죽이라는 분하고 두만강을 건너 소련으로 도망을 갔단다. 선생님이 탈출에 성공한 사실을 알리려고 김용환이라는 분이 이 가사를 지어 신문에 발표했다는구나. '내 님'은 이정 선생님이고 '배가 내 님을 싣고 두만강을 건넜다'는 '선생님이 무사히 두만강을 건넜다'는 암호였지."

빨치산 아저씨들이 자주 부른 이 노래가 아버지에 관련된 노래라고 하니 병삼은 신기했다. 한산 스님은 봇물 터진 듯이 한 맺힌 노래들을 연이어 불렀다.

"황성 옛터에 밤이 되니 월색만 고요해, 폐허에 스른 회포를 말하여 주노나, 아 가엾다 이내 몸은 그 무엇 찾으려고, 끝없는 꿈의 거리를 헤매어 있노라. …… 나는 3절을 좋아한단다."

"왜요?"

"3절 가사가 너무 좋단다. …… 나는 가리로다 끝이 없이 이 발길 닿는 곳, 산을 넘고 물을 건너서 정처가 없이도, 아 망국의 이 설움을* 가슴 깊이 묻어놓고, 이 몸은 흘러서 가노니 옛터야 잘 있거라."

한산 스님이 부르는 〈황성 옛터〉를 듣던 병삼도 덩달아 우울해졌다. 한산 스님은 남은 소주 한 병을 다시 들이켰다.

"이현상 동지가 보고 싶구나."

"스님, 저도요."

병삼도 눈물이 흘렀다. 이현상을 그리워하는 한산 스님이 부르는 노래가 이어졌다. 〈짝사랑〉 2절이었다.

"아 뜸북새 슬피 우니 가을인가요, 잃어진 그 사랑이 나를 울립니다, 들녘에 떨고 섰는 임자 없는 들국화, 바람도 살랑살랑 맴을 돕니다."

병삼은 '잃어진 그 사랑'이 이현상 아저씨인 듯해 자기도 모르게 소리를 질렀다.

"이현상 아저씨……."

그 뒤 이 노래들은 〈부용산〉하고 함께 원경 스님이 아끼는 애창곡이 됐다.

---

* 원래 가사는 '괴로운 이 심사를'인데 한산 스님이 바꿔 부른 듯하다.

3부 복수심을 버리다

수련과 멸치 소동

"이 아이를 당분간 부탁합니다."

"예, 스님. 가난하지만 그래도 자식같이 돌보겠습니다."

휴전 뒤 병삼은 전라북도 전주 근교 한 농가에 맡겨졌다. 너무 가난해 밥 굶기를 밥 먹듯 하는 집이었다. 지리산에서 굶주림에 단련된 병삼이지만 배가 고파 '쉰 고구마 한 개가 인절미로 보일 지경'이었다. 겨울이 다가와서 땔감을 마련하러 산에 간 길에 낫질이 서툴러 손가락 힘줄이 끊어지는 상처를 입기도 했다. 그래도 절집 식구나 산사람들이 아니라 평범한 가정에 어울려 사니 오손도손 살가운 나날이었다.

"그동안 감사했습니다."

어느 날 한산 스님이 다시 나타나 병삼을 경상북도 김천시 청암사로 데리고 갔다. 청암사는 해인사에서 그리 멀지 않은 곳이다. 해인사가 가야산에 자리 잡고 있다면 청암사는 그 서북쪽 해발 1317미터 불령산 가락에 둥지를 틀고 있는데, 해인사에서 직선거리로 10킬로미터도 안 된다. 그러나 해인사에서 청암사를 가려면 물길과 산길을 돌고 돌아 거의 50킬로미터를 걸어야 한다. 청암사는 이렇게 오지에 자리한 이름난 선방이다. 병삼은 이곳에서 강고봉 스님에게 불경과 선을 배우면서 거의 4년 동안 제대로 공부했다.

뛰어난 선승으로 곡차*를 마시기만 하면 말술이던 고봉 스님이 하루는 만취해 들어오더니 시자를 불렀다.

"이봐라, 대야에 물을 떠 와 내 발 좀 씻어다오."

시자가 대야를 들고 우물로 가는데 한 스님이 불렀다.

"고봉이 제 발 닦으라고 했지?"

"예."

"가서 내 말대로 해봐라."

그 스님이 시키는 대로 시자는 대야에 물을 떠 가서는 발을 씻기지 않고 가만히 있었다.

"왜 내 발을 씻지 않느냐?"

"더럽고 깨끗한 것이 둘이 아닌데 발은 씻어 뭐합니까?"

그 말이 끝나기 무섭게 고봉이 제 엄지발가락을 시자의 입에 쑤셔 넣었다.

"큰스님, 왜 이러세요?"

"이놈아! 네가 더럽고 깨끗한 것이 둘이 아니라 했잖느냐?"

원경은 고봉 스님에게서 호방한 선풍을 배웠다.

---

* 술을 가리키는 불교계 은어.

—

"원경이 당장 잡아 오너라!"

박근봉 큰스님이 노발대발하여 고함을 쳤다.*

제자 스님들은 원경을 잡아 큰스님이 나와 있는 공양간으로 데려갔다.

"원경이, 이놈!"

영문도 모르고 잡혀온 원경이 쳐다보니 큰스님이 자기가 끓이던 탕국 솥 앞에서 하얀 봉지를 들고 있었다.

'아차, 들켰구나!'

원경은 바닥에 엎드려 머리를 조아리고 싹싹 빌었다.

"큰스님, 어리석은 제가 잘못했습니다. 한 번만, 한 번만 용서하십시오."

"네가 네 죄를 아느냐?"

"예, 잘 압니다."

"뭘 잘못했느냐?"

"제가 탕국에 멸치를 넣었습니다."

"그래 스님들 먹을 공양에 멸치를 넣어? 네가 제정신이냐?"

* 오래전 원경 스님을 인터뷰한 한 기자는 스님 입적 뒤에 쓴 회고에서 이 사건이 1960년 용화사 송담 스님 밑에서 벌어진 일이라고 썼지만, 직접 최근에 이야기를 듣고 만화까지 그린 유명윤 화백 등에게 확인한 결과 해인사일 가능성이 더 크다.

"잘못했습니다. 한 번만 용서해주십시오."

큰스님은 화가 풀리지 않은 얼굴로 나갔다.

1957년 원경은 청암사를 떠나 해인사에 머물고 있었다. '쫄병' 원경은 공양을 준비하는 일을 맡았다. 일종의 '취사병'인 셈이다. 원경은 겨울에 석 달 동안 한곳에 머물며 수행하는 동안거를 맞아 용맹정진하는 스님들을 위해 해줄 일이 없나 고민하다가 무릎을 쳤다. 시장에 내려가 멸치를 한 포 산 뒤 한 주먹씩 한지에 나눠 싸서 탕국에 넣었다.

해인사에는 국 담당이 두 명 있었다. 그날부터 스님들은 원경이 끓인 국만 먹고 다른 국 담당이 만든 국은 남아돌았다.

"이 놈이 무슨 수를 부린 거야?"

화가 난 경쟁자는 원경을 철저하게 감시하지만 아무 증거를 찾지 못했다. 원경은 멸치를 3~4분 넣고 건져서 아궁이에 던져 태웠다. 그렇지만 꼬리가 길면 밟히는 법이다. 어느 날 공양을 준비하던 원경이 배가 아파 해우소에 간 사이 멸치 봉지를 들키고 말았다. 경쟁자는 당장 큰스님에게 원경이 저지른 비행을 고자질했다.

"어떻게 할까요?"

"우리 절에서 쫓아내야지요."

"맞습니다."

해인사에서 쫓겨난 원경은 가야산의 꽁꽁 건 눈길을 내려오면서 투덜거렸다.

“고매하신 스님들이 멸치 든 국을 몰라? 자기들도 맛있게 잘 먹고는, 젠장 왜 나를 쫓아내! 다시는 이 동네 안 온다!”

원경 스님은 그 뒤 해인사를 한 번도 가지 않았다.

방황, 대리 입대, 유디티

"예산이네."

원경은 해인사를 떠나 아버지 박헌영의 고향인지도 모른 채 한산 스님이 머물고 있던 충청남도 예산군 대련사에 갔다. 1958년 12월 15일 원경은 아버지가 세상을 떠난 사실을 알게 됐다(1부 중 〈아버지의 죽음〉 참조). 한산 스님은 아버지와 세상, 자기 자신의 운명을 원망하지 말라고 당부했지만, 열일곱 사춘기 원경에게는 무리한 요구였다. 슬픔도 아니고 허탈함도 아니지만, 그대로 견딜 수는 없어 뭔가를 저질러야만 했다. 파계였다.

"이 잠바 하나 주세요."

원경은 시장에서 물들인 야전 상의를 하나 샀다. 아홉 살에 머리 깎고 입기 시작한 승복을 8년 만에 벗고 '사제 옷'을 걸쳤다. 머리를 기르고 모자도 썼다. 집처럼 지낸 절은 무조건 피했다. 아는 사람을 만날지 모르는데다가 잊고 싶은 과거가 얽혀 있는 듯해 근처도 가기 싫었다.

무작정 서울로 올라갔지만 마음 붙일 데가 없었다. 당장 생계를 벌려고 얼음과자 장수, 식당 종업원, 막노동까지 닥치는 대로 일했지만, 도저히 뿌리를 내릴 수 없었다. 서울을 떠나 부랑아처럼 전국을 떠돌았다. 허기가 지면 식당에 찾아갔다.

"아주머니, 제가 화장실 청소했습니다. 더 할 데 없어요? 배가 고프니 청소 끝나면 식은 밥이나 한 그릇 주세요."

절에서 지낼 때 해우소를 청소하면 큰스님들이 가장 예뻐한 일을 배워 써먹었다. 그러면 더운밥에 뜨거운 국도 한 그릇씩 줬다. 식당에 와 깽판을 치는 놈들이 있으면 오래전부터 배운 무술로 혼을 내줬다. 그러다가 깡패나 양아치들도 사귀었다.

"씨팔놈들! 다 덤벼!"

패싸움도 숱하게 했다. 어려서 무술을 배운데다가 절에서 오랫동안 내려오는 불교 무예까지 익히고 빨치산이 돼 산전수전 다 겪은 원경에게 10 대 1 싸움 정도는 식은 죽 먹기였다.

"세원(그 무렵 원경이 쓴 이름)아, 나 죽고 싶다."

아주 가깝게 지내던 친구가 술에 취해 울기 시작했다.

"왜 그래?"

"영장 나왔어. 다음 주에 군대 들어가야 해!"

"그래? 그런데 왜 울어?"

"안 울게 됐냐? 3년 동안 갇혀서 생고생해야 하는데."

"야, 나는 네가 부럽다."

"뭐가 부러워?"

"난 군대 가고 싶어도 못 가는데 넌 군대 가니."

원경은 호적이 없어 군대에 가고 싶어도 가지 못하는 신세를 생각하니 친구가 오히려 부러웠다.

"미친놈! 군대 가는 내가 부러워?"

친구는 어이없다는 표정으로 원경을 쳐다봤다.

"야, 그러면 되겠다!"

원경은 갑자기 무릎을 치고 벌떡 일어났다.

"뭐가?"

"내가 네 대신 군대 들어가면 되잖아. 너는 가기 싫은 군대 안 가서 좋고 나는 가지 못하는 군대 가게 돼서 좋고."

주민 등록 제도가 없고 신원 확인도 엉성해 대리 입대를 쉽게 할 수 있는 시절이었다.

"정말 네가 대신 가줄래?"

"그래, 내가 대신 갈게."

얼마 전 한산 스님이 임존산성에서 이야기한 아버지의 죽음이 떠오르고 잘하면 복수할 기회를 잡을지도 모른다는 생각이 들었다.

"그런데 약속을 하나 해야겠다."

"뭔데?"

"내가 너를 대신해 군대 간 사실이 발각되면 안 되니까 내가 군대 가 있는 동안은 너도 고향에 돌아가면 안 돼. 사람들이 너 군대 간 줄 아는데 갑자기 나타나면 어떻게 되겠어?"

"그러네. 약속할게."

원경은 친구를 대신해 군에 입대했다.* 해군 제72기였다. 기왕 군대에 들어온 만큼 북으로 올라가 김일성 목을 따고 아버지 복수를 하고 싶었다. 그래서 유디티를 지원했다. 진해에서 한 유디티 훈련은 어릴 때부터 다양한 무술로 단련된 원경에게도 무척 힘든 과정이었다. 힘들 때마다 김일성에게 복수할 생각을 하면서 이를 악물고 고통을 이겨냈다. 지원자 100여 명 중 8명만 끝까지 훈련을 마쳤다.

"야, 저기 북한이 보이네!"

한 병사가 소리 질렀다.

"어디? 어디?"

"저기 봐!"

정말 멀리 북한 땅이 보였다. 1959년 말 훈련을 끝낸 원경은 백령도에 배치됐다. 날마다 바다 건너 북한 땅을 바라보면서 복수를 꿈꿨다. 유디티 정예 요원인 만큼 얼마 지나지 않아 특수 임무를 받았다. 심야에 북파 요원을 북한 땅에 내려주고 복귀한 뒤 다시 정해진 장소에 가서 귀환하는 요원을 태우고 돌아오는 일이었다. 원경은 가끔 자기가 북한 땅으로 들어가 김일성 목을 따는 꿈을 꿨다.

---

* 이 이야기를 들을 때 군 기록에 남아 있을 그 친구 이름을 묻지 못해 아쉽다.

탈영과 수계

"후!"

백령도에서 인천으로 나오는 여객선 선창에 앉아 원경은 화랑 담배를 깊게 빨아 연기를 내뿜었다.

"이제 어떻게 하지?"

어젯밤 본부에 있는 친구가 원경에게 급히 연락했다. 원경이 대리 입대를 한 사실이 들통나 헌병대에서 조사를 나온다는 소식이었다. 군대 있는 동안은 잠적하기로 약속한 친구가 고향에 나타나 대리 입대가 발각된 듯했다. 원경은 부대에 알리지 않고 인천행 배를 탔다.

"스님, 대리 입대가 들통나서 탈영했습니다. 헌병대에 잡혀가면 가족 문제가 들통이 날지 몰라서……."

다행히 한산 스님하고 전화가 연결됐다.

"그래? 큰일 났구나. 어쩌지? 가만있자, 인천 시내에 가면 용화사라는 절이 있다. 그 앞에서 만나자. 내가 당장 달려가마."

"알았습니다. 거기서 뵙겠습니다."

두 사람은 인천시 주안동 용화사에서 만났다.

"오는 길에 곰곰이 생각해봤는데, 네가 살 수 있는 길은 딱 하나밖에 없지 싶다."

"뭐지요?"

한산은 어려운 이야기를 꺼내려는 듯 한동안 말이 없었다. 원경은 초조했다.

"제가 어떻게 해야 하나요?"

"병삼아, 네가 머리를 처음 깎은 때가 언제인지 아느냐?"

"열 살 때 아닌가요?"

"맞다. 장충동 아지트가 습격당한 뒤 나하고 지리산에 가서 머리를 깎았다. 그 뒤에 우리는 여러 절을 다니면서 공부하고 불경도 외면서 생활했단다. 그렇지만 너를 살리려고 내가 밀어붙인 일이지 네 자발적인 결정은 아니었다. 그렇지 않으냐?"

"……."

"이제 너도 성인이니 네 운명을 결정할 나이가 됐다. 지금까지 살아남은 것도 기적 같지만, 앞으로 어떤 일이 닥칠지 모른다. 아마도 더 큰 시련이 닥칠지 모른다. 나는 네가 이제 네 의지에 따라 수계*하고 불교에 정식으로 귀의하기를 바란다. 그것만이 네가 살 수 있는 길이라고 생각한다. 그러면 탈영 문제도 부처님이 해결해주리라 믿는다. 네 생각은 어떠냐?"

---

* 불교의 계를 지키겠다고 서약하는 의식.

원경은 한참을 생각했다.

"스님 말을 따르겠습니다."

"잘 생각했다. 용화사에서 보자고 한 이유가 있다. 나는 네가 여기에서 수계를 하면 좋겠다. 이곳은 한국 최고의 선방이다. 전강 스님은 열여섯에 중이 돼 겨우 스물셋에 깨달음의 경지에 이르러 개안을 하고 스물다섯에 선종 77대 법맥을 잇는 대선사가 된 당대 최고 선승이시다. 전무후무한 분이지. 사자가 사자 새끼를 키운다고 전강 스님 제자인 송담 스님도 10년 동안 말을 하지 않는 묵언 수행으로 불교계를 놀라게 한 분이다. 송담 스님이 몇 년 전 비구니 절인 이곳을 인수해 키우고 있는데, 작아도 대단한 곳이다. 두 분 다 내가 잘 알고 네 사연도 들어 아시니, 너를 제자로 받아주실 게다. 송담 스님만이 한많은 네 삶을 승화시켜 이끌어주실 수 있다고 나는 생각한다."

"알았습니다."

1960년 음력 정월 15일, 양력으로 2월 21일, 원경은 전강 조실을 수계사로 해서 수계하고 송담 스님의 상좌가 됐다. 머리를 깎은 지 10년 만에 정식으로 불교에 귀의한 날이었다.

자수

"이승만은 물러나라!"

얼마 뒤 한산 스님과 이현상이 그토록 증오한 이승만이 분노에 찬 학생과 시민들에 떠밀려 대통령직에서 쫓겨났다. 4·19 혁명이 일어났다.*

"이런 것이 혁명이구나! 억눌린 사람들이 피투성이가 돼서 외치고 싸우고 잡혀가면서도 이승만을 몰아냈구나. 아버지가 하려던 혁명이 바로 저런 일이었구나."

원경은 4·19를 보면서 공산주의 운동을 한 아버지를 조금은 이해할 수 있었다.

"큰스님, 부르셨습니까?"

얼마 뒤 원경은 전강 스님이 찾는다는 전갈을 받았다. '뭐 잘못한 일이 있나? 큰스님이 왜 찾으시지?' 원경은 복잡하고 떨리는 마음으로 요사채 앞에 섰다.

---

* 원경 스님은 방황하던 시절에 4·19가 일어났다고 회상했다. 그렇지만 1960년 2월에 수계를 받은 만큼 용화사에 머물 때 언론 등을 거쳐 간접 체험한 듯하다.

"그래 들어오너라."

"예."

원경은 공손하게 예를 갖췄다.

"거기 앉거라."

"예."

"요즘 공부는 잘하고 있느냐?"

"열심히 하고 있습니다."

"네가 이곳에 와 수계를 하기 전에 군에 있다가 탈영한 이야기를 들었다. 언제까지 피해 다닐 수 없으니 부대로 들어가 자수해라. 그리고 군 복무를 마치면 이곳으로 돌아오거라."

"예."

자수라니 큰일이라는 생각이 들어도 큰스님이 내린 지시라서 거역할 수도 없었다.

얼마 뒤 용화사에 헌병 지프가 나타났다. 걱정하고 다르게 조사는 간단히 끝났다. 단순 병역 기피나 탈영이 아니라 다른 사람을 대신해 입대한 사람이 대리 입대가 발각돼 본의 아니게 탈영한 점, 유디티 정예 요원 등 능력과 복무 성적이 뛰어난 점, 자수한 점, 용화사 등 불교계가 각별히 부탁한 점을 고려해 원경은 징계를 받지 않고 현역에 복귀했다.

'여기에서 있었던 일은 평생 비밀로 하며 누구에게도 발설하지 않는다. 이를 어길 시에는 어떠한 처벌도 달게 받는다.'

부대에 복귀한 원경에게 부대장이 서류를 한 장 내밀었다. 앞으로 수행할 임무에 관한 비밀 각서였다. 원경은 서명을 하면서 무슨 일인데 각서까지 쓰게 하는지 궁금했다. 처음에는 진해에 있다가 거제도로 옮기더니 나중에는 소백산에서 근무했다. 보직은 특수 훈련 교관이었다. 훈련병에는 일반병뿐 아니라 장교로 보이는 사람도 많았는데, 모두 계급장 뗀 군복을 입었다. 계급을 무시하고 엄격한 교육을 시킨다는 뜻이었다.

특수 훈련을 시키면서도 훈련 목적은 알지 못했다. 대강 북파 공작원인 듯하는 생각이 들기는 했다.* 원경은 수계를 하고 불교에 귀의한 뒤에도 김일성에게 복수한다는 꿈을 꾸고 있던 만큼 자기가 하는 일에 보람을 느꼈다.

---

* 그동안 한국 정부는 북파 공작 자체를 부인했지만, 2002년 법원은 북파 공작원이 존재한 사실을 인정했다. 정부 자료에 따르면 1953년 휴전 뒤 1972년 7·4 남북공동성명 때까지 북파 공작원은 7726명이었다.

어머니를 만나다

"축하하네. 그동안 고생 많았네."

"네, 스님!"

1962년 말 군대를 전역한 원경은 1963년 3월 범어사에서 동산 스님을 계사로 구족계*를 수지하고 정식으로 승려가 됐다. 구족계를 받은 뒤 원경은 충청남도 예산군 수덕사 안에 자리한 선원인 정혜사에 머물고 있었다.

구족계를 받고 정식 승려가 됐으니 앞으로 어떻게 살아갈지 깊이 고민하던 어느 날, 저녁 공양에 쓸 보리쌀을 안치고 밥이 되기를 기다리고 있는데 한 중년 부인이 걸어왔다. 어린아이를 업은 여자는 먼 곳에서 봐도 통통하고 체격이 컸다.

여인이 얼굴을 알아볼 수 있을 정도로 가까이 다가오자 병삼은 하늘이 노래지고 세상이 무너지는 듯했다. 품속에 넣고 다니면서 숱하게 본 사진 속 얼굴을 많이 닮은 사람이었다.

"스님, 병삼이 맞으시지요?"

---

* 출가자가 정식 승려가 될 때 받는 계율로, 비구는 250개다.

"예. 그런데 누구시지요?"

병삼이 떨리는 목소리로 답했다.

"아이고, 우리 병삼아! 제가 못난 어미입니다."

여인은 원경의 손을 꼭 잡았다. 생후 100일 만에 헤어진 어머니와 아들이 22년 만에 만났다. 어머니 정순년은 아들 원경의 손을 잡고 울기만 했다.

사진 말고는 어머니를 전혀 기억하지 못하는 병삼은 망치로 머리를 맞은 듯 아무것도 생각할 수 없었다. 어머니가 살아 있으리라는 상상 자체를 안 한 탓에 반가움도 설렘도 없었다. 한참 침묵이 흘렀다.

"제가 여기 있는지 어떻게 아셨어요?"

"한산 스님이 찾아와 이야기해주셨어요. 이야기를 듣자마자 이렇게 달려왔습니다."

"아, 스님이!"

—

"안녕하세요? 저 아시겠습니까?"

1963년 대전역 앞, 경북상회라는 작은 가게에 한 키 작은 스님이 들어왔다.

"뵌 적은 있는 듯한데, 기억이 잘 안 나네요. 누구시지요?"

"이정 선생님 모시던 한산입니다."

"아, 스님, 이제 기억납니다. 어떻게 지내셨습니까? 우리 병삼이 소식은 아세요?"

순년은 갑자기 나타난 한산 스님을 향해 숨이 넘어갈 듯 다그쳤다. 한산 스님은 순년에게 병삼이 살아 있으며 자기가 13년 동안 돌본 사실을 알렸다.

"정말요? 우리 병삼이 어디 있지요?"

순년은 당장이라도 달려갈 태세였다.

"난리통에 목숨을 살리려고 제가 병삼이 머리를 깎였습니다. 스님이 돼서 지금 절에 있습니다."

"머리 깎고 중이 됐다니요! 아이고, 불쌍한 우리 병삼이!"

순년은 통곡했고, 한산 스님은 기다렸다. 울음을 그친 순년은 가게 문을 닫고 수덕사로 걸음을 옮겼다.

한 여자의 기구한 삶

어머니는 이정 박헌영과 자기의 관계, 그리고 병삼을 낳은 이야기를 하기 시작했다. 이야기하던 순년은 아들 병삼을 안고 울음을 터트렸다.

"어머니, 그동안 어떻게 사셨어요?"

"스님, 말도 마세요. 책으로 써도 몇 권을 쓸 이야기지요."

순년은 말을 잇지 못하고 눈물만 흘렸다.

—

갓 백일이 된 병삼을 두고 친정 부모에게 잡혀간 순년은 기구한 삶을 살았다.

"여기서 한 발자국도 못 나간다."

집에 오자마자 부모들은 딸을 골방에 가두고 밖에서 문을 걸어 잠갔다. 순년은 두고 온 아이가 걱정돼 문을 두드리고 울며 애원하지만 소용이 없었다. 그렇게 일 년을 갇혀 있었다. 어느 날 소식을 들은 이순금이 몰래 찾아왔다. 그날 밤 둘이 도망갈 계획을 세우지만 낌새를 챈 아버지가 밤새 방문을 지키는 바람에 실패했다.

"좋은 신랑감을 찾았으니 딴생각 말고 시집가라. 마음 착하고 손재주도 좋다니 잘살 수 있을 게다."

일 년 뒤 순년은 부모가 오래전에 혼처로 정한 목수에게 시집을 갔다. 남편은 성실했고, 순년은 새로운 가정에 충실했다. 얼마 뒤 이순금이 다시 찾아와 병삼이는 잘 크고 있으며 병삼이 할머니는 돌아가시고 이정 선생은 소식이 없다고 전했다. 이미 순년은 배 속에 또 다른 생명을 품고 있어 차마 도망할 수 없었다. 둘은 뒷동산에 올라 한참을 서럽게 울었다.

순년은 아들 하나 딸 하나를 낳고 행복하게 살았다. 물론 가슴 한구석에는 두고 온 병삼과 어딘가에서 쫓겨 다닐 박헌영이 똬리를 틀고 있었다. 그러다가 해방이 됐고, 박헌영이 조선공산당 지도자로 떠오른다는 소식도 들렸다. 다행이라 생각했고, 자기가 한 노력이 열매를 맺는 듯해 기뻤다. 그러나 얼마 뒤 미군정과 극우파의 반동이 시작됐고, 박헌영이 북으로 넘어갔다는 소문도 들렸다. 게다가 순년이 결혼한 남편은 조선공산당 비밀 당원이었고, 이승만 정부가 세운 방침에 따라 국민보도연맹에 강제로 가입했다.

"탕, 탕, 탕."

한국전쟁이 터지자 이승만 정부는 순년이 결혼한 남편을 예비 검속이라는 이름 아래 대전형무소로 잡아갔다. 북한군이 남하하기 시작하자 이승만 정부는 보도연맹 가입자 수천 명을 산내 골령골로 끌고 가 학살했다. 순년은 두 번째 남자마저 이렇게 잃고 말았다.

순년은 두 아이를 안고 장사를 하면서 목숨을 부지했다. 그러다가 한 남자를 만나 아이를 한 명 더 뒀다. 병삼이 어떻게 지내는지 궁금해 충청남도 예산군에도 찾아가지만 박헌영 집안 친척들은 아무도 남아 있지 않았고, 소식을 아는 동네 사람도 없었다.

"아마 북한으로 가서 잘살고 있겠지."

순년은 병삼이 북한에서 잘살기를 마음속으로 기원했다.

음독자살

“여기가 어디지요?”

눈을 뜨자 희미한 형체가 어른거렸다. 시간이 조금 흐르자 초점이 맞았다. 흰옷 입은 간호사였다.

“정신이 드셨네요. 여기는 원주의료원입니다.”

눈을 뜬 원경은 자기가 팔에 주삿바늘을 끼고 병원 침대에 누워 있다는 사실을 깨달았다.

“내가 왜 이러고 누워 있지?”

몸을 일으키려 해도 움직일 수가 없었다.

“아직 일어나시면 안 됩니다.”

놀란 간호사가 원경을 말렸다.

“제가 얼마나 이렇게 누워 있었지요?”

“14일입니다. 스님, 살아나시다니 기적입니다. 몸이 워낙 건강해서 그렇지 안 그러면 이미 저세상으로 가셨어요. 그렇게 약을 많이 드셨으니…….”

“목숨도 내 마음대로 끊지 못하다니, 기구한 인생아.”

원경은 하염없이 눈물을 흘렸다.

얼마 전 원경은 이 세상에 없다고 여기던 어머니를 만났다. 그런데 즐겁지 않았다. 서먹하고 정도 들지 않았다. 자기에게 어머니가 있다는 사실 자체가 충격이었다. 아버지는 그래도 5살 때 여러 번 만나고 계속 이야기를 들었지만, 어머니는 본 적도 없고 아무도 이야기해주지 않았다. 어머니는 원경의 삶에 없는 사람이었다.

그런 어머니가 갑자기 어린아이를 업고 원경 앞에 나타났다. 어머니가 털어놓는 기구한 사연을 들은 원경은 자기 인생이 비참하고 덧없이 느껴졌다. 왜 나는 남들처럼 평범한 가정에서 태어나 학교에 다니고 사람답게 살지 못하는 걸까? 정식 결혼도 아니어서 호적도 없이 태어났고 산과 절을 전전하다가 군대도 남의 이름으로 갔다. 대리 입대가 들통나 어쩔 수 없이 탈영했고, 한산 스님이 권유해 진짜 스님이 되려고 수계까지 받지만 마음이 안정되지 않았다. 그런 상황에서 어머니까지 나타나자 가슴에 풍랑이 일렁였다. 원경은 어머니가 자기를 다시 찾을 수 없게 연락처도 남기지 않고 정혜사에서 야반도주했다. 그러고 도착한 곳은 원주 시내에 자리한 영천사였다. 한 처사가 꿈에 부처님이 건네는 현몽을 받고 약수터에 지은 절이다.

"잠을 잘 못 자는 데 수면제 좀 주세요."

영천사에 머물며 불경을 외어도 마음이 가라앉지 않자 원경은 시내 약국을 돌아다니며 수면제를 사 모았다. 차라리 숙으면 편안할 듯했다. 이번 생에 맺은 악연을 모두 지우고 다시 태어나 부처에게 제대로 배워야겠다고 결정했다. 청산가리의 일종인 비상도 구했다. 같이 삼키면 더 효과가 있을 듯해 소주도 한 병 사서 승복에 숨겼다.

절로 돌아온 원경은 소주 한 병을 단번에 들이켰다. 술에 취하기는커녕 정신이 더욱 맑아졌다. 비상을 꺼내 미리 준비한 배추 잎으로 쌌다. 비상은 그냥 삼키면 목구멍만 타고 죽지 않는다는 소리를 들었다. 수면제 마흔 알을 한꺼번에 움켜쥐었다.

많은 얼굴이 눈앞으로 지나갔다. 생사고락을 같이한 한산 스님이 가장 먼저 떠올랐다. 혜화장에서 본 안경 끼고 양복 입은 아버지 박헌영, 지리산에서 함께 생활한 이현상 아저씨, 어려서 자기를 키워준 큰아버지 부부와 김삼룡 아저씨 부부, 이주하 아저씨와 정태식 아저씨, 김소산 누나, 송담 스님과 성월 스님 등 자기를 거둔 스님들, 마지막으로 어머니. 그리고 노근리에서 학살당해 썩어가던 민초들.

"한산 스님, 전강 스님, 송담 스님, 못난 제자는 이제 떠납니다. 안녕히 계십시오."

원경은 손에 쥔 배추 잎과 수면제를 입안에 털어 넣었다.

울릉도

"병삼아, 이거 마셔라!"

"스님, 뭐예요? 냄새가 지독한데……."

"잔말 말고 살려면 마셔라."

원경이 음독한 소식을 듣고 달려온 한산 스님은 녹두를 갈아 먹였다. 그래도 회복이 더디니까 최후 수단으로 민간에서 내려오는 비책을 썼다. 냄새가 지독한 물이지만 한산 스님이 시키니 원경도 어쩔 수 없이 마셨다.

"스님, 이게 뭐예요?"

"마당에 있는 오줌통에서 퍼 온 오줌이란다."

"오줌이요?"

오줌이라는 말을 들은 원경은 마신 물을 토하고 싶었다.

"그렇다. 네가 마신 약들을 씻어내느라 식도하고 위가 크게 상했다. 그런 데에는 오줌이 최고라는 말이 오래전부터 민간요법으로 내려온단다."

토하고 싶던 마음이 사라지고 속이 편해진 원경은 언제 죽으려고 약 먹은 사람이냐는 듯 수시로 오줌을 떠 마셨다.

원경이 건강을 어느 정도 회복하자 두 사람은 울릉도 가는 배에 몸을 실었다.

"스님, 동해 바다 일출이 정말 멋있네요!"

"여기가 우리나라에서 가장 먼저 해 뜨는 곳이라는데, 일출이 정말 장관이구나."

경상북도 포항시를 떠나 열 시간을 파도에 시달린 끝에 울릉도에 도착했다. 다음 날 이른 새벽, 한산 스님은 원경을 데리고 도동항에서 가까운 대원사를 출발해 울릉도에서 가장 높은 성인봉으로 향했다.

지리산 시절하고 다르게 한산 스님은 환갑이 가까워지는 만큼 뒤처지기 시작했다. 오랫동안 지리산에서 단련되고 유디티 훈련까지 받은 원경도 어둠 속에서 원시림을 헤치고 가파른 산길을 오르기는 쉽지 않았다. 두 사람은 3시간 반을 걸어 해발 984미터인 성인봉 정상에 도착했다. 어둠 속에서 숨을 고르자 곧 바다 위로 해가 뜨기 시작했다. 이글이글 타오르며 솟아오르는 해를 보자, 음독까지 하게 만든 번뇌가 사라지고 단전 끝에서 뜨거운 열기가 솟구치는 듯했다.

"원경아, 네가 약을 먹은 그 마음, 내가 다 안다. 얼마나 괴로우면 약까지 먹었겠느냐?"

한산 스님이 팔을 뻗어 원경의 손을 꼭 잡았다. 원경은 자기도 모르게 눈물을 주르륵 흘렸다. 한산 스님은 원경의 손을 잡은 손을 더 꽉 쥐었다.

"5년 전 예산 대흥사하고 임존산성에서 이정 선생님 이야기를 해준 일이 기억나느냐?"

"예."

"그때는 네가 어려서 다 이야기하지 못했다. 이제 너도 크고 음독까지 하는 지경이니, 모두 다 이야기하마."

"……."

"너도 대강 짐작은 했겠지만, 이정 선생님은 단순한 독립운동가가 아니라 공산주의자셨다. 그냥 공산주의자도 아니고 조선공산당 최고 지도자셨지."

아버지가 공산주의자, 곧 빨갱이라는 이야기를 직접 들은 원경은 큰 충격을 받았다. 한산 스님은 오랜 시간 동안 아버지의 삶과 생각을 자세하게 설명했다. 아들 병삼이 아버지 박헌영의 모든 것을 알게 된 순간이었다.

복수심을 버리다

박헌영에 관한 긴 이야기를 끝낸 한산 스님은 다시 한 번 원경의 손을 꼭 잡았다.

"병삼아, 무엇보다도 복수심, 증오심을 버려야 한다."

"이현상 아저씨도 죽게 만들고, 아버지를 미국 스파이로 몰아 죽인 김일성을 용서하라고요?"

"그렇다. 아버지의 죽음을 사사로운 감정이 아니라 역사적인 눈으로 봐야 한다. 아버지의 죽음은 역사적으로 평가하고 심판할 문제이지 김일성에 복수한다는 네 생각처럼 개인적 원한으로 삼아서는 안 된다. 김일성이 이정 선생님을 죽이고 싶어 죽였겠느냐? 냉정한 권력의 생리이지 개인적 원한을 살 일은 아니란다. 김일성이 권력을 차지하려면 선생님을 제거할 수밖에 없었단다. 정치의 논리란 그렇단다."

"스님, 아무리 그래도……."

"병삼아, 이정 선생님은 그런 분이 아니지만, 만일 김일성하고 위치가 바뀌면 어떻게 행동하셨겠냐? 김일성을 제거하지 않으리라는 보장은 없단다."

"……."

아버님도 김일성하고 같은 위치에 서면 똑같이 행동할 수밖에 없다는 이야기에 원경은 할 말을 잃었다.

"자기가 추구하는 이상을 실현하려면 권력을 잡아야 하고, 그러려면 때로는 피도 눈물도 없어야 한다. 그런 것이 바로 정치이고, 혁명이란다."

그동안 자기를 지탱해온 김일성을 향한 증오심과 복수심이 흔들리자 원경은 온몸에 힘이 빠져 바닥에 털썩 주저앉았다.

긴 침묵이 흘렀다.

동해 바다를 바라보고 서 있던 한산 스님은 옆으로 다가와 털썩 주저앉더니 원경의 두 손을 다시 꼭 쥐었다.

"복수 말고, 네가 반드시 해야 할 일이 있다."

원경은 한산 스님을 뚫어지게 쳐다봤다.

"복수가 아니라면 도대체 그 일이 뭐지요?"

"이정 선생님이 남긴 글을 모아 전집을 내야 한다. 아버지 행적과 생각을 자료로 남겨 후세에 정당한 평가를 받을 수 있게 해야 한다. 내가 방금 얘기하지 않았느냐? 네 아버지의 죽음은 역사적으로 평가하고 심판할 문제라고. 기억하느냐?"

"예."

"그 일을 해내기 전이라면 너는 결코 죽어서는 안 된다. 네가 아니면 누가 그 일을 하겠느냐? 네게 주어진 운명이고 하늘이 네게 부여한 책무다. 아버지가 정당한 역사적 평가를 받는 일, 네가 김일성에게 할 수 있는 진정한 복수다. 이 사실을 결코 잊어서는 안 된다. 알았느냐?"

원경은 망치로 머리를 맞은 듯 정신이 바짝 들었다. 삶의 목표, 자기 삶의 의미가 새롭게 생겨난 순간이었다.

"알겠습니다. 이제 음독 같은 바보짓은 하지 않겠습니다."

"병삼아, 해줄 이야기가 또 있다. 네가 자라면서 낙서한 글들을 보니 저항적인 연구가 많더라. 지금부터 글쓰기를 삼가야 한다. 지금까지 살아온 세상보다 더 험한 세상이 네 앞에 놓여 있단다. 모든 욕망을 버리고 조심하고 또 조심해서 살아남아야 한다. 특히 정치를 멀리해야 한다. 귀 막고, 눈 막고, 입 막고 살아서 끝까지 살아남아야 한다. 나는 이 세상에 태어나지 않은 사람이라고 단단히 마음을 먹고서 부처님의 참다운 제자로 살아가다 보면 좋은 세상이 온단다. 도서관에서 모든 책을 자유롭게 읽을 수 있는 그런 때가 오면 아버지가 남긴 자료들을 모아 네 책무를 다하여라."

제선 스님

"아이고 힘드네."

원경은 커다란 바위에 매달려 용을 썼다. 보리암으로 유명한 경상남도 남해군 금산 서북쪽 평지에 높이 20미터짜리 돌덩이가 사람 뇌 모양으로 우뚝 솟아 있었다. 한쪽은 친 길 낭떠러지이고 다른 쪽은 거의 직각이라 줄을 타지 않으면 올라갈 수 없는 천혜의 요새였다. 얼마 전 유디티 훈련을 받은 특수 부대 출신이라지만 원경도 물통을 들고 이런 바위를 오르는 일은 여간 힘들지 않았다. 이 바위는 부소암이나 부소대라 부르기도 했는데, 진시황 아들 부소가 유배돼 살다가 간 곳이라는 전설 때문이었다.

음독자살 소동을 겪고 울릉도를 다녀온 뒤 한산 스님은 원경을 데리고 이곳으로 왔다.* 원경은 금산을 오르다가 물었다.

---

* 원경 스님은 이때가 1961년이라고 회상했다. 제선 스님을 만난 시점보다는 만난 사실 자체가 중요하지만, 1960년 2월 수계를 받고 자수해 1962년 말까지 특수 부대 교관을 한 사실하고는 모순된다. 전역한 뒤라고 봐야 맞다. 또한 제선 스님은 다른 인터뷰에 '재선'으로 표기돼 있었다. 원성 스님이 입적한 뒤 심성종 작가는 '제주도에서 온 신사'라서 '제선 스님'으로 부른다고 알려줬다.

"스님, 여기는 왜 온 거지요?"

"저 위에서 내 친한 친구 제선 스님이 수련 중이란다."

한산 스님이 누구를 '친한 친구'라고 부른 적이 없기 때문에 원경은 깜짝 놀랐다.

"어떤 분인데요?"

"대단한 사람이지. 제주도 출신인데, 일본 메이지 대학교를 나온 엘리트이고 관촉사 주지와 불국사 주지도 지낸 분이다. 그런 감투가 아니라 내공이 정말 대단한 분이다. 저 위에서 당분간 그분하고 함께 지내면서 수련을 해라. 마음 다스리는 법을 배워라."

한산 스님은 바위 꼭대기에 있는 작은 움막을 가리켰다.

"저 위에서요? 저기를 어떻게 올라가요?"

"줄을 타고 올라간단다."

원경은 한산 스님을 따라 줄을 타고 바위 위로 올라갔다.

"제선, 잘 있었나?"

"한산, 웬일인가? 어서 오게."

"그런데 이 젊은이는?"

"내가 데리고 있는 아이네. 얼마 전 용화사에서 수계했네."

"자네가 이야기한 그 아이가 이 아이인가?"

"맞네."

"나무석가모니불."

제선 스님은 원경의 사연을 아는 듯 차분히 불경을 외웠다.

"그런데 왜 여기는?"

"자네가 당분간 수련을 시켜주게."

원경은 제선 스님하고 지내면서 참선도 하고 여러 가지를 배웠다. 그래서 한산 스님 다음으로 제선 스님이 자기에게 가장 큰 영향을 끼친 사람이라고 생각했다.

바위 위에서 지낸 생활은 그야말로 수행이었다. 빗물을 받아서 마시고 빨래도 했다. 물이 떨어지면 통을 짊어진 채 줄을 타고 밑으로 내려가 물 담은 통을 메고서 줄을 타고 올라왔다. 물 보급 작전은 유디티 훈련만큼이나 힘들었다.

"해공*아, 이리 와 앉아라."

어느 날 제선 스님이 원경을 불렀다.

"네가 여기 온 지 1년이 다 돼가는구나. 이제 나는 다른 곳에 수련하러 간다. 너도 저 아래 세상으로 내려갈 때가 됐구나."

"스님, 그동안 정말 많이 배웠습니다."

"내려가면 한산 스님을 잘 모셔라. 그분 정말 대단한 분이다. 너는 스님이 어떤 분인지 아느냐?"

"아니요."

돌이켜 보니 원경은 네 살 때부터 지금까지 십 년 넘게 자기

* 그 무렵 원경이 쓴 법명이다.

를 보살핀 한산 스님에 관해 별로 알지 못했다.

"한산은 한국 사람들이 들어가기 어려운 동경제대를 나온 수재다. 아니 수재보다는 귀재지. 머리가 비상하고……."

"한산 스님이 동경제대를 나오셨습니까?"

"너는 그것도 몰랐느냐?"

"그런 이야기를 전혀 안 하셨습니다."

제선 스님이 아니면 원경은 한산 스님이 도쿄 제국대학을 나온 엘리트라는 사실을 모를 뻔했다. 하기는 한산 스님 본명이 김제술이라는 사실도 훨씬 나중에야 알았다.

반란의 섬 제주도

"병삼아, 저게 한라산이다."

목포를 떠난 정기 여객선이 제주도에 가까워졌다. 한라산이 보이기 시작하자 원경은 배낭끈을 다시 한 번 조였다. 제주도로 오기 전에 스님을 만나 나눈 이야기가 떠올랐다.

"병삼아."

"예."

한산 스님 목소리에서 평소하고 다른 비상한 기운이 돌았다.

"당분간 제주도로 내려가 있어라."

"……."

원경은 대답하지 않았다. 음독자살 소동을 벌인 뒤 울릉도를 같이 다녀오고 부소대에서 수련도 했지만, 한산 스님이 마음을 놓지 못하고 자기를 제주도에 유배 보내려 하는 뜻을 알기 때문이었다.

"이것부터 챙겨라."

"웬 배낭이지요?'

"열어보거라."

"웬 돈을 이렇게 많이!"

"받을 빚이 있는 사람한테서 조금 받았다. 제주도에 절도 짓고 정착하는 데 써라."

"스님이 빚 받을 데가 어디 있어요? 아, 안양?"

문득 16년 전 한산 스님을 따라 지리산으로 내려올 때 안양 어느 방직 공장에 맡긴 사금이 기억났다.

"너는 깊이 알 필요 없다."

제주는 지금까지 다녀본 어떤 지역하고도 달랐다. 사방에 돌담이 보이고 따뜻한 날씨에 이국적 냄새가 물씬 났다. 사투리가 독특해 알아듣기 어려웠다. 섬사람들이 원래 외지인을 경계하기 마련이라지만, 제주도는 1948년 단독 정부 수립을 둘러싸고 벌어진 4·3 항쟁 때 전체 주민의 10분의 1이 학살된 비극을 겪은 만큼 더욱더 그랬다. 뿌리 깊은 한과 말 못할 설움이 가득했다. 그래도 원경은 승복을 입은 만큼 일반 외지인에 견줘 피부로 느끼는 적대감이 훨씬 덜했다.

"여기서 당분간 살아야 하니 어디가 좋은가 한번 돌아보자."

두 사람은 천천히 제주도를 유람했다. 섬을 한 바퀴 돌아보니 아무래도 제주보다는 서귀포 쪽이 마음에 들었다. 서귀포 쪽에 숙소를 잡고 주변을 꼼꼼히 훑기 시작했다.

"스님, 여기 절터가 있네요."

서귀포 중심가를 출발해 걸어서 한 시간 정도 걸리는 하논오름에 올라가 주변을 감상하고 내려오는데 불타 사라진 절터가 나타났다. 1929년 창건해 하논마을 사람들이 다니던 용주사터였다. 1948년 11월 이승만 정부가 보낸 토벌대가 한라산에서 활동한 빨치산인 무장대를 고립시키려 중산간 지역을 초토화하면서 마을과 용주사를 불태웠다. 용주사 신도들은 석가모니 불상과 칠성 탱화를 가지고 내려와 임시 불당을 지었다.

"그래, 여기가 좋겠구나. 이제 네가 자리 잡는 듯하니까 나는 뭍으로 간다. 이제 너도 성인이니까 알아서 잘 지내라."

원경, 아니 해공은 배낭에 지고 온 돈으로 새 절을 짓고 이름도 용주사에서 황림사로 바꿨다.* 하논마을 신도들도 다시 모이기 시작했다.

"절은 이제 됐고, 할 일 없이 방황하는 젊은이들을 위해 무술을 가르쳐야겠다. 젊은이들이 묵고 일할 곳이 필요하니까 넓은 집을 하나 사서 여관도 하고 무도장도 열면 되겠지."

해공은 서귀포 시내를 꼼꼼히 뒤져 적당한 집을 샀다. 그 집에 여관과 도장을 열고 평소에 봐둔 젊은이들을 데려다가 숙식을 제공하고 운동을 가르치는 대신 여관에서 일하게 했다.

---

* 2021년 봄 원경 스님하고 함께 찾아간 절은 봉림사로 바뀌었다. 절 내력에는 '1968년 해공 스님에 의해 개건되면서 황림사로 명칭이 바뀌었다'고 쓰여 있었다.

강제 노동 수용소

"스님, 도민증 좀 보여주세요."

"……."

"다른 신분증 있으면 보여주세요."

"……."

"저희하고 좀 같이 가시지요."

1968년 7월, 해공이 황림사에서 업무를 끝내고 서귀포 시내 여관으로 들어서려는데 골목에 숨어 있던 경찰들이 나타났다. 아무 이름이나 쓴 가짜 도민증이 있지만 문제가 커질 듯해 꺼내지 않았다. 경찰들은 경찰서로 가자고 했다. 해공이 경찰차에 타는데 저쪽에서 눈에 익은 동네 폭력배들이 보였다.

'저놈들이 찔렀구나!'

해공은 대번에 사태가 파악됐다. 어디서 못 보던 중이 갑자기 나타나 돈을 펑펑 쓰면서 여관에 도장까지 차리더니 자기들이 말단 행동대원으로 부리는 아이들을 데려가자 화가 난 조직 폭력배들이 경찰에 신고한 모양이었다. 제주도에 온 지 5년이 돼서 이제 현지인이나 다름없다고 생각했는데, 해공 혼자

만 한 착각이었다(5년은 그때까지 여러 곳을 돌아다니며 살아간 원경 스님이 한 지역에서 가장 오래 머문 기간이다). 게다가 박정희가 5·16 쿠데타를 일으킨 뒤 신원 미상자, 불량배, 병역 기피자 등을 강력히 단속하는 중이었다. 5년 동안 이어진 안정된 삶은 이렇게 끝장이 났다.

1950년대를 거쳐 1960년대에 접어들면서 이승만 정부가 4·19혁명으로 무너지고 민주 정부가 들어섰다. 정치는 잘 모르지만 아버지와 아저씨들, 그리고 자기를 쫓겨 다니게 만든 이승만이 물러나자 해공은 즐거웠다. 그런 기쁨도 잠시, 일 년 뒤인 1961년 박정희가 쿠데타를 일으켜 권력을 잡았다. 박정희는 취약한 정당성을 확보하기 위해 깡패 등 사회악을 소탕한다는 명분을 내걸었다.

한산 스님이 귀에 못이 박히도록 정치를 멀리하라고 당부한 만큼 해공은 정치에 신경을 쓰지 않으려 했다. 탈영, 수계, 자수, 군 복무가 이어지면서 그럴 여유도 없었지만, 결국 쿠데타 정권이 휘두른 강권에 희생됐다. 신원 보증을 받으려면 한산 스님에게 연락해야 하는데 방법이 없었다. 송담 스님에게는 폐를 끼치기 싫었다.

"야, 이 새끼, 국토건설단으로 보내!"

신원 미상자로 밝혀지자 해공은 금세 '스님'에서 '이 새끼'로 신분이 바뀌었다.

"이 새끼, 이 옷으로 갈아입어!"

계급장 없는 군복이었다. 해공이 군복을 입고 뒷마당으로 가자 군용 트럭에 비슷한 군복을 입은 청년 여럿이 겁에 질린 채 타고 있었다.

"출발!"

트럭은 한참을 달려 한라산 중턱에 멈췄다. 1100고지에 자리한 어승생저수지였다.

"내려!"

저수지 옆에는 무장한 군인들이 보초를 서는 야전 텐트들이 있었다. '한국판 굴락'*인 국토건설단이었다.

박정희 정부는 쿠데타로 권력을 잡자마자 장면 정부가 고학력 실업자 대상으로 만든 기술 훈련 기관인 국토건설단을 한국판 굴락으로 개조했다. 깡패, 불량배, 넝마주이, 병역 미필자 등을 훈육한다는 명목으로 강제 수용하고 국토 개발에 강제 동원하는 기관으로 만들었다. 많은 청년이 남강댐, 울산 공업 도시 도로, 섬진강댐, 제주도 횡단 도로(5·16도로) 공사에 강제 동원됐다.

박정희 정부는 5·16도로가 성공하자 1968년 7월 제2 횡단 도로인 1100도로를 계획하고 깡패와 불량배 500명을 강제 동

---

* 굴락(Gulag)은 이오시프 스탈린 시대 소련에서 운영한 강제 노동 수용소다.

원하기로 결정했다. 경찰은 동네 폭력배들을 압박했다.

"야, 500명 채워야 하는데 누구 잡아넣을 놈 없어?"

"있습니다."

"그래? 어떤 놈이야?"

"해공이라는 이상한 중인데, 갑자기 나타나서 절을 짓고, 무슨 돈이 있는지 여관도 사고, 젊은 애들을 불러 모아 운동도 가르칩니다."

동네 폭력배들은 눈엣가시 해공을 그렇게 쫓아냈다.

"기상! 기상!"

잡혀온 단원들은 아침에 일어나면 인간이 도저히 먹을 수 없는 음식을 욱여넣은 뒤 빽빽하게 늘어선 나무를 톱과 도끼로 베어내 길을 냈다.

"이 새끼들, 8열 종대로 줄 맞춰 서! 똑바로 못 서!"

"아이고, 나 죽네!"

단원 500명 중에서 줄을 제대로 못 맞추는 사람들이 몽둥이에 맞아 쓰러지는 소리가 사방에서 들려왔다. '이 개새끼들을 날려버려?' 해공은 경비병들에게 한 방 먹이고 싶은 충동이 일어도 이 악물고 참았다.

많은 젊은이가 허기와 살인적 노동, 경비병이 휘두르는 비인간적 폭력에 쓰러졌다. 지옥이 따로 없었다. 유디티에서 지옥 훈련을 이겨낸 해공은 힘들어도 견딜 만했지만, 별다른 이유

없이 사람을 잡아 가두고 강제 노동을 시킨다는 사실은 도저히 참지 못했다.

"밤에 몰래 탈출할까? 아니면 경비병을 몇 놈 아작낼까?"

한산 스님과 송담 스님을 떠올리며 참았다.

"235번 나와!"

지옥 같은 넉 달이 지난 어느 날 경비병이 해공을 불렀다. 경비병을 따라가자 한산 스님이 보였다. 해공, 아니 원경이 잘 지내는지 궁금해 제주도에 온 한산 스님이 손을 써서 원경을 구하러 왔다.

사라진 한산

제주도를 다녀온 뒤 얼마 안 돼 원경은 한산 스님하고 연락이 끊겼다. 이곳저곳 알아봐도 연락이 닿지 않았다. 가끔 정처 없이 떠나기는 해도 이렇게 오랫동안 연락이 끊긴 적은 없었다. 불길한 예감이 들었다.

"제선 스님은 알고 계실지도 모르지."

부소대에서 나온 제선 스님은 1965년 서울로 올라왔다. 도봉산에 문을 연 문무관에 들어가 결사 참선하며 한 평짜리 방에서 두문불출 수행 중이었다. 꼬박 6년을 채운 1971년 문무관을 나온 제선 스님은 부산에서 갑자기 종적을 감췄다. '두 분이 비슷한 시기에 연락이 끊긴 일은 우연일까? 두 분이 같이 뭔가를 도모하는 걸까?' 원경은 답답해 아무 일도 할 수 없었다.

'14명의 북한무장간첩 사살.' 문득 얼마 전 신문에 크게 난 사건이 떠올랐다. 무장 간첩 14명이 배를 타고 제주도로 침투하려다가 발각돼 전원 사살된 사건이었다.* 간첩들이 제주도에 온 목적은 뭘까? 두 분이 잠적한 사건하고 관계가 있을까?

"아니야. 그럴 리가!"

제선 스님이 제주도 출신이기는 하지만 평소 행동을 보면 북한에 연결돼 있지는 않았다. 특히 한산 스님은 김일성과 북한에 매우 비판적인데다가 자기가 가장 존경하는 박헌영을 미제 간첩으로 몰아 처형한 북한하고 모종의 관계를 유지할 이유가 없었다.

"어디 병이 나셨나? 그러면 연락을 안 하실 리가 없지. 갑자기 돌아가셨나? 건강하시고 아직 환갑도 안 되셨는데……."

원경은 별별 생각이 다 들었다. 시간이 흘러도 한산 스님은 연락이 없었다. 아홉 살부터 스물일곱 살까지 거의 20년 동안 자기를 키우고 보살핀 보호자 한산 스님이 갑자기 사라졌다. 그 뒤 원경은 '현판 절도 사건' 등에 휘말려 한산 스님을 찾을 겨를이 없었다.

그러던 어느 날 친구가 원경에게 물었다.

"해공아, 그분 법명이 뭐지, 너하고 다니던 스님!"

"한산 스님."

"맞아. 그분, 내가 얼마 전 전라도 끝 홍도에서 본 듯해."

"정말이야?"

---

* 1968년 6월 북한에 직접 연결된 지하당인 통일혁명당 사건의 주역 김종태가 체포된 뒤 역공작을 벌여 1968년 8월에 북한 공작선을 유인해 섬멸한 사건을 말한다. 그러나 한산 스님은 1968년 말 원경 스님을 국토건설단에서 구해주는 등 서로 연락이 닿았고 제선 스님은 1971년까지 문무관에서 수행 중이었다. 여기에서 원경 스님은 사건 발생 시점을 혼동했다.

원경은 너무 기뻐 벌떡 일어났다.

"응. 바닷가에서 본 사람인데 통통 부어서 병색이 아주 짙더라. 중도 아니고, 속인도 아니고, 어부도 아니고, 분위기가 묘하더라. 그때는 '어디서 본 적 있는데 누구지?' 했는데, 서울에 올라오면서 생각하니까 너하고 다니던 스님이더라고."

원경은 당장 목포로 달려갔다. 목포에서 배를 타고 흑산도에 도착해 다시 홍도로 향했다. 넘실대는 파도를 바라보니 스님을 만난 뒤 겪은 파란만장한 사건들이 주마등처럼 지나갔다. 엄청난 파도를 뚫고 간 울릉도 여행이 특히 생생했다. 원경은 급한 마음에 거의 뛰다시피 홍도를 구석구석 뒤지기 시작했다. 만나는 사람마다 붙잡고 혹시 한산 스님을 본 적이 있느냐고 물었다. 그렇지만 흔적조차 찾을 수 없었다.

절망한 원경은 목포로 돌아갈 의욕마저 잃었다. 지리산을 비롯해 한산 스님하고 함께 다닌 숱한 산들을 떠올리며 홍도에서 가장 높은 깃대봉에 올랐다. 한참을 오르다가 뒤를 돌아보자 저 아래 사람들 사는 마을과 검푸른 서해가 한눈에 들어왔다.

"스님, 어디 계세요!"*

---

* 원경 스님은 1970년대 김대중 전 대통령에 관련된 한국민주회복통일촉진국민회의(한민통) 회원 명단에 포함된 '김제술'이 한산 스님 아닐까 의심만 하고 확인하지 못한 적이 있다고 한 인터뷰에서 밝혔다. 입적 전에는 이제 이 세상 사람이 아닐 테지만 더 큰 [illegible] 그리워하도록 사라지신 듯하다며 안타까워했다.

모정

제주도를 다녀온 뒤 원경은 새로운 '방황의 계절'을 마주했다. 한산 스님이 사라지면서 홀로 남은 외로움이 깊어졌다. 마음을 다잡지 못하고 계속 갈등했다.

성진性眞. 조선 중기 김만중이 어머니를 위해 쓴 한글 소설 《구운몽》에 나오는 주인공 이름이다. 불제자인 성진은 하룻밤 꿈속에서 갖가지 부귀영화를 다 맛본다. 깨어보니 꿈이었다. 이 세상 부귀영화가 일장춘몽이라는 진실을 깨달은 성진은 그 뒤 불도에 전념한다.

원경은 한산 스님까지 사라지자 인생이 허망하다고 생각해 《구운몽》의 주인공 성진을 법명으로 쓰기 시작했다. 같이 어울리던 젊은 스님 다섯이 길게 보고 집단으로 환속해서 한 20년 돈을 번 뒤 우리 사회를 위한 큰일을 하자는 이야기를 나눴다. 결국 넷은 환속하지만 원경은 처지가 처지인지라 고민하고 있었다. 유일한 은신처인 승복을 벗을 자신이 없기 때문이었다.

"성진! 큰일 났어. 기산이(가명)가 다 죽게 생겼어!"

어느 날 환속한 친구 하나가 숨넘어갈 듯 절로 뛰어 들어오면서 고함을 질렀다.

"기산이가 왜?"

"무도장 사람들한테 패거리로 맞아 반죽음이 됐어."

원경은 친구를 따라 뛰어가면서 자초지종을 들었다. 넷이 술을 마시다가 기산이 취하는 바람에 옆자리 청년들하고 싸움이 붙었다. 원경을 따라다니며 운동을 한 기산이 청년들을 실컷 두드려 팼다. 맞은 사람들이 대전역 앞 도장으로 연락하자 단원들이 떼로 몰려와 기산이를 반죽음으로 만들었다.

원경이 점잖게 사태를 수습하고 화해를 시도하는데 갑자기 누군가 뒤통수를 향해 몽둥이를 휘둘렀다. 반사적으로 몽둥이를 잡은 원경은 빼앗은 몽둥이로 상대방 어깻죽지를 내리쳤다. 맞은 사람은 신음도 못 내고 고꾸라졌고, 진짜 패싸움이 벌어졌다. 40 대 1로 맞붙은 싸움에서 원경이 휘두른 몽둥이에 맞아 18명이 역전 광장에 나뒹굴었다.

"이놈들, 멈추지 못해!"

호루라기 소리하고 함께 신고를 받고 달려온 경찰들이 원경을 에워쌌다. 경찰까지 패면 사태를 수습하기 어렵다고 직감한 원경은 순순히 수갑을 찼다.

"이름은?"

"생년월일은?"

"주소는?"

정해진 주소도 없고 아무런 증명서도 내놓지 못하는 원경에게 경찰은 아는 사람 주소라도 하나 대라고 압박했다. 결국 원경은 가까운 데 사는 어머니 이름과 어머니가 하는 가게 이름을 말했다.

"야, 중놈. 너 나와!"

원경은 19일 동안 갈아입지 못해 냄새나는 승복을 대충 마무리하고 의아해하며 경찰서 유치장을 나섰다. 밖에는 어머니가 서 있었다.

"아이고, 얼마나 고생이 많으셨어요?"

원경은 부끄러움과 놀라움에 어쩔 줄 몰랐다.

"인마! 어머니가 합의금을 가지고 오셔서 풀어주는 거야."

"어머니가 무슨 돈이 있어서……."

"경찰서에서 연락을 받고 돈을 마련하려니 너무 액수가 커서 결국 집을 팔았어요."

원경은 가슴이 뭉클했다. '나 같은 놈 때문에 사는 집을 파시다니!' 어머니의 사랑도 처음으로 느꼈다. 갑작스럽게 벌어진 패싸움 덕분에 원경은 모정이 무엇인지 깊이 생각했다.*

---

* 그 뒤에도 이 모자 관계는 그다지 가깝지 않았다. 그러다가 1979년 막내아들이 입대하면서 의지할 곳 없게 된 어머니가 제대할 때까지 의탁하자면서 원경을 찾아왔다. 이때부터 같이 살기 시작한 모자는 2004년 어머니가 세상을 떠날 때까지 함께 지냈다.

현판 절도 사건

1968년 주민등록법이 제정됐다. 게다가 1968년 김신조 등 북한 특수 부대가 청와대 뒷산까지 침투한 1·21 사태와 울진·삼척 무장 공비 침투 사건이 벌어지면서 가는 곳마다 검문이 강화됐다. 그동안 아무 이름으로 만든 도민증이면 충분했는데, 이제는 주민등록증이나 예비군 수첩이 필요했다. 검문을 받을 때마다 원경은 호적 없고 뿌리 없는 자기를, 버려진 신세를 떠올리지 않을 수 없었다.

"스님 어디 계세요? 저는 어떻게 해야 하지요?"

이럴 때마다 마음을 잡아주던 한산 스님이 사라져버린 현실이 더욱 답답했다.

"에라 모르겠다. 아주머니! 여기 곡차 더 주세요."

그럴수록 원경은 곡차를 도피처로 삼았다. 이 절 저 절 돌아다니며 나이 든 주지 스님들을 만나 귀여움을 받아도 시간만 나면 곡차로 시름을 달래야 했다. 머리 깎고 중이 된 몸이지만 평생 '이단아'로 살아온데다가 말술로 이름난 고봉 스님 등 격식과 규율에 개의치 않는 당대 최고 선승들에게 배운 만큼 원경은 젊은 시절에 곡차를 스스럼없이 마셨다.

그러던 어느 날 경상북도 상주군 한 절에서 지낼 때 안면을 튼 소영 스님과 목우 스님이 찾아왔다.

"성진 스님, 저희가 토굴 암자를 하나 지었습니다. 현판이 필요하니 하나 얻어주세요."

"그래요? 잠깐 기다리세요."

원경은 절에 들어가서 현판을 떼어 스님들에게 건넸다. 조금 뒤 경찰이 절에 찾아왔다.

"주지 스님! 웬 중들이 파출소 앞 정거장에 스님 절 현판을 들고 버스를 기다리고 있습니다. 혹시 스님이 주셨나요?"

"현판요? 준 적 없는데. 그놈들이 언제 훔쳐 갔지?"

경찰은 두 스님을 절도 혐의로 체포했다.

"주지 스님, 사실은 그 스님들이 새로 지은 토굴 암자에 현판이 필요하다고 해서 제가 떼어줬습니다. 절도가 아니니까 제가 경찰서에 가서 해명하고 오겠습니다."

"……."

주지 스님은 아무 말도 없었다.

"주지 스님이 말씀하신지 모르겠지만 그 현판은 그 스님들이 훔친 물건이 아니라 제가 준 겁니다."

경찰은 다짜고짜 원경에게 수갑을 채워 유치장에 가뒀다. 그사이에 주지 스님이 원경을 절도 혐의로 고발한 때문이었다.

"아이 씨팔! 주지 개자식, 이럴 수가 있어!"

원경은 피가 거꾸로 솟았다. 주지 스님이 일꾼들 주려고 사 놓은 술을 다 훔쳐 마시거나 절 안에서 담배를 꼬나물고 다니는 등 안하무인으로 살다가 괘씸죄에 걸린 꼴이었다. 곰곰이 생각하니 패싸움 건으로 경찰 신세를 지고 제주도에서 국토건설단에 끌려간 마당에 절도범까지 되면 안 될 듯했다. 원경은 서 긴 탄원서를 썼다. 가족 관계부터 시작해 평범한 사람이 상상하기 힘든 기구한 삶을 애절하게 적어 선처를 호소했다.

"야, 면회다."

"면회? 찾아올 사람이 없는데……."

잘 차려입은 어느 중년 여자가 기다리고 있었다.

"저는 이번 사건 담당 판사 부인이에요. 남편에게 이야기를 듣고 너무 가슴이 아파서 찾아왔어요."

원경은 집행 유예로 풀려났지만 운은 오래가지 못했다.

"야, 이 씨팔놈아! 그래 나를 절도로 신고해! 너 같은 놈이 부처님 섬기는 주지냐! 개새끼지!"

원경은 풀려나자마자 절로 달려가 현판을 떼어내어 주지 스님 앞에서 도끼로 부쉈다. 그러고는 다시 잡혀가 10개월 동안 감옥살이를 했다.

가호적

'남궁혁.'

1972년 수원, 원경은 법원 앞에서 서류 하나를 든 채 눈물을 흘렸다. 방금 법원 판결로 확정된 가호적이었다. 이정 박헌영과 아지트 키퍼 정순년 사이에서 혼외자로 태어나 숨어 산 아이가 태어난 지 31년 만에 대한민국 법으로 보호받는 국민이자 시민이 된 날이었다.

"한산 스님, 아버지, 어머니, 저도 이제 이 나라가 인정하는 국민이 됐습니다."

가호적을 받아 든 원경은 하늘을 올려다보며 마음속으로 소리 질렀다. 혼외자로 태어난 무심천변 초가집, 지하로 잠적한 아버지와 친정에 잡혀간 어머니, 아버지를 따르는 공산주의자들 사이에서 자란 어린 시절, 아지트 습격 사건과 홀로 버려져 끓여 먹은 수제비, 한산 스님을 만나 들어간 지리산과 삭발, 한국전쟁 때 목격한 학살 현장, 인천 상륙 작전 뒤 다시 들어간 지리산에서 보낸 빨치산 생활, 광양경찰서에서 보낸 한 달, 이현상 아저씨의 죽음, 아버지의 죽음과 복수를 위한 특수 부대

대리 입대, 탈영과 정식 불교 귀의, 어머니 상봉과 음독자살, 방황한 나날과 국토건설단 생활 등 짧으면서도 파란만장한 30여 년이 주마등처럼 지나갔다.

—

"나가면 제일 먼저 호적부터 만들어야겠다."

현판 절도 사건 때문에 감옥에 갇힌 원경은 여러 책을 읽고 많이 생각했다. 대한민국에서 살아가려면 어떻게 해서든 호적을 만들어야겠다고 결심했다. 어머니가 증언해서 박헌영 아들이라는 원적을 찾을까 생각도 하다가 자기 신분이 밝혀지면 세상이 시끄러워질 테니 포기했다. 오랫동안 절에서 생활한 만큼 절과 스님들이 도와주면 문제가 해결될 듯했다.

수원에는 정조가 계획도시 화성을 건설하면서 궁으로 쓰려고 지은 600여 칸짜리 화성행궁이 있다. 화성행궁에서 아주 가까운 곳에 수원포교당이 있었다. 감옥에서 나온 원경은 이곳에서 생활했다. 사실 단순한 '생활'이 아니라 주지실과 주지 자리를 '점령'했다.

"정각, 아이고 얼마 만인가? 어서 오게."

정각은 《만다라》를 쓴 소설가 김성동이 1975년 《주간종교》 종교 소설 현상 모집 당선작 〈목탁조〉 때문에 승적을 박탈당하기 전에 쓴 법명이었다. 그런 정각이 어느 날 수원포교당에 와보니 원경이 주지실을 차지하고 있었다.

정각은 몇 년 전 경기도 안성군 칠장사에서 원경을 처음 만난 날이 생각났다. 그 무렵 정각은 좌익 활동을 한 아버지가 한국전쟁 때 처형된 문제 등으로 승려의 길을 택한 뒤 괴로워하고 있었다.

"나, 성진이야."

절밥도 훨씬 많이 먹고 나이도 여섯 살 많은 원경은 정각을 보자마자 반말을 했다. 정각은 성진이 스님이라기보다는 '천군을 질타하는 장수의 풍모'라는 느낌을 받았다. 처음부터 반말을 하는 바람에 더욱 그랬다. 그렇지만 눈빛에는 깊은 슬픔과 바닥 모를 어둠이 스며 있어서 자기하고 비슷하게 '맺힌 것이 많은 중생'이라고 생각했다.

"성진, 아니 언제 주지가 되셨어요?"

"임명장은 안 받았고, 내가 쳐들어와 주먹으로 차지했지."

"아이고! 어쩐지 들어오는데 분위기가 살벌하더라니……."

"허허허!"

원경은 대수롭지 않다는 듯 호방하게 웃었다.

"성진 스님이 언제부터 주지 자리 같은 것을 탐하셨습니까?"

"내가 도저히 호적 없이 살기가 뭐해서 가호적을 내려고 하는데, 그러려면 주지 자리가 필요해서……."

"아, 그런 사연이……."

원경은 수원포교당을 차지한 뒤 강원도에서 가깝게 지낸 스님들을 찾아다니며 도움을 청했다. 여럿이 보증을 서기로 하지만 가호적을 신청하려면 적합한 사유를 제시해야 했다. 사실 그대로 쓸 수는 없었다. 그럴듯한 이야기를 꾸며내야만 했다.

"북한에서 태어나 육이오 때 혼자 내려온 정도면 어떨까요?"

아는 스님이 좋은 아이디어를 냈다.

"그럽시다. 육이오 중 언제? 아, 1·4 후퇴 때가 좋겠네요."

북한에서 태어나 1951년 1·4 후퇴 때 혼자 내려온 사람으로 하기로 했지만, 나이가 문제였다. 1951년이면 10살이었는데, 혼자 내려오기에는 너무 어렸다. 진짜 생년인 1941년으로 신고하면 예비군 훈련을 받아야 했다. 예비군 훈련을 면제받으려면 35살이 돼야 하니 1937년생으로 하기로 했다. 그러면 1·4 후퇴 때도 14살이라 이야기가 됐다. 그렇게 해서 박헌영 아들 박병삼은 1937년에 함경남도 원산시에서 태어나 1·4후퇴 때 혼자 월남한 '천애 고아 실향민' 남궁혁으로 다시 태어났다.*

---

* 원경 스님은 2000년 수원지방법원에서 호적 정정 허가를 받아 '박헌영과 정순년의 자 박병삼'으로 법적 신분을 회복했다.

납치

"나는 오늘 19시를 기하여 국회를 해산하고 정당 및 정치 활동의 중지 등 현행 헌법의 일부 조항 효력을 정지시킨다."

1972년 10월 28일 밤, 원경은 어두운 수원포교당에 누워 며칠 전 박정희가 발표한 10월 유신을 떠올렸다. 자기 신분을 고려해서 정치 문제에 거리를 두고 살았지만, 반동과 벌거벗은 폭력의 시대가 다시 시작된다는 생각을 하니 가슴이 답답했다. 10·17 비상계엄에 따라 통행금지 시간이 밤 12시에서 10시로 앞당겨진 만큼 거리는 오가는 차나 사람이 없어 적막만 흘렀다. 일찍 잠자리에 들고 일찍 일어나는 습관이 몸에 밴 원경은 금세 잠들었다.

"늦으셨습니다."

11시가 넘은 무렵 원경은 누군가 문을 열고 들어오는 소리에 잠이 깼다. 방을 같이 쓰는 스님이라 생각해 잠결에 인사를 건넸다. 아무 대답이 없었다. 이상한 느낌이 들어 불을 켰다. 군화가 보였다.

"어떤 새끼야!"

본능적으로 몸을 일으키며 돌려차려 하자 계급장 없는 군복을 입은 건장한 청년이 놀라서 뒤로 물러섰다. 갑작스러운 소동이 벌어지자 밖에 있던 일행이 문을 박차고 들어왔다. 군복 입은 두 명에 이어 사복 차림을 한 사람이 모습을 드러냈다.

"우리는 수경사에서 나왔습니다. 몇 가지 물어볼 것이 있으니, 여기는 그렇고 옷을 입고 나가시지요."*

대장처럼 보이는 사복 차림 요원이 점잖게 용건을 밝혔다. 갑작스러운 상황에 당황스럽지만 원경은 옷을 입고 따라나섰다. 혹시 군대 시절에 잘못한 일이 있는지 빠르게 머리를 굴려도 딱히 떠오르지 않았다. 원경이 밖으로 나가자 다른 요원들이 방안을 뒤지기 시작했다. 물건다운 물건을 별로 가지고 있지 않아서 뒤지고 말고 할 일도 없었다.

"성진 스님, 무슨 일입니까?"

밖으로 나가자 한 스님이 놀라서 물었다.

"별일 아닙니다. 이분들하고 차 한잔 하고 오겠습니다."

밖으로 나가자 그 시절에 고급 차로 알려진 뉴코티나가 보였다. 검은 천으로 가린 틈새에 준장 마크가 달려 있었다.

"우리가 타고 온 차인데, 조용한 데 가서 이야기하시지요."

---

* 원경 스님은 수도방위사령부 소속이라고 밝힌 이 군인들이 사실은 군 수사 기관인 보안사, 곧 국군보안사령부(나중에 국군기무사령부, 군사안보지원사령부, 국군방첩사령부로 명칭이 바뀜) 소속이라고 회상했다.

사복 입은 요원이 앞에 타자 처음 방에 들어온 청년이 원경에게 뒷문을 열어주며 정중하게 말했다. 원경도 정중한 태도에 깜빡 경계심을 풀고 뒷자리에 탔다. 원경이 차에 오르자 군복 입은 건장한 청년들이 좌우로 탔다. 차가 출발하자마자 오른쪽에 앉은 청년이 수갑을 꺼내더니 원경의 손목에 채웠다.

"야, 이 빨갱이 새끼!"

원경이 수갑을 차자마자 양쪽에서 가슴과 옆구리로 주먹과 팔꿈치가 날아왔다.

'빨갱이 새끼라니? 군대 시절 문제가 아닌가? 혹시 이놈들이 내 출생의 비밀을 아나?'

원경은 무술로 단련된 몸으로 이들의 공격을 받아내며 속으로 여러 생각을 했다. 박정희 정부가 비상계엄까지 선포한 마당에 쥐도 새도 모르게 죽을지도 모른다는 두려움이 엄습했다.

"이 새끼, 내려!"

서울 쪽으로 달려가던 차는 어느 나지막한 산 밑 불 꺼진 공장 옆 공터에 멈췄다. 보안사 요원들은 원경을 끌어내리더니 마구 짓밟기 시작했다.

"씨팔, 이대로 죽은 수는 없지."

원경은 엎어진 채 요원을 발로 차 넘어트린 뒤 목에 수갑을 걸고 잡아당겼다. 대장은 숨을 쉬지 못하고 헉헉거렸다.

"나는 이 세상에 태어나서 지은 죄가 없다. 그런데 개새끼들아, 너희들 왜 이래? 문제가 있거든 정식으로 경찰서로 끌고 가서 취조해야지 이게 뭐야. 너희들 뭘 원하는 거야?"

"야, 인마! 대장님 풀어주고 이야기하자."

놀란 보안사 요원들은 원경이 대장 목을 더 조를까 봐 가까이 다가오지 못하고 달래기 시작했다. 그렇지만 원경이 진정하는 기색을 보이자 곧 본색을 드러냈다.

"너, 남궁혁이 아니라 박헌영 빨갱이 새끼 자식이잖아?"

결국 올 것이 오고 말았다. 원경은 하늘이 노랬다.

'어떻게 내가 박헌영 아들이라는 사실을 알았지?'

앞뒤 사정이야 모르지만 원경은 정체를 들킨 꼴이었다. 이제 부인해도 소용없을 듯했다.

"그래 맞다. 우리 아버지는 김일성이 죽였고, 나는 호적도 없는데 어떻게 하냐? 가호적이라도 만들어 살아야지. 씨팔놈들아, 내가 살 수 있는 길이 그것밖에 더 있냐?"

원경은 그동안 쌓인 한을 토해내듯 절규했다. 보안사 요원들은 귓속말을 주고받더니 원경을 달랬다.

"그래. 네 말대로 정식으로 조사할 테니, 대장님 풀어줘라."

원경이 다시 차에 오르자 요원 두 명이 양옆에 탔다.

"이 새끼가 깡을 부려! 너 한번 죽어봐라!"

요원들은 다시 양쪽에서 원경을 다짜고짜 패기 시작했다. 화난 원경이 운전석 쪽으로 몸을 기울여 수갑 찬 손으로 핸들을 확 틀었다. 차는 왼쪽으로 급회전해서 도로 밑으로 떨어지려다가 간신히 멈췄다.

"너희 개새끼들, 다 죽기 싫으면 내 수갑 풀어! 시팔 나는 오늘 죽어도 잃을 것 없는 사람이야!"

놀란 대장은 부하들에게 수갑을 풀어주라고 지시했다. 구타도 멈췄다. 원경을 태운 차는 안양에 들어서더니 '신진여관'이라는 간판을 단 건물로 들어갔다. 이곳에서 원경은 출생을 비롯한 가족 관계와 성장 과정에 관련해 조사를 받았다. 박헌영 아들 박병삼이라는 존재를 대한민국 공안 기관이 처음 확인하는 순간이었다.

"조사 다 끝났다. 이제 나가도 된다. 우리가 지켜보고 있으니까 사고 치지 말고 얌전하게 잘살아라."

"자는 사람 잡아와서 차비도 없는데, 택시 값은 주시지요."

"이놈 박헌영 피를 받아서 그런지 배짱 하나는 대단하구먼."

차비를 받아 택시를 탄 원경은 긴장이 풀린 탓인지 온몸에 안 아픈 곳이 없었다.

"수원포교당 갑시다."

끝나지 않는 불운한 운명에 원경은 자기도 모르게 눈물을 흘렸다. 눈물을 닦고 생각하니 좋은 점도 있었다. 이제 신분을 숨기고 살 필요가 어느 정도 없어진 셈이라고 생각하니 묵은 체증이 가신 듯 홀가분하기도 했다.

기이한 도둑

소달산. 경기도 여주군 북쪽에 자리한 작은 산이다. 이 산속으로 깊이 들어가면 여주를 대표하는 신륵사에 견줘 볼품없는 작은 절이 나타난다. 흥왕사다.

원경은 1973년 소달산 깊은 산골짜기에 자리한 작은 암자 흥왕사에 들어왔다. 불교계에서 어느 정도 자리를 잡은 상황이지만 박정희와 유신이 싫었고, 특히 보안사 사건을 겪은 뒤에는 세상사가 다 부질없어 보였다. 은사인 송담 스님에게 부탁해 아무도 찾지 않을 이곳으로 들어왔다. 흥왕사가 일제 강점기에 이곳에 놀러온 일본인 여주군수가 술에 취해 지은 이름이라는 이야기를 듣고 암자 이름을 '서래암西來庵'으로 바꿨다.* 부처님과 불교가 서쪽에서 들어온 사실에 바탕한 이름이었다. 원경은 이곳에서 농사를 지으면서 수행했다.

"잠시 들어오너라."

부름을 받고 달려간 원경에게 송담 스님은 용화사에 본격적

---

* 지금은 다시 흥왕사로 바뀌었다.

인 선원을 지을 테니 공사를 맡으라고 지시했다. 1979년, 원경은 직접 벽돌을 찍어 건물을 올리는 등 용화사 중건 공사를 지휘하느라 인천에서 많은 시간을 보냈다. 산속 암자를 버려둘 수는 없어서 시간 나는 대로 서래암을 들렀다. 인천과 여주를 오가자니 보통 피곤한 일이 아니었다.

1979년 가을 어느 날, 인천을 출발해 긴 운전 끝에 소달산에 도착하자 원경은 긴장이 풀렸다.

"이제야 다 왔네."

서래암으로 올라가는 길은 포장하지 않은 산길이라 무척 힘들었다. 한참을 올라가자 아담한 석탑이 나타나고 자기가 직접 채소를 기르는 텃밭이 보였다. 돌계단 위로 올라가니 낯익은 암자가 모습을 드러냈다.

"아니 이게 뭐야?"

불사로 들어가던 원경은 깜짝 놀랐다. 문에 건 자물쇠가 부서져 있었다.

"이 산골에 절이 있는지 아는 사람도 거의 없을 텐데, 어느 도둑이 이곳까지 도둑질하러 왔을까?"

몇 년 전 보안사 사건이 생각났다. 얼마 전 동료 스님들 사이에 벌어진 색깔론 시비도 떠올랐다. 불길한 예감이 들었다. 방으로 들어가니 책과 옷가지가 엉망으로 흩어져 있었다. 도둑이 확실했다. 원경은 가장 먼저 책장으로 달려가 둘째 칸을 뒤졌다. 찾는 책은 제자리에 없었다. 이상하다 싶어 두리번거리니 그 책이 바닥에 떨어져 있었다. 낡은 불경이었다. 책을 들어 뒤표지 안쪽을 살폈다. 그 자리에 있어야 할 사진은 없고 오랫동안 사진을 붙여놓은 자국만 남은 채였다.

"어떻게 이런 일이!"

원경은 다리에 힘이 풀려 털썩 주저앉았다. 1946년 2월 혜화장에서 한산 스님, 이현상, 김삼룡, 이주하, 정태식, 그리고 아버지 박헌영하고 찍은 사진이 사라졌다. 하늘이 무너지는 듯했다. 그 사진은 자기의 뿌리를 밝혀주는 유일한 물증이었다. 한국전쟁 때 낯모르는 산사람을 만날 때면 신분증 구실을 해 여러 번 목숨을 구해준 소중한 사진이기도 했다. 그 뒤에도 너무나 외로워 아버지를 만난 추억을 떠올릴 때면, 지리산에서 이현상 아저씨하고 지낸 춥고 배고픈 시절이 생각날 때면, 자기를 극진히 보살핀 한산 스님이 그리울 때면 버릇처럼 꺼내 보는 소중한 사진이었다.

"이 사람이 누구냐?"

"이주하 아저씨요."

"이 아저씨를 몇 번, 어디에서 만났느냐?"

어린 시절 한산 스님은 가끔 이 사진을 꺼내 병삼에게 사진 속 사람이 누구인지 물었다. 이 사람들을 잊지 말고 기억하라고 가르친 셈이었다.

정신을 차린 원경은 다른 곳들을 뒤지기 시작했다. 한산 스님은 돈이나 중요한 서류를 기름종이에 싸서 담벼락 쌀통 등 사방에 숨겨놨고, 이 모습을 본 원경도 똑같은 방식으로 돈을 보관했다. 이곳저곳에 숨겨둔 돈은 고스란히 남아 있었다.

어떤 도둑이 현금은 놔두고 낡은 사진 한 장만 훔쳐 갔을까? 낡은 불경 뒤표지에 풀로 붙여놓고 다른 책으로 가려놓은 사진을 어떻게 찾았을까? 분명히 도둑이 한 짓은 아니었다. 보안사? 소문을 들은 중앙정보부? 경찰? 자기를 시기한 다른 스님들? 알 수 없는 일이었다.

원경은 며칠 동안 식음을 전폐할 수밖에 없었다.

"아버지, 한산 스님, 이현상 아저씨, 보고 싶습니다."

4부

공수래공수거

재야

"이호웅이라고 합니다."

1977년 송담 스님이 지시한 대로 인천 용화사에서 용화선원을 짓고 있던 원경에게 한 젊은이가 찾아왔다. 인천 출신으로 서울대학교 정치학과에 다닐 때부터 민주화 운동을 이끈 맹장으로 알려진 이호웅이었다. 유신 반대 운동 때문에 감옥살이를 하고 나오니 용화사에 독특한 스님이 있다는 이야기가 들렸다. 이호웅은 그 길로 용화사에 달려갔다.

이 만남은 원경의 삶에서 중요한 전환점이었다. 한산 스님이 귀에 못이 박히도록 정치를 멀리하라고 당부한 만큼 인간관계에서도 매우 조심하며 살아온 원경이 '재야在野'라 불린 민주화 운동 진영에 가까워지는 계기가 됐다. 1973년부터 원경이 주지를 지낸 여주 산골짜기 흥왕사는 이호웅을 연결 고리로 삼아 수배자가 줄줄이 숨어들면서 '운동권 하숙집'이 됐다.

인천에는 이호웅하고 가까운 친구이자 《창작과 비평》에서 활동한 '운동권 문학 평론가' 최원식이 있었다. 원경은 이호웅과 최원식을 거쳐 황석영이나 김지하 등 나이 비슷한 문학계

'반골'들하고 빠르게 가까워졌다. 김지하는 1983년 영동고속도로에서 일어난 대형 교통사고에 간접적 원인을 제공했고,* 황석영은 나중에 원경이 낸 시집 《못 다 부른 노래》에 축사도 썼다. 원경, 김지하, 황석영에 견줘 연배가 한참 낮은 시인 이동순도 오랜 인연을 이어오다가 《못 다 부른 노래》를 출간하는 데 앞장섰다. 이렇게 원경을 고리로 형성되기 시작한 인맥은 아메바처럼 좌우로 퍼져 나갔다.

종로3가 탑골공원 옆 골목 모퉁이를 돌면 붉은 벽돌담에 검은색 대문이 하나 나타난다. 술집 '탑골'이다. 배고프고 술 좋아하는 예술가, 특히 문인들이 즐겨 찾는 사랑방이었다. 아침에 들르니 밤새 술 마시고 사우나 간 주인 대신 청재킷만 걸려 있더라는 말이 떠돌 정도로 《실천문학》에서 실무를 맡은 송기원이 단골이었다.

언제부터 송기원이 있는 자리에는 원경, 김지하, 극작가 안종관, 〈경마장 가는 길〉과 〈화엄경〉, 〈꽃잎〉 같은 문제작을 만든 영화감독 장선우 등이 함께하며 인생과 예술과 풍류를 이야기했다. 실천문학사에서 낸 도종환 시집 《접시꽃 당신》이 베스트셀러가 되면서 송기원이 가난한 예술가들이 마신 술값을

---

* 4부에 실린 〈교통사고〉 참조. 두 사람이 자주 어울린 시기는 김지하가 1991년 분신 정국 때 《조선일보》에 '죽음의 굿판'을 걷어치우라는 칼럼을 써서 민주화 운동하고 결별하기 전이다.

도맡아 냈지만, 원경이 오는 날에는 원경이 술값을 냈다.*

원경은 좌익 활동 때문에 학살된 아버지를 둔 이문구(《실천문학》 대표)나 김성동하고도 가까워졌다. 원경은 김성동이 소개해 《만다라》의 주인공 현몽 스님을 만났다. 현몽 스님이 소개해 빈민 르포 문학의 효시인 《어둠의 자식들》과 《꼬방동네 사람들》을 쓴 이철용을, 이철용이 소개해 《꼬방동네 사람들》을 영화로 만든 배창호 감독을 만나 한동안 날마다 어울려 다녔다.

여운은 1970년대 캔버스에 신문을 붙이는 작업으로 주목받은 전위 화가다. 군부 독재라는 어두운 현실 속에 민중 미술가로 다시 태어난 여운은 인사동에서 약속을 서너 개 잡아놓고 장소를 옮겨 다니며 술을 마시는 등 민중 미술 진영을 넘어 '문화계 허브'로 활동했다. 일주일에 5일은 인사동에 머물러 '인사동 밤안개'로 불린 여운의 옆에는 대개 원경이 있었다. 두 사람은 그만큼 가까운 사이였다. 여운은 원경을 멋지게 그린 초상화도 남겼다.

원경은 여운을 고리로 민중 미술계에도 발을 넓혔다. 김용태, 오윤, 신학철, 김정헌, 김건희 등 '현실과 발언'을 시작으로 '대동세상'을 염원하며 목판화 작업을 한 판화가 김준권, 민중 미술계의 막내 김윤기, 미술 평론가 유홍준 등하고 가까이 지

* 송기원은 불교에 귀의해 원경에게서 덕문이라는 법명을 받고 만기사에 잠시 머물기도 했다.

냈다. '문화판의 마당발' 김용태가 한국민족예술인총연합(민예총) 일을 맡으면서 김상철 민예총 제주지부 사무총장하고도 가까워졌다. 미술계 인맥은 민중 미술 진영에 갇히지 않았다. '비어있는 것처럼 보이나, 있다'라는 깊은 의미를 지닌 예명을 쓰는 철학자 화가 허유 화백하고는 입적 전까지 깊이 교류했다. 만기사에 세운 '박헌영해원비'에 글씨를 쓴 서예가 여태명 등도 빼놓을 수 없다.

원경은 학계와 법조계에도 인맥이 많았다. 나중에 역사문제연구소를 같이 만드는 박원순 변호사, '운동권 학자'인 김세균 서울대학교 교수(정치학), 심지연 경남대학교 교수(정치학), 박호성 서강대학교 교수(정치학), 서중석 성균관대학교 교수(한국사), 최갑수 서울대학교 교수(서양사), 임경석 성균관대학교 교수(한국사) 등을 비롯해 운동권은 아니지만 양승태 이화여자대학교 교수(정치학) 등하고도 가까이 지냈다.

원경을 고리로 이어진 아메바 인맥은 민주화 운동 진영과 재야에 멈추지 않았다. 원래 사람을 좋아하고 친화력도 좋은데다가 자기가 언제든지 색깔론에 희생될 수 있다는 현실을 잘 아는 원경은 보수 인사들을 만나 열심히 사귀었다. 인간관계에서 좌우 균형을 유지하려 노력한 셈이었다.

'빨갱이 새끼 중'

"원경아, 네가 용주사를 맡아서 이끌어라."

"큰스님, 아니 무슨 말씀을! 저는 용주사 같은 본사 주지는 안 합니다."

원경은 단호했다. 경기도 화성군에 자리한 용주사는 조계종의 25개 교구 중 제2교구의 본사로, 신륵사를 비롯한 경기도 지역 사찰을 관장하는 곳이다.

"이놈아! 네 아버지는 아버지이고, 너는 너다. 네가 태어나 죄지은 것이 없는데 뭐가 문제냐? 너는 승려로서 문중 대표 지시를 잘 따르면 되는 것이다. 네가 절 밥 먹은 지가 몇 년이고 내 밑에서 공부한 것이 몇 년인데, 아직도 그런 문제를 떨어내지 못했느냐?"

"큰스님, 그래도 세상이 그렇지 않습니다. 제가 용주사 주지를 하면 시비를 걸 사람이 많습니다."

원경은 이렇게 대답하고 싶은 마음이 굴뚝같지만 입을 꾹 다물고 참았다. 1983년 일이다.

"원경, 우리 좀 보세."

얼마 뒤 같은 문중은 아니어도 가깝게 지내는 한 도반이 종로 조계사 옆 여관에서 만나자는 연락을 했다. 친한 스님들 몇 명이 기다리고 있었다. 그중 원경하고 가장 가까운 친구가 입을 열었다.

"너 이 새끼, 나쁜 놈!"

갑작스러운 욕지거리를 들은 원경이 놀랐다.

"야, 인마. 갑자기 왜 욕을 해?"

"너 이 새끼, 빨갱이 새끼라며? 이 새끼, 빨갱이 새끼가 무슨 본사 주지야!"

송담 스님이 원경을 용주사 주지로 삼으려 계획하자 이 자리를 탐내는 동료들 사이에서 색깔론이 불거져 나왔다.

"야 이 새끼들아, 나 주지 안 할 테니 걱정들 마."

원경은 자리를 박차고 일어나 여관을 나왔다. 그렇지만 마음은 씁쓸하기만 했고, 몇 년 전 일이 생각났다. 그날 원경은 극우 단체 서북청년단 출신인 같은 문중 스님이 만나자고 해서 한정식집에 갔다. 그 스님은 준엄한 얼굴로 경고했다.

"원경, 너 큰스님 옆에서 장난치지 마!"

"뭐라고?"

"큰스님 옆에서 알랑거리는 짓 당장 관두지 않으면 내가 다 까발릴 거야!"

"뭘 까발려?"

“너 인마, 네가 빨갱이 두목 박헌영 아들이라는 것, 내가 모를 줄 알아?”

“이 개자식이!”

원경은 자리를 박차고 일어나 술상 건너편에 앉은 스님의 배를 발로 찼다.

“악!”

고통에 신음하는 그 스님의 배를 발로 밟으며 소리쳤다.

“박헌영이라니! 박헌영이 네 집 아들 이름이냐! 이 개새끼!”

“아이고, 나 죽네!”

“너 인마, 네가 그러면 내가 겁먹을 줄 알아? 웃기지 마! 나, 세상에 태어나 죄지은 것 없어. 내 아버지 이름 아무 데에 갖다 붙이지 마!”

흥분을 가라앉힌 원경은 자리로 돌아가 술을 따라 벌컥벌컥 마셨다. 쓰러져 있던 서북청년단 출신 스님도 일어나 자리에 앉았다. 원경은 술을 한잔 따라줬다.

“우리 아버지에 관해서 네가 뭘 아니? 우리 아버지에 관해 그렇게 막 말하지 마라.”

“내가 잘못했다.”

한산의 흔적

"성진, 나랑 같이 어디 좀 가자."

전두환 정권이 들어서면서 전국민주청년학생총연맹(민청학련) 사건으로 감옥에 갇혀 있던 김지하가 풀려났다. 1980년 9월 11일이었다. 1980년대 초 어느 날 김지하가 원경을 찾아왔다.

"어딘데?"

"좋은 데야"

"뭐하는 덴데?'

"좋은 데라니까. 좋은 술 마실 수 있고 내로라하는 사람들을 만날 수 있으니."

"그런 데가 어딘데?"

"내가 누님으로 모시는 문화계 여왕이 주선하는 사교 모임."

"아니 자네가 누님으로 모시는 분이 다 있어?"

"그럼. 이분이 대단한 분이야. 미모도 미모지만 문화적 교양이 엄청난데다가 인맥이 마당발이지."

"그래?"

"사실 내가 누님에게 귓방망이를 맞은 적도 있다니까?"

"천하의 김지하 귓방망이를 때려? 그것도 여자가?"

원경은 깜짝 놀란 눈으로 김지하의 귀퉁이를 들여다봤다.

"응, 내가 감방에 있다가 석방되니까 이 누님이 대학로 주점에서 환영 파티를 열어줬어. 그런데 거기에 《조선일보》 주필 선우휘를 부른 거야. 그놈 보기 싫어서 내가 술 취한 척하고 '박정희한테 빌어 붙어먹은 개새끼'라고 욕을 막 했지. 그러니까 그 누님이 내 귓방망이를 갈기는 거야. 아무리 내가 좋아하고 누님으로 모시는 분이지만 여러 사람 있는 앞에서 귓방망이를 때리니 '이게 미쳤나' 싶어 벌떡 일어나 한판 벌이려 했지."

"당연히 그랬겠지. 그랬는데?"

"이 누님이 '지하야, 너 네 생명의 은인한테 이럴 수 있어?' 그러는 거야. 뭔 소리인가 하니까 누님이 설명하는데, 선우휘가 청와대에 불려갈 일이 있어 들어갔대. 박정희가 혹시 부탁할 일이 없냐고 물어서 나를 풀어달라고 했대. 그래서 박정희가 풀어주겠다고 했는데, 10·26으로 박정희가 저세상 사람이 되는 바람에 석방이 좀 늦어졌대. 그런 사람을 욕을 하니, 귓방망이를 때린 거지."

"대단한 여자네."

"그래, 여걸이야! 여걸!"

이야기를 나누는 사이 두 사람은 목적지에 도착했다. 원경은 도대체 어떤 여자이길래 천하의 김지하 귀퉁이를 다 때릴 수 있나 무척 궁금했다.

"누님, 저 왔습니다."

"아이고, 지하야. 건강은? 감옥에서 상한 건강은 괜찮나?"

"예. 누님 덕으로 많이 좋아졌습니다."

"옆에 계신 분은?"

"가까이 지내는 성진 스님입니다."

"아, 그러세요. 반갑습니다."

원경은 망치로 머리를 맞는 기분이었다. 나이가 들어 보이기는 해도 아직도 미모가 빛나는 중년 여인은 30년 전 지리산으로 들어갈 때 만난 한산 스님의 연인이 분명했다.

'아, 한산 스님!'

30년 전 추억이 되살아난 원경은 격한 감정을 주체하지 못하고 눈물을 흘리며 파티장 밖으로 달려 나갔다.

놀란 김지하가 원경을 따라왔다.

"성진, 갑자기 왜 그래?"

원경은 한산 스님 생각에 큰 소리로 통곡했다. 궁금해하는 김지하에게 도리어 원경이 물었다.

"너, 저 여자 과거를 알고 있어? 아는 대로 이야기 좀 해줘."

"내가 알기로는 이화여대 나온 재원인데 젊어서 좌익 운동을 했어. 인천 상륙 작전 때 인민군이랑 같이 후퇴하다가 잡혀서 자기를 생포한 헌병 대장하고 결혼했대. 어디까지 사실인지는 모르지만. 그 뒤 1960년대에 한국 최초로 영화 스튜디오를 만들었고, 1970년대에는 일본으로 건너가 출판이랑 방송에 진출해서 일본하고 한국을 연결하는 유명 인사가 됐다네. 그러고는 마당발 식으로 인맥을 넓혀서 문화계 여왕으로 군림하는 여걸이야. 나를 비롯해 재야 인사들하고도 아주 가깝고."

30년 전 만난 한산 스님의 애인이 맞았다.

"그런데 너는 왜 울고 난리야?"

"저 사람 내가 본 적이 있어."

김지하는 깜짝 놀랐다.

"네가? 언제?"

원경은 한산 스님에 얽힌 30년 전 이야기를 간단히 해줬다.

—

"누구시지요?"

"전○○ 선생님이 보내서 왔습니다."

원경은 전○○라는 이름을 듣고 깜짝 놀랐다.

"얼마 전 김지하 선생님하고 함께 여사님 모임에 오셨지요?"

"그렇습니다만……."

"여사님이 그날 김지하 선생님하고 함께 온 한 스님이 갑자기 울면서 달려 나가 이상하다고 생각하셨답니다. 왜 그럴까

곰곰이 생각해보니 스님을 어디서 보신 듯하더랍니다. 그러다가 30년 전 여사님이 가까이 지낸 한산 스님이라는 분을 따라다닌 어린 스님이라는 기억을 떠올리셨답니다. 스님도 여사님을 알아보시고 한산 스님이 떠올라 그런 듯하다고 생각해 김지하 선생님께 여쭈어보니 맞는다고 확인해주셨습니다. 여사님이 한산 스님을 기리는 마음에서 스님에게 좋은 절을 하나 지어드리고 싶어하십니다. 그래서 그 메시지를 전하러 왔습니다."

뜻밖인 제안에 원경은 당황하지만 금세 평정심을 되찾았다.

"여사님 뜻은 정말 고맙습니다. 그러나 올바른 일이 아닌 듯합니다. 한산 스님도 그리 반기지 않으실 겁니다. 여사님하고 제 인연은 30년 전에 끝났습니다. 정말 고맙지만, 마음만으로 그 뜻을 받고 사양하겠다고 전해주십시오. 나무관세음보살."

교통사고

"정각, 괜찮니? 살았나?"

1983년 봄 원경은 김성동*하고 함께 강원도 원주시에 가 김지하를 만나 밥을 먹었다. 돌아오는 길에 영동고속도로를 달리던 두 사람은 교통사고를 당했다. 2차선 도로에서 중앙선을 넘어 추월해 달려오는 트럭을 피하다가 핸들을 너무 꺾어 골짜기로 굴렀다.

머리를 다친 김성동은 뇌수가 밖으로 흘러내린 채 신음했다. 다행히 아직 죽지는 않은 상태였다. 핸들에 부딪혀 가슴이 몹시 아프던 원경은 불이 나기 전에 김성동을 안전한 곳으로 옮기려 했다. 김성동이 손을 뻗어 흘러나온 뇌수를 만지려 하는 통에 놀란 원경은 재빨리 허리띠를 끌러 손을 뒤로 묶고 등에 업었다. 유디티 출신답게 크게 다친 몸으로 김성동을 업고 골짜기를 올라왔다.

---

* 뛰어난 소설가인 김성동은 가계에 관련해 한국 근현대사를 다룬 책을 여러 권 썼고, 개인적으로 좋아한 작가였다. 사적 접촉이 없다가 원경 스님 일대기를 쓰려고 여러 번 만나면서 가깝게 지냈지만, 안타깝게도 원경 스님이 입적한 뒤 채 1년도 안 된 2022년 9월에 타계했다.

"저기 오는 화물차를 세울 테니 빨리 큰 병원으로 가세요."

신고를 받고 출동한 경찰은 피투성이인 두 사람을 경찰차에 태우는 대신에 화물차를 세웠다. 원경은 원주기독병원 응급실에 김성동을 내려놓고는 반혼수 상태에서 병원을 나왔다.

"스님, 치료 안 받고 어디 가세요?"

사고 난 차가 얼마 전 미군에게서 산 중고인데, 원경은 아직 명의 이전도 제대로 하지 않아 보험 문제를 해결해야 한다고 판단했다. 먼저 김지하를 만나 상의해야겠다고 생각한 원경은 거의 혼수상태여서 집을 제대로 찾을 수 없었다. 머리 깎고 승복 입은 스님이 피투성이로 비틀거리며 거리를 헤매니 사람들이 놀라 다 피했다. 한참을 헤매다가 가까스로 김지하 집에 도착한 원경은 외마디 비명을 지르고 기절했다.

"지하야!"

"역시 원경, 너는 빨갱이야."

이 난리통 속에서도 김지하는 온몸이 피투성이인 원경을 놀렸고, 그 뒤에도 술자리에서 '원경 빨갱이인 거 알아?' 하고 계속 약을 올렸다.

김성동이 사흘 만에 눈을 뜨자 문익환 목사가 옆에서 손을 꼭 잡고 있었다.

"여기 어디에요?"

"정각 스님, 이제 살아나셨네요? 다행입니다. 듣자 하니, 어제 기자들이 와서《풍적》연재 원고를 찾느라 스님 배낭을 뒤지고 난리가 났다네요."

원고 이야기를 들은 김성동은 머릿속에 원경하고 지낸 나날들과 사흘 전 사고가 난 과정이 빠르게 지나갔다.

—

칠장사와 수원포교당에서 만난 뒤 두 사람은 빠르게 가까워졌다. 원경이 예산군 출신이고 김성동이 보령군 출신으로 둘 다 뿌리를 충청남도에 두고 있었다. 김성동의 아버지 김봉한은 박헌영의 비선 조직으로 활동하다가 학살됐다. 원경이 박헌영 아들이라는 사실을 김성동이 알게 된 뒤 두 사람은 똑같은 아픔과 웅숭깊은 한을 나눈 혈육이나 다름없는 사이가 됐다.

"많이 먹으라."

기회가 되면 원경은 김성동을 중국집 골방으로 데려가 밥을 먹였다. 주머니 사정이 좋지 않으면 삼선간짜장 곱빼기라도 시켰다. 한마디로 삼촌이나 친언니 같았다. 〈목탁조〉 때문에 승적을 박탈당한 뒤 쓴《만다라》가 주목받으면서 문제 작가로 떠오른 김성동은 1983년 봄 아버지를 낳은 그 시절 헌걸찬 정신의 움직임을 다룬《풍적》을 연재하기 시작했다. 1회분을 탈고하고 2회분 원고를 쓰느라 방황하다가 인천 용화사에서 원경을 만났다. 이 만남은 인천 운동권 이호웅, 최원식, 황석영이 합세하면서 끝없는 술자리로 이어졌다. 글을 쓰러 제주도에 가려고 하니 김포에 내려 달라고 한 뒤 잠든 김성동이 일어나보니 김포가 아니라 원경이 주지로 있던 여주군 흥왕사였다.

"원주 가서 김지하나 만나고 오자고."

김성동이 정신을 차리고 글을 쓰려 펜을 들었지만, 원경은 싫다는 김성동을 반강제로 차에 태워 원주로 향했다. 그 결과가 바로 대형 교통사고였다.

"박헌영 선생님은 우리 아버지를 죽이더니, 원경은 나를 (뇌 절반이 날아간) 반뇌아 병신으로 만들었지요. 2대에 걸쳐 잘하는 짓이지요."

김성동은 아버지가 박헌영 비선 조직으로 활동하다가 한국전쟁 때 산내 골령골에서 이승만 정부에 학살된 사실을 빗대어 두고두고 이렇게 말했다.

—

김지하 집에서 정신을 차린 원경은 통증 때문에 괴로우면서도 옷만 갈아입고 이태원으로 향했다. 보험 처리를 하려면 차를 판 미군을 만나 서명을 받아야 했다. 원경은 이태원을 한 달 동안 뒤져 차를 판 미군을 찾아냈다. 덕분에 막대한 치료비를 해결하고 두둑한 보상금도 받았다.

"갈비뼈가 아홉 개나 부러졌습니다. 이 상태로 돌아다니다니, 사람이 아닙니다."

보험 문제가 해결되자 긴장이 풀리는지 원경은 가슴이 너무 아팠다. 주변 사람들이 강권하다시피 해서 병원에 가보니 의사가 놀랄 정도였다.

병원에 누워 있자니 송담 큰 스님이 병문안을 왔다.

"원경아, 그래 어디서 고문을 이리 호되게 당했느냐?"

"큰스님, 무슨 말씀이세요?"

"절에 네가 고문을 당해 병원에 입원해 있다고 소문이 났다."

"아니 그런 소문이요?"

"그렇다. 그리고 문 앞 복도 쪽에 안기부* 요원 같은 친구가 이 병실 출입하는 사람들을 감시하고 있구나."

---

* 국가안전기획부의 준말로, 전두환 정부가 중앙정보부에서 이름을 바꿨다.

안기부

"남산에서 나왔습니다."

"아, 그래요? 무슨 일로?"

여주군 흥왕사 주지 시절 원경이 1983년 인천시 용화사 건설 현장에 다녀오는 길이었다. 같이 지내는 어머니 정순년이 누가 와서 연락처를 남기고 가더라고 했다. 전화를 받은 곳은 안기부였다. 꼭 만날 일이 있으니 장소를 정해 알려달라고 했다.

보안사하고 다르게 밤에 쳐들어오지 않고 장소까지 알아서 정하라는 모습을 보니 안기부는 한 수 높았다. 원경은 지난번처럼 납치당하는 일이 없도록 서울 시내 호텔 커피숍으로 약속 장소를 정했다. 만일의 사태에 대비해 바깥에 힘깨나 쓰는 별동대도 대기시켰다.

"아버님 함자가 어찌 되는지요?"

안기부 요원 세 명은 앉자마자 아버지에 관해 물었다.

"당신들 내 호적도 조사 안 했소? 내 이름은 남궁혁이고, 어릴 때 혈혈단신으로 국군이랑 같이 피란 내려와서 아버지가 누군지 모릅니다."

"그러지 마시고, 아버님 함자가 어찌 됩니까?"

똑같은 질문과 똑같은 대답이 이어졌다. 11년 전 보안사에서 조사를 받은 적 있고 이 문제만 물고 늘어지는 모습을 보니 안기부도 이미 아는 듯했다. 그렇다고 해도 자기 입으로 다시 실토하면 마지막 자존심마저 팽개치는 꼴이 된다고 생각했다. 원경은 끝까지 버텼고, 밀고 당기는 시간이 지루하게 흘러갔다.

"스님, 우리가 몰라서 묻는 것이 아니라 스님 입으로 직접 들어야 할 일이 있기 때문입니다. 규정이 그렇습니다."

"……."

"스님, 저희가 12년 전부터 스님을 관찰하고 있었고 스님을 전담하는 요원도 따로 뒀습니다. 사실 오래전부터 저희가 스님을 보호해왔습니다."

"아니 나를 보호해요?"

"예. 잘 생각하면 아실 텐데요."

망치로 머리를 맞는 기분이었다. 가만히 되짚으니 다른 승려들이 고발하거나 수배가 된 사건이 어느 날 슬그머니 없어지는 일이 있었다. 안기부가 경찰에 살인 같은 중대 범죄 아니면 원경에 관련된 사안은 눈감아주라고 특별 지시를 한 모양이었다.

"사실 우리끼리 하는 이야기인데, 당신이 빨갱이 자식이라고 우리한테 고발한 중들도 있습니다. 꽤 이름도 있고 지위도 높은 스님들입니다."

원경은 힘이 쭉 빠졌다. 대답을 거부하는 행동이 더는 아무 의미가 없다는 현실을 깨달았다.

"아버님 함자가 박, 헌 자, 영 자라고 알고 있습니다."

원경은 안기부 요원이 하는 질문에 아는 대로 순순히 대답했다. 그렇지만 아버지에 관한 기억이 거의 없는 만큼 답할 내용도 별로 없었다.

"여기 서명해주십시오."

"무엇입니까?"

"오늘 나온 이야기는 누구에게도 이야기하지 않고 비밀로 한다는 각서입니다."

"앞으로도 저희가 스님을 관찰하고 봐줄 것입니다. 다만 시국 선언 같은 데 서명만 안 하시면 됩니다. 여기 전화번호를 하나 적어드릴 테니 애로 사항이 있으면 언제든 연락 주세요. 힘닿는 데까지 도와드리겠습니다."

사상 기행

"자, 출발합니다."

1984년 12월 12일 이른 아침, 운전대를 잡은 영화감독 장선우가 뒤를 돌아보며 말했다. 서울시 종로구 운당여관 앞을 출발한 차에는 원경, 김지하, 이문구, 송기원, 임진택 등이 타고 있었다. '민중'이 지닌 토착적 의미를 규명하려 《실천문학》이 기획한 '김지하 사상기행'을 떠나는 길이었다. 이문구는 여행 기록자였고, 원경과 송기원, 임진택은 '술자리 보좌역'이었다.*

"면면히 이어진 한국 민중 운동을 이해하려면 동학의 후천개벽 사상을 제대로 알아야 해요. 동학을 모르면 백정들의 신분 해방 운동인 형평사를 이해할 수 없고, 고려혁명당을 모르면 최초의 사회주의 물결인 고려공산당을, 이 흐름을 이어받은 조선공산당과 남로당을, 그 뒤의 혁신계 운동을, 광주 항쟁 이후 생겨난 민주민족 통일전선을 제대로 이해할 수 없어요."

---

* 김지하는 2003년에 낸 회고록 《흰 그늘의 길》에서 이 여행을 회상하면서 원경 스님을 '두꺼비 스님'이라 불렀다. 김지하를 잘 아는 기행 동행자 임진택은 명칭은 김지하가 '지하'라는 필명을 쓰듯이 오랫동안 지하에 숨어 살아온 원경 스님의 삶을 은유한 듯하다고 말했다.

김지하는 이번 기행이 지닌 의미를 설명하기 시작했다. 모두 마른침을 삼키며 들었다.

"형님, 저도 듣게 좀 크게 이야기하세요."

운전하는 장선우가 부탁했다.

"야, 운전이나 똑바로 해. 내 얘기 듣다가 사고 내지 말고."

"맞아. 우리 이야기 신경 쓰지 말고 운전이나 잘해."

장선우는 할 수 없이 운전에만 몰두했다.

"우리 학계가 동학을 이해하는 방식이 너무 천박해요. 사회경제사학 한다는 젊은 마르크스 보이들이 프리드리히 엥겔스의 《독일농민전쟁론》 같은 유럽의 기계로 찍어낸 고무신을 우리 현실에 억지춘향으로 맞추려고 큰 발을 잘라내고 있어요. 손화중과 김개남 등 수련과 조직, 혁명적 예절을 엄수한 혁명의 조직적 주류는 폄하하고, 인물은 출중하지만 극소수 추종자밖에 확보하지 못한 일개 접주 전봉준을 클로즈업시켜 영웅주의 사기극을 펼치고 있어요."

동학에 관해 한산 스님 등에게서 여러 이야기를 듣고 공부한 원경도 한마디 거들었다.

"사실 북접은 반동이고 남접은 혁명 세력이라는 이분법은 문제가 있지요."

신이 난 김지하가 다시 열강을 시작했다.

"동학혁명을 갑오농민전쟁이라고 부르는 것부터 말이 안 돼.

동학의 의미를 제거하고 기계적인 사회경제론으로 설명하고 있는 것이야. 무슨 놈의 혁명이 사상 창조와 수련 정진, 조직적 확산, 여기에 기초한 대중운동 단계가 없이 눈앞의 사회경제적 모순 하나만으로 일시에 무장봉기할 수 있다는 말이야? 설사 가능하다고 해도 그것은 혁명이 아니라 폭동주의, 러시아어로 푸치즘에 불과한 것이야."

흥분한 김지하는 거의 반말 조로 열변을 토했다.

"내가 출옥 후에 젊은 사학자들에게 이런 충고를 했는데 돌아오는 것은 나를 향한 비방과 중상모략뿐이에요. 그래서 이번 답사를 하는 것이에요. 그렇지 않다는 것을 보여주려는 거지. 특히 세 가지에 초점을 맞추려고 해요."

"형님, 그 세 가지가 뭐죠?"

막내 격인 임진택이 물었다.

"첫째, 우리는 동학 사상의 탄생과 민중사적 배경, 그 징후를 탐색한다. 둘째. 수운 동학과 동학혁명사의 접점인 남접 조직의 뿌리를 확인한다. 셋째, 동학혁명의 민중사적 전개 계승과 세계사적 의미를 탐구한다. 첫째를 위해서는 계룡산, 모악산, 지리산의 민중사를 검토하고, 둘째를 위해서는 남원 남문 밖 교룡산성 은적암과 남원 시내에 남아 있는 동학 흔적을 확인하고, 셋째는 김일부의 《정역》, 강증산의 천지공사 운동 등을 비교, 검토해야 하는데, 이건 시간을 두고 연구해야지요."

사상 기행에 나선 일행은 계룡산을 첫 행선지로 삼아 우금치, 황산벌, 김제, 백산, 광주, 모악산 등을 거치며 땡초로 불리는 괴승부터 풍수학자, 판소리 전문가, 증산 사상가 등을 만났다. 저녁에는 술자리 보좌역들이 펼치는 활약 속에 길고도 긴 술판이 벌어졌다.

"마지막 행선지 교룡산성입니다."

장선우가 차를 세우며 말했다.

"자, 올라갑시다."

김지하가 일행을 재촉했다.

1860년 경상북도 경주 구미산 자락 용담에서 '사람이 곧 한울이다人乃天'는 도를 깨친 수운 최재우는 그 지역에서 포교하려 하지만 거센 반발에 부딪쳤다. 전라도 쪽으로 피신한 최제우는 전라북도 남원에서 여러 사람을 만나 동학에 입문시켰다. 이렇게 해서 남접이 시작됐다. 교룡산에 자리한 선국사에 속하는 덕일암으로 들어가 은적암이라 바꿔 부르면서 여섯 달 동안 은신해 〈동학론〉 등을 지었다. 사상 기행은 최재우가 지은 〈칼노래劍歌〉를 부르며 동학도들이 춤을 춘 교룡산성을 돌아본 뒤 4박 5일 대장정을 끝냈다.*

---

* 이 여행은 《실천문학》에 2회 연재되다가 잡지가 폐간되며 중단됐고, 1999년에 《김지하 사상 기행》으로 출간됐다.

칼노래

시호 시호 이내 시호 부재래지 시호로다

만세일지장부로서 오만년지시호로다

용천검 드는 칼을 아니 쓰고 무엇하리

무수장삼 떨쳐 입고 이칼 저칼 넌즛 들어

호호망망 넓은 천지 일신으로 비켜서서

칼노래 한 곡조를 시호 시호 불러내니

용천검 날랜 칼은 일월을 희롱하고

게으른 무수장삼 우주에 덮여 있네

만고 명장 어데 있나 장부당전 무장사라

좋을시고 좋을시고 이내 신명 좋을시고

역사문제연구소

"박변, 요즘 잘 지내시지요? 변호사 일은 어떻습니까?"

"스님, 제가 무식해서 머리가 아픕니다."

"박변이 무식하다니 무슨 망발을!"

"제가 국가보안법 같은 시국 사건을 주로 다루고 있잖아요. 그러려면 역사를 알아야 하는데, 제가 한국 현대사를 뭘 알아야지요. 한국 현대사를 공부하려고 해도 제대로 된 책도 없고 배울 데도 없고 해서, 변호사를 잠시 그만두고 역사 공부를 할까 싶습니다."

"무슨 그런 말씀을! 변호사 일을 줄이시고 저하고 함께 역사 공부를 합시다. 저도 제 가계도 있고 그러해서 우리 현대사에 관심이 많습니다."

"그러면 좋지요."

"뜻을 같이하는 사람들을 모아서 함께 공부하는 사랑방 같은 것을 만들어봅시다."

"스님, 좋은 생각입니다."

1985년, 박변, 곧 박원순 변호사는 당장 광화문 세종문화회

관 뒤편에 큼직한 사무실을 구한 뒤 전화도 놓았다. 원경과 박 변호사는 임대료와 운영비로 한 달에 100만 원씩을 내기로 했다. 두 사람 사이의 깊은 우정, 그리고 한국 현대사를 다루는 중요한 민간 연구 기관 역사문제연구소는 이렇게 탄생했다. 문학 평론가 임헌영, 이호웅 도서출판 형성사 대표, 김성동 등이 이내 합류했다.

여러 사람이 모여 공부를 시작했다. 원경은 아버지와 자기의 삶을 결정한 1945년 해방부터 1953년까지 해방 8년사에 관심이 많았다. 1980년 5월 광주 학살이 벌어진 뒤 의식 있는 사람들 사이에서도 한국 현대사를 돌아보자는 자성이 크게 일었다.

"해방 8년사를 강의할 분으로 누가 좋을까요?"

"남로당 등 공산주의 운동에 정통한 김남식 선생이 가장 좋겠네요. 원래 남로당 쪽에서 일하다가 월북했고, 1960년대 초 남파된 뒤 검거돼서 안기부 쪽 연구소에서 북한 문제를 다루고 있습니다."*

김남식도 흔쾌히 특강을 했다. 이렇게 민감한 주제를 다룬 강의와 토론이 이어지자 기관이 주목하기 시작했다.

어느 날 중국 음식을 시켜놓고 저녁 늦은 시간까지 뜨거운

---

* 김남식은 1986년 《박헌영노선 비판》을 출간하는 등 박헌영에 비판적인 견해를 밝혔고, 그러자 원경도 김남식에 관해 비판적인 태도를 보이기 시작했다.

논쟁을 하고 있는데 누가 문을 두드렸다.

"똑똑!"

"누구시지요? 들어오세요."

"종로서에서 나왔습니다. 모두 같이 가셔야겠습니다."

김남식을 비롯해 모든 참석자가 종로경찰서에 잡혀가 조사를 받기 시작했는데, 경찰이 갑자기 모두 돌아가도 좋다고 했다. 안기부에서 일하던 김남식이 모두 풀어주지 않으면 자기도 안 나가겠다고 버티면서 순수한 학술 모임이라는 사실을 보증한 덕분이었다.

"김 선생님, 감사합니다."

"무슨 말씀을. 누가 광화문 뒤편에서 비밀 모임이 있다고 투서를 한 듯합니다."

투서 이야기를 전해 들은 원경은 모임을 이대로 놔두면 안 되겠다고 생각했다.

"박변, 지난번 종로서 사건을 겪어보니 우리가 불필요한 오해를 받을 필요가 없을 것 같아요. 그러려면 이 모임을 공식적인 역사 연구소로 발족시키는 방법이 좋겠다고 생각합니다."

"스님, 저도 똑같은 생각을 했습니다."

원경은 박원순 등하고 함께 연구소를 세우는 데 필요한 돈과 사람을 모으러 뛰어다녔다.

"박변, 우리끼리 주먹구구식으로 공부하지 말고 전문가 지도를 받아야 하지 않겠습니까? 그리고 역사학자들도 참여시켜야 할 것 같습니다."

"스님, 맞습니다. 한국 현대사를 강의하고 우리 독서도 지도해줄 사람으로 누가 좋을까요? 국사학계에 현대사를 공부하는 학자들이 없어서요."

"서중석 기자*가 어떨까요."

"아, 서 선배가 있었네요. 좋습니다."

"이이화 선생이라고 재야의 고수인데, 그분도 모시지요."

김성동이 이이화를 추천했다.

"소장은 누구를 시키지요?"

"어느 정도 자리 잡을 때까지는 운동권은 배제하는 게 좋을 것 같습니다."

원경은 역시나 조심스러웠다.

"정석종 영남대학교 교수가 어떨까요. 조선 후기 민중 운동사를 연구한 존경받는 학자입니다."

"좋습니다."

모두 찬성했다. 서중석과 이이화 등 460명이 모였다. 곧 격론이 벌어졌다.

"연구소 이름은 뭐가 좋지요?"

---

* 1990년에 박사 학위를 받고 성균관대학교 교수가 되기 전 서중석은 《신동아》 기자로 일했다.

"역사 문제를 연구하는 곳이니 역사문제연구소 어떤가요?"

"좋습니다."

"발족식은 언제 하지요?"

"일제하에 우리 역사를 바르게 세우려 치열하게 투쟁하다 쓰러진 신채호 선생 기일이 2월 21일이니, 그날이 어떻습니까?"

"2월 21일이 신채호 선생 기일인가요? 좋습니다!"

1986년 2월 21일, 역사문제연구소가 출범했다. 원경은 한산 스님이 내준 숙제, 곧 박헌영 전집 발간과 박헌영 복권을 향한 첫발을 내디뎠다고 생각해 뿌듯했다.

연구소가 발족한 뒤에는 운영 방향을 둘러싼 갈등이 벌어졌다. 초기 성원들은 운동성과 실천성을 강조한 반면 나중에 합류한 역사학자들은 장기적 안목에서 연구 활동에 집중해야 한다고 주장했다. 원경은 주요 초기 성원들에게 남도 여행을 가자고 제안했다. 무겁고 민감한 이야기는 서울에 있는 연구소보다는 가벼운 분위기에서 하는 편이 좋을 듯했다. 적절한 시점에 원경은 속내를 털어놨다.

"연구소가 정식으로 발족했습니다. 연구소는 운동 단체가 아니고 이름 그대로 연구 기관이 돼야 합니다. 역사학자들을 제외한 초기 회원들은 탈퇴합시다. 나도 같이 나가겠습니다. 우리 할 일은 이제 끝났습니다. 박원순 변호사는 사학과 출신이니 남고요."

그 뒤 역사문제연구소는 서중석 등 역사학자들이 중심이 된 연구소로 자리 잡았다.*

---

* 원경은 생전에 나를 만난 자리에서 물려받기로 한 대원각을 정리해 역사문제연구소를 유급 연구원 10여 명을 둔 굴지의 연구소로 만드는 계획이 수포가 된 사연을 말하며 무척 안타까워했다.

신륵사

"예? 신륵사 주지요?"

1987년 원경은 신륵사 주지를 맡으라는 연락을 받았다. 4년 전 겪은 일이 떠올랐다. 그때 원경은 신륵사를 비롯한 경기도 지역 사찰을 관장하는 조계종 제2교구 본사인 용주사 주지를 맡으라며 송담 스님이 내린 지시를 거부했다. 그런데도 용주사 주지설이 파다하게 퍼지는 바람에 동료 승려들한테서 '빨갱이 새끼 중'이라는 비방까지 당했다. 그러고는 경기도 안성군에 자리한 작은 절인 청룡사 주지로 내려왔다.

원경은 청룡사에서 수련을 하면서 심심할 때는 가까운 곳에 자리한 남사당 우두머리 바우덕이 사당을 오갔다. 바우덕이는 안성 남사당에서 활동한 예인으로, 여성으로는 드문 남사당 우두머리였다. 탁월한 능력이 널리 알려져서 대원군이 경복궁 중건 공사에 동원된 공역자와 백성들을 위로하는 공연을 열라는 지시를 내렸다. 바우덕이가 이끈 남사당 공연을 보고 신명을 얻은 덕분에 공사를 잘 끝낼 수 있었다. 대원군은 바우덕이에게 당상관 정삼품 벼슬을 내렸다. 바우덕이는 한국 최초 전

국구 '여성 스타 연예인'이었다.

청룡사 말고도 1985년부터 역사문제연구소에도 관여하느라 바쁜 나날을 보내던 원경이 갑자기 조계종에서 요직으로 꼽히는 신륵사 주지가 됐다. 신륵사는 신라 시대에 창건한 유서 깊은 사찰로, 신도가 많은데다가 남한강 옆 평지에 자리한 덕분에 경치가 기막히고 서울에서 가까워 관광객도 많이 찾는 '알짜배기 절'이었다.

신륵사 주지가 된 뒤 원경은 '물 만난 고기'처럼 날아다녔다. 개인적으로는 끝없이 이어지던 방황을 끝냈다. 아버지의 죽음을 복수하려는 생각을 접고 어머니 문제에서도 마음의 평화를 얻었다. 보안사와 안기부를 만나 신원 조사를 받고 절 동네에서 제기된 색깔론도 다 겪어내 이제 더는 문제 될 일이 없었다. 사회적으로는 1987년에 민주화가 진전되면서 예전 같은 공개적인 억압성은 사라졌다.

원경은 타고난 리더십과 친화력으로 절을 키웠다. 첫 상좌인 덕원 스님을 비롯해 제자도 키우기 시작했다. 안정된 재정을 바탕으로 여러 사람을 만나 친구로 사귀었다. 보수 진영 사람들하고도 자주 교류했지만, 운동권과 민주화 운동 진영에서 원경이 사는 밥과 술을 얻어먹지 않은 사람이 없다는 신화가 이 시절에 생겨났다.

"제가 어릴 때부터 산속에 혼자 버려져 한산 스님 오시기만을 기다린 기억이 남아 있어서 해가 넘어갈 때면 사람이 그리워집니다. 그래서 사람들을 모아 밥을 먹어야 합니다."

원경이 주관한 마당발 저녁 모임에는 이런 슬픈 사연이 숨어 있었는데, 시간이 흘러 어느 정도 가까워지면 또 다른 슬픈 사연을 풀어놓았다.

"제가 대식가인데다가 식탐이 있어 절대 음식을 안 남깁니다. 워낙 지리산에서 못 먹고 살아서 한이 되어서요."

1987년이 지나며 신륵사는 '운동권 사랑방'이 됐다. 민주화가 되면서 운동권들이 공개로 만나는 일이 잦아졌는데, 서울 가깝고, 공기 좋고, 경치 빼어나고, 주지도 친운동권에 화끈한 원경 스님이니 신륵사는 최고로 치는 모임 장소였다. 주말이면 운동권 인사들이 삼삼오오 신륵사를 찾아왔다. 1988년 미국 유학에서 돌아온 나도 그런 모임에 참석했다. 새로 만든 진보 월간지 《사회평론》에서 주관한 모임으로, 원경 스님하고 가까운 유홍준 교수가 《나의 문화유산답사기》에 실을 자료를 활용한 슬라이드 특강이었다. 유 교수는 김홍도가 남긴 희귀 춘화를 주제로 삼아 청중들 흥을 돋웠다.

"손 박사, 인사하세요. 원경 스님이시니."

운동권 선배 김세균 교수가 원경 스님에게 나를 소개했다.

"스님, 처음 뵙겠습니다. 정치학을 공부한 손호철입니다."

"아, 원경입니다. 지금 어디서 가르치시지요?"

"귀국한 지 얼마 안 돼 아직 '보따리 장사'*입니다."

"아, 그러세요? 조만간 좋은 소식이 있을 것입니다. 나무석가모니불."

특강이 끝나자, 스님은 참석자들을 가까운 맛집으로 데려가 융숭하게 대접했다. 그러는 사이에도 원경은 조용히 《이정 박헌영 전집》을 만들 준비를 하고 있었다.

* 예전에 대학교 시간 강사를 가리키던 말.

커밍아웃 1

"스님, 식사 중에 갑자기 어디 다녀오셨어요?"

1985년 12월 15일 원경은 전라남도 광주시에서 황석영 작가를 비롯한 재야 운동권 인사들을 만나 식사를 하고 있었다. 한참 술잔이 도는데 원경이 보이지 않았다. 말도 없이 갑자기 사라지더니 두 시간이 지나도 나타나지 않았다. 배낭이 있으니 아예 가버리지는 않은 듯한데 어디로 간지 모르니 모두 궁금해 했다. 원경은 거의 세 시간이 지나서야 모습을 드러냈다.

"아이고, 죄송합니다."

"스님, 광주에 애인이라도 있습니까? 말도 안 하고 갑자기 사라지시다니."

"이실직고하세요."

원경은 눈을 감고 곰곰이 생각했다. 언제까지 모든 이야기를 숨기고 살아야 할까? 이 사람들 정도면 까놓고 이야기하는 편이 낫지 않은가? 원경은 눈을 뜨고 천천히 입을 열었다.

"이 중에 아시는 분도 계시겠지만, 조선공산당 당수를 지낸 이정 박헌영 선생님이 제 부친입니다."

아는 사람은 알아도 모르는 사람도 많은 만큼 자리는 물을 끼얹은 듯 조용해졌다.

"아시겠지만, 이정 선생님이 오래전 북한에서 사형을 당하셨습니다. 처형당한 날짜는 잘 모르겠고, 사형 선고를 받은 날이 1955년 12월 15일입니다. 그래서 매년 12월 15일이면 제가 선생님 제사를 드려왔습니다. 오늘같이 모임이 있는 날은 소문을 내기도 뭐해서 몰래 빠져나가 혼자 가까운 절에서 제사를 지내고 옵니다. 오늘이 12월 15일이라 제가 잠깐 나가서 제사를 지내고 왔습니다."

"그런 사연이 있으면 여차여차하다고 이야기하셔야지요. 그럼 같이 가서 함께 제사를 지내드렸지요. 여러분, 안 그래요?"

"그럼요, 같이 지내드려야지요."

여기저기서 똑같은 말들이 이어졌다.

"말씀만이라도 고맙습니다."

원경은 이때부터 한산 스님이 잠적한 뒤 혼자 모시던 이정 박헌영 제사를 가까운 사람들하고 함께 지내게 됐다. 다만 1991년부터 제삿날을 7월 19일로 바꿨다. 1991년 현실 사회주의가 몰락하면서 구소련에 갈 수 있게 되자 원경은 아버지 행적을 좇고 배다른 누이 박비비안나를 만나러 모스크바로 날아갔는데, 그곳에서 전 북한 외무성 차관 박길룡을 만나 사실 관계를 확인한 때문이었다. 박길룡에 따르면, 1956년 7월 19일

소련에서 급히 귀국한 김일성이 박헌영을 처형하라고 지시해서 그날 바로 형이 집행됐다. 아들 박병삼은 아버지 박헌영의 제삿날을 사후 40년이 다 돼서야 바로잡았다.

커밍아웃 2

"국장님, 괜찮은 특종감이 있습니다."

"특종? 좋지. 뭔데?"

"아실지 모르지만 얼마 전 신륵사 주지가 된 원경 스님이 박헌영 아들이라고 합니다. 원경 스님이 어려서 머리를 깎고 기구하게 사셨다는데, 스님 이야기를 인터뷰 형식으로 다루면 어떨까요. 이제 민주화도 됐고, 인터뷰를 실어도 별문제 없지 싶습니다. 스님한테는 중간에 누가 연락해주기로 했습니다."

1988년 초 불교계 매체《법보신문》에서 일하는 김영광 기자가 원경 스님 취재 계획을 세워 편집국장에서 보고했다.

"좋은 아이디어이기는 한데, 위에 상의를 해봐야 하겠네."

다음 날 편집국장은 김기자를 따로 불렀다.

"점심이나 하지."

"점심이요?"

김 기자는 갑자기 잡힌 점심 자리가 불안했다.

"여기 보신탕 두 그릇이요."

불교계에 뿌리박힌 반공주의는 여전히 강고했다.

"김 기자, 원경 취재 계획, 아이디어는 좋은데 위에서 아직 우리 사회에서는 시기상조라며 반대하네. 박헌영 아들이 절에 있다는 사실이 널리 알려지는 게 부담스러운가 봐. 다음에 기회를 보세."

—

"원경 스님 맞으시지요?"

"맞습니다만……."

"저는 김기팔이라는 방송 작가입니다."

"아, 반갑습니다. 제가 〈제1공화국〉 같은 선생님이 쓰신 드라마 팬입니다."

"그러세요?"

"예. 그런데 무슨 일로 빈승을 찾아오셨습니까?"

"동아건설 최원석 씨 동생 최원영 씨가 이번에 시사 주간지하고 영화사를 만들고 있습니다. 영화사는 영화를 제작해 방송국에 팔 예정인데, 첫 작품으로 박헌영 선생 다큐멘터리를 찍을 예정입니다."

"아, 그렇습니까?"

1987년 6월 항쟁으로 민주화가 된 시절이지만 원경은 이 계획을 듣고 적잖이 충격을 받았다.

"스님이 박헌영 선생 자제분이라 하더군요. 스님께서 상하이나 모스크바 등 박헌영 선생이 남긴 행적을 따라가는 방식으로 다큐를 만들까 하는데, 도와주시지요."

"이정 선생님을 재조명하는 일은 고맙지만, 제가 공개적으로 나서기는 그렇습니다. 죄송합니다."

"그런가요? 그러면 출연은 못 하시더라도 제작하는 과정에서 스님이 아시는 이야기를 들려주시고 자료도 좀 챙겨주시고 그러시면 좋겠습니다."

"그건 할 수 있을 것 같습니다."

"감사합니다. 다시 연락드리겠습니다."

박헌영 다큐멘터리를 만든다는 말을 듣고 원경은 드디어 한산 스님이 이야기한 좋은 때가 왔다며 기뻐했다. 그 뒤 원경은 박헌영 다큐멘터리 각본을 쓰는 김기팔을 도왔다.*

—

"저는 주간지 《시사저널》 창간준비팀 박상기 기자입니다."

어느 날 박헌영 다큐멘터리 각본 작업에 따라온 한 사람이

* 박헌영 다큐멘터리는 각본이 완성된 상황에서 김기팔 작가가 갑자기 세상을 떠나고 《시사저널》이 여러 문제에 부딪치면서 제작되지 못했다. 원경은 이 기획을 살리고 싶어 각본만이라도 구하려 애쓰지만 실패한 사실을 말하며 안타까워했다.

원경에게 인사를 했다. 영화사하고 함께 만든다는 시사 주간지 기자였다. 박상기는 원경을 따라다니며 여러 가지를 물었다.

"스님, 다큐는 다큐고, 저희 창간호에 인터뷰를 하시지요. 언제까지 숨어서 사실 겁니까? 이제 세상도 변한 만큼 스님이 박헌영 아들이라는 사실을 떳떳하게 밝히시지요."

너무 갑작스러운 제의라 쉽게 판단할 수가 없었다.

"스님, 해주십시오."

"시간을 주시기 바랍니다. 쉬운 문제가 아니니까 생각을 좀 해보고요. 생각해보고 연락하겠습니다."

다큐멘터리는 좌초하지만 이 인터뷰는 성사됐다. 원경은 박상기 기자를 만나 인터뷰했고, 이 내용은 1989년 10월 29일자 《시사저널》 창간호에 〈나는 박헌영의 아들이다〉로 실렸다. 원경 스님이 박헌영 아들이라는 사실을 처음 대중적으로 알린 커밍아웃인 셈이었다. 결국 원경의 가계를 둘러싼 특종은 《법보신문》 대신 《시사저널》이 차지했다.

그 뒤 원경은 여러 매체를 상대로 인터뷰를 했다. 1997년에는 역사문제연구소에서 준비하던 《이정 박헌영 전집》에 실을 목적으로 윤해동 박사하고 대담을 했다. 이 내용은 어머니 정순년의 삶에 관해 원경이 한 구술, 소련에 사는 배다른 누이 박비비안나의 회고록하고 함께 《역사비평》 1997년 여름호에 실렸다. 원경은 2001년에는 인터넷 언론 《퍼슨웹》을 만났고, 한참 뒤 2013년에는 전직 기자인 손석춘 교수가 박헌영과 원경의 삶을 다룬 《박헌영 트라우마 — 그의 아들 원경과 나눈 치유 이야기》를 출간했다.

'이정상'

"성진, 조용히 이야기 좀 하고 싶은데요."*

김성동은 심각한 얼굴로 원경에게 말했다.

"정각, 오랜만에 만나서 무슨 얘기를 하려고 그리 심각한 표정을 짓나?"

"뜸 들이지 않고 이야기할게요. 문인들 밥 사고 술 사고 그러는 것 그만하세요."

"밥 사는 것이 어때서?"

"돈 낭비고요, 좋은 소리 듣지도 못해요. 제가 얼마 전 문인 몇 놈들하고 대판 싸웠습니다."

"정각이 싸움을? 왜?"

원경은 정각이 싸운 이야기에 놀라서 되물었다.

"성진 스님 때문이지요."

"아니 나 때문에? 왜?"

---

* 원경은 이미 법명을 원경으로 바꾼 뒤이지만 김성동은 그때까지는 처음 알게 된 때처럼 성진이라 불렀다.

"어느 자리에 갔더니 이놈들이 당신이 돈 자랑한다고 조롱을 하더라고요. 그래서 '그러면 얻어먹지를 말아야지 잔뜩 얻어먹어 놓고는 뒤에서 욕하는 더러운 놈들'이라고 욕을 한 바가지 해주고 나왔어요."

원경은 자기에게 밥과 술을 얻어먹으며 아부하던 문인들이 뒤에서 자기를 욕한 사실에 충격을 받았다.

"스님, 당신이 성진이라는 법명을 따온 《구운몽》처럼 그런 것들 다 허망한 꿈같은 거예요. 그놈들 돈 떨어지면 다 사라질 놈들이에요."

"……."

"성진, 그리고 툭하면 마음에 안 드는 놈 끌고 나가 주먹으로 패고 무용담처럼 떠드는데, 그런 것도 그만하세요. 깡패도 아니고. 이정 선생님을 생각해서라도 그런 짓 하지 마세요."

김성동은 작심하고 평소에 하고 싶던 말들을 토해냈다.

"박헌영 선생님도 단순히 아버지가 아니라 그 역사적 의미를 알고 모셔야지요. 사상가, 혁명가로서 박헌영을 이해해야 합니다. 그러려면 사람 만나는 것도 좋지만 책을 읽고 공부해야 해요. 어린 시절 기구한 운명 때문에 제대로 공부 못 했지만, 그럴수록 더 노력해야지요. 성진을 돌봐준 김삼룡 선생님 보세요. 제대로 교육 못 받아도 혼자 엄청나게 공부해서 일본 유학파, 유럽 유학파, 최소한 경성제국대학 나온 인텔리들 다

머리 숙이게 만들고, 조선공산당 최고 이론가가 됐잖아요."

원경은 아무 말도 못 하고 듣고만 있었다.

"성진, 지금은 신륵사 주지로 잘나가고 있지만 언제까지 그럴 것 같아요? 그렇게 되지도 않는 놈들에게 술 사주는 데 낭비하지 말고, 아버지를 위해 쓰세요."

"아버지를 위해 《이정 박헌영 전집》을 준비하고 있어."

"그것으로 충분하지 않고, 다른 것을 만들어야 해요."

"그게 뭔데?"

"'이정상'이요."

"이정상? 그게 뭔데?"

"예. 이정상을 만들어 매년 진보적인 작가, 학자, 운동 단체에 상을 주는 거예요. 그러면 박헌영 선생님 이름은 계속 거명되고 기억될 수밖에 없어요. 문인들 대접해주는 돈을 아껴 기금을 만들어서 그 기금으로 이정상을 주는 것입니다."

"알았네. 생각해보겠네."*

---

* 원경 스님이 입적한 뒤 만난 김성동은 이정상이 결국 실현되지 못한 현실을 안타까워했다. 그러나 그때 분위기를 생각하면 이정상은 현실화하기 어려운 이상주의적 기획이었다. 반공주의가 지배하는 한국 사회에서 선뜻 이정상을 받겠다고 나설 문인이나 학자가 얼마나 됐을까? 지금도 크게 다르지 않은 상황이다.

아버지 흔적을 찾아서

“우리 비행기는 곧 모스크바 공항에 착륙합니다. 좌석 벨트를 매주십시오. 감사합니다.”

원경은 만감이 교차했다. 아버지가 조선의 독립과 혁명을 위해 공부한 곳이자 배다른 누이가 살고 있는 모스크바에 도착한다고 생각하니 가슴이 뛰었다. 소련이라는 현실 사회주의 체제가 무너지기 전에는 상상도 하지 못한 일이 현실이 됐다.

1928년 스물아홉 살 박헌영은 일제 치하 감옥에서 똥을 먹는 광인 행세를 해 병보석으로 풀려난 뒤 두만강을 건너 소련으로 탈출했다. 시베리아 횡단 열차를 타고 모스크바에 도착한 박헌영은 세계 곳곳에서 선발된 공산주의자들이 다니는 국제레닌학교에 입학했다.

63년이 지난 1991년, 원경은 아버지의 흔적을 좇아 모스크바에 왔다. 비록 아버지 박헌영의 자식이라는 사실을 증명하기 어렵고 여러 사정까지 겹쳐 박병삼이 아니라 남궁혁으로 가호적을 얻었지만, 구촌 조카가 나서서 자기를 영해 박씨 족보에 박헌영 아들로 올려주기로 했다. 이제 러시아에 남은 아버지의 흔적과 혈육을 찾아 빈칸을 채울 차례였다.

레닌그라드 거리 49번지. 국제레닌학교 자리다. 원경은 아버지가 세계 곳곳에서 선발된 공산주의자들하고 함께 공부한 국제레닌학교 교정을 걸었다. 조국 해방과 노동자 해방을 꿈꾸며 세계 각국 청년들하고 밤새워 토론하던 아버지의 뜨거운 가슴이 느껴지는 듯했다.

박비비안나. 박헌영과 열렬한 공산주의자 주세죽 사이에 태어난, 원경보다 열세 살 많은 배다른 누나다. 원경만큼 파란만장하지는 않아도 결코 평범한 삶은 아니었다. 유년기를 대부분 러시아 육아원에서 보낸 탓에 자라면서 아버지 박헌영을 만나지 못했다. 게다가 1930년대 후반 주세죽이 위험 분자로 몰려 유배를 가면서 어머니하고도 멀어졌다. 그래도 사회주의 국가에서 좋은 음악 교육을 받고 무용수로 활약하다가 은퇴했다.

원경은 처음 만난 누이하고 말이 통하지 않았다. 통역을 거쳐 자기소개를 하고 소련에서 보낸 누이의 삶에 관해 물었다.

"누님, 누님은 모르시겠지만, 저는 원경이라고 하는 박헌영 선생님 아들입니다. 선생님이 주세죽 씨하고 헤어진 뒤에 제 어머니를 만나서 살다가 저를 낳았습니다. 누님은 어떻게 살아오셨는지요?"

"나는 어릴 때부터 부모님하고 떨어져 육아원에서 생활하고 자랐어요. 그렇지만 육아원에서 아주 잘 대해줬고, 즐거운 기억이 대부분이에요. 어느 날부터 어머니가 찾아오지 않아 문제가 있나 싶었는데, 나중에 알고 보니 유배를 갔더군요. 2차 대전이 끝나고 한국이 해방된 뒤인 1946년, 그러니까 내가 열여덟 살 때, 어머니가 아버지를 다룬 《프라우다》* 기사를 오려 보내면서 이분이 네 아버지라고 알려줘서 아버지가 있다는 사실을 처음 알았지요."

"누님, 그 뒤에 아버지를 만나셨나요?"

"그럼요. 1946년 아버지가 모스크바에 오셔서 처음 봤어요. 그런데 전혀 아버지라는 실감이 안 났어요. 1949년에는 북한 부수상 자격으로 모스크바를 다시 방문해서 내가 출연하는 발레 공연을 관람하셨어요. 그 뒤에 북한에 초청받아 가서 최승희무용연구소에서 한국 민속 무용을 배웠지요. 아버지는 내가 한국에 남기를 바랐지만, 한국어를 못하는데다가 소련에서 하는 무용 일을 정말 사랑해 그럴 수 없었어요. 한참 뒤에 아버지가 비극적 죽음을 당한 사실을 알게 됐지요."

"그랬군요. 어머니는요?"

"1930년대 후반 연락이 끊겼는데, 알고 보니 1938년에 스탈린 정부가 위험 분자로 몰아 중앙아시아로 유배를 갔더군요.

---

* 1912년 창간된 소련 공산당 기관지. 소련이 해체된 1991년에 정간된 뒤 평범한 신문으로 바뀌었다.

어머니는 1953년 나를 만나러 몰래 모스크바로 와서 병사했어요. 나는 그때 지방 공연 중이어서 남편이 대신 임종을 지켜봤어요. 그래도 무덤이라도 있는 어머니는 북한에서 처형돼 무덤도 없는 아버지보다 행복한 편이지요."

"나무석가모니불."

"……."

"누님, 저를 보니 기분이 어떠세요?"

"나에게 동생이 있다는 생각은 전혀 못 해본 상황에서 동생을 만나니까 마치 아버지를 만나는 듯해서 기뻐요."

통역을 거쳐 누나가 살아온 이야기를 들은 원경도 자기가 헤쳐온 삶을 들려줬다. 누나는 동생이 하는 이야기를 듣고 눈물을 흘렸다. 환갑을 넘긴 박헌영의 딸과 50대에 들어선 박헌영의 아들은 이렇게 극적으로 만났다. 원경은 이 만남을 이렇게 회상했다.

"태어날 때부터 다른 문화권에서 살아온 사이니까 서로 언어도 통하지 않고, 그저 눈만 쳐다보고 손만 잡고 있는데, 참 뭐랄까, 불쌍하고 가련하고 그랬어요. 그런 생활을 해본 사람, 그런 고통을 받은 사람만이 느낄 수 있는 거예요."

그해 12월, 원경은 박비비안나를 한국으로 초청했다. 박비비안나는 아버지 고향인 예산의 흙을 가져가 모스크바에 있는 어머니 묘에 뿌렸다. 주세죽은 1989년에 복권됐고, 2007년

노무현 정부는 주세죽에게 건국훈장 애국장을 추서했다. 박비비안나는 이때 귀국해 어머니가 받은 훈장을 대리 수령했다. 2017년에는 조선희가 조선공산당 지도자인 박헌영, 임원근, 김단야의 연인이고 동지이던 여성 혁명가 주세죽, 허정숙, 고명자의 삶을 그린 소설 《세 여자》를 출간했다.

7월 19일

"빈승은 원경이라 합니다. 이정 선생님이 제 아버지입니다."

"이야기 들었습니다. 저는 박길룡이라고 합니다."

원경은 모스크바에서 박비비안나 말고도 처형 위기에서 소련으로 탈출한 박길룡 전 북한 외무성 차관 등을 만났다. 박헌영의 최후를 둘러싼 구체적 정황을 조사하려는 만남이었다.

"박 선생님, 혹시 박헌영 선생님 돌아가신 날을 아시나요?"

"가만 생각해보자. 그러니까, 1956년 7월 19일입니다."

"아니 30년 이상 지나간 일인데, 어떻게 날짜까지 정확히 기억하십니까?"

"왜냐하면 그날이 김일성이 동구 사회주의 국가 순방에서 돌아온 날이기 때문입니다. 제가 외무성 일을 해서 날짜를 정확히 기억하고 있습니다."

"아, 그런가요?"

"1956년에 소련은 흐루시초프가 집권하고 있었고 스탈린 비판이 일고 있었어요. 그때 김일성이 동유럽 사회주의 국가들을 순방했는데, 순방 과정에서 스탈린 비판 분위기에 놀란 것 같아요. 게다가 중국에서 활동한 연안파가 스탈린 비판에 고무돼 김일성을 제거하려다가 발각되는 사건이 터졌지요. 박헌영을 비롯한 북한 내 반대 세력을 완전히 제거하지 않으면 자기가 스탈린처럼 될 수 있다고 판단해서, 7월 19일 귀국하자마자 박헌영 처형을 지시했어요."

원경은 너무나 생생한 증언에 숨도 못 쉬고 듣기만 했다.

"그때 주변에서 그동안 아무리 조사를 해도 박헌영이 미제 간첩이라는 결정적 증거를 찾지 못해서 사법적으로 문제가 있고, 사형을 집행하면 소련과 중국이 박헌영 처형을 반대하고 있어서 국제적으로 문제가 될 수 있다고 만류했습니다. 특히 소련이 김일성에게 여러 차례 대사를 보내 박헌영을 처형하지 말고 소련으로 보내라고 요청한 사실을 잘 알고 있는 외무성이 적극 반대했지요. 그렇지만 김일성이 막무가내로 당장 처형하라고 지시했습니다. 그래서 날짜를 정확히 기억합니다."

"아, 그랬군요."

"김일성이 외무성이 반대하는데도 오른팔 방학세를 불러들였답니다. 그리고 방학세에게 '그 리론가 어떻게 됐어? 증거는 확보했는가?' 하고 다그쳤답니다. 방학세가 '그동안 백방으로 노력했지만 수상 동지께서 만족하실 만한 증거는 찾지 못했습니다' 하고 보고했지요. 그러자 김일성이 화를 벌컥 내면서 '증거고 뭐고 다 필요 없다. 오늘 밤 이내로 즉시 목을 따버리라우' 하고 지시했답니다."

"나무관세음보살."

목을 따라는 말을 듣고 피가 거꾸로 솟는 듯한 원경은 불경을 외며 마음을 가라앉혔다.

"제가 듣기로는 방학세가 그 길로 내무성으로 달려가 예심처장 주광무에게 '수상 동지가 한 지시이니 오늘 밤으로 박헌영 사형을 집행하라' 전했고, 이 지시에 따라 김영철 내무부 중앙부장이 박헌영 선생님을 지프에 싣고 평양 시외 야산으로 끌고 가 방학세 입회하에 처형했습니다."

박길룡이 한 증언 등을 통해 아버지 이정 박헌영이 1956년 7월 19일에 사망한 사실을 알게 된 원경은 사형 선고를 받은 12월 15일에서 7월 19일로 제삿날을 바꿨다.

당취

"손 교수, '당취'가 뭔지 아세요?"

"아니요. 스님, 그게 뭐지요?"

"그럼 '땡추'는 아시지요."

"그럼요. '땡중'을 가리키는 말 아닌가요?"

"맞습니다. 땡추는 원래 당취를 조롱해 부른 말이지요."

"아, 그런가요?"

1990년대 초 신륵사를 찾은 내게 원경 스님은 뜬금없이 당취 이야기를 했다.

"당취는 한자로 '무리 당黨'에 '모을 취聚'를 쓰는데, 일종의 비밀 결사입니다."

나는 처음 듣는 이야기에 마른침을 삼켰다.

"언제부터 있던 조직인가요?"

"정확한 것은 모릅니다. 일부에서는 고려 사회를 근본적으로 개혁하려던 신돈도 당취라고 주장합니다."

"아, 그런가요?"

"예. 그런데 이성계가 조선을 세울 때 생겼다는 주장이 더 설득력 있습니다. 손 교수, '성계육'이라는 말은 들어보셨나요?"

"아니요. 제가 상식이 별로 없어서요."

"성계육은 돼지고기를 말합니다."

"그래요? 왜 돼지고기를 성계육이라고 불렀지요."

"이성계의 고기라는 의미에서 '성계육成桂肉'입니다. 이성계가 권력을 잡은 뒤 주자학을 섬기면서 불교를 억압했지요. 몇몇 급진적인 승려들이 이성계를 향한 분노를 표현한 말이 성계육입니다. 당취는 조선의 이런 억불 정책에 저항한 비밀 조직인데, 돼지고기를 성계육이라 부르면서 먹었어요. 돼지고기를 먹는 것을 조선과 이성계 왕국에 복수를 맹세하는 의식으로 삼은 겁니다. 이 모습을 본 일반인들이 '어, 중이 돼지고기를 먹네. 저것들 땡중이네' 하고 비하해서 부르게 된 것이지요."

"땡추에 그런 깊은 뜻이 있는지 처음 알았습니다."

"이 당취가 단순히 이성계 왕국을 향한 복수를 넘어서서 미륵 사상에 기초한 민중 해방 사상을 가지고 있다는 점이 더 중요합니다."

"정말요?"

"예. 당취들이 사명대사 등 임진왜란 때 승병의 뿌리가 됐고요. 동학에도 불교가 연결돼 있는데, 이 사람들이 당취였습니다. 손 교수, 서장옥이라고 들어봤어요?"

"들어본 것 같기는 한데, 잘 모릅니다."

"서장옥이 일해대사라는 분인데, 30년 불도를 닦은 승려예요. 그분이 동학에 관여해서 전봉준, 김개남, 손화중을 가르치고 동학 안에서 가장 먼저 봉기를 주장했습니다. 서장옥이 당취였고, 그분이 이끄는 당취 부대가 따로 있어 김개남 장군 밑에서 싸웠습니다."

"흥미진진한 얘기네요."

"일제 강점기에도 '붉은 승려'라 불린 태허 스님 김성숙 같은 분이 있었습니다. 금강산 유정사에 계셨는데 일제하에서 민족해방과 사회주의에 관심을 가지고 여러 승려들끼리 의기투합해 북경으로 가서 사회주의 운동을 했어요. 손 교수, 《아리랑》의 주인공 김산 알지요?"

"당연히 알지요. 미국 유학 시절에 우연히 구해 읽었습니다."

"김산을 공산주의자로 만든 사람도 김성숙입니다. 책에는 김충창으로 나오는데, 충창은 김성숙 선생이 독립운동하면서 사용한 여러 가명 중 하나예요."

"김충창은 기억나네요. 김충창이 김성숙이군요."

"맞습니다. 그런데 그분도 당취였지요. 스님이지만 조선공산당을 위해 일한 한산 스님도 당취라고 생각합니다. 아니, 저는 이정 선생님, 이현상 등 조선공산당의 전위 세력도 그 시대의 당취라고 봅니다. 한국전쟁 뒤에도 당취는 사라지지 않았고요. 조선공산당이 처음 생긴 4월 17일에 만나는 소수 모임이 있는

데, 이 사람들이 일종의 당취지요."

놀라운 이야기를 듣고 돌아오면서 나는 속으로 물었다.

'원경 스님도 당취인가?'

만기사

"제가 부르는 대로 새겨 넣어주세요."

1995년 원경은 신륵사를 떠나 경기도 평택시에 자리한 만기사 주지가 됐다. 만기사에 도착하자마자 원경은 가까운 석재상에서 석공을 불러 작업을 지시했다.

"뭐라고 새길까요?"

"원수 갚지 말고 은혜는 갚아라."

절 입구 오른쪽 돌기둥에는 '원수는 갚지 말고'를 새기고 왼쪽 돌기둥에는 '은혜는 갚아라'를 새겼다.

"스님, 다 새겼습니다."

"잘 됐습니다. 수고하셨습니다."

돌기둥 양쪽에 새겨 넣은 글씨를 보자 원경은 30여 년 전 음독자살을 시도한 뒤 한산 스님하고 떠난 울릉도 여행이 생각났다. 성인봉에서 일출을 본 뒤 한산 스님은 감동적인 역사 강의를 했다. 아버지의 죽음을 개인적으로 받아들여서는 안 되고 역사적으로 생각해야 하며, 아버지를 진정으로 사랑하는 길은 김일성에게 복수하는 데 있지 않고 살아남아 좋은 때가 되면 전집을 만들어 기록하는 데 있다는 내용이었다. 원경은 이 강의를 듣고 복수심을 접었고, 그런 마음을 되새기려 돌기둥을 세웠다. 나아가 만기사를 찾는 모든 사람이 그런 마음가짐을 지니도록 설복하려는 목적도 있었다.

만기사는 신륵사처럼 조계종 제2교구 본사인 용주사에 속한 말사다. 신륵사에 견줘 역사, 규모, 신도, 예산 등에서 비교가 안 되게 작다. 신륵사가 남한강 기슭에 자리해 신도를 비롯해 관광객이 많이 찾는 명소라면, 만기사는 평택 북쪽 나지막한 무봉산 산중에 자리 잡은 작은 절이어서 관광객은 전혀 없고 신도도 매우 적었다.

신라 시대에 창건한 신륵사 정도는 아니지만 만기사도 나름대로 역사가 깊었다. 고려 태조 때인 942년 창건해 조선 세조 때 왕명에 따라 증수했다. 전하는 이야기에 따르면 세조가 이 부근을 지나다가 만기사에 들러 마신 물이 정말 맛있어 '감로수'라 이름을 붙이고 절도 중수하도록 했다. 그 뒤 사람들은 세조가 마신 우물을 임금님 우물이라는 뜻으로 '어정御井'이라 불렀다. 정면 네 칸에 측면 두 칸인 팔작지붕 대웅전에는 보물 제567호 철조여래좌상을 비롯해 탱화 등이 봉안돼 있다.

"스님, 신륵사처럼 큰 절에서 이렇게 초라한 절로 오셔서 마음이 좀 그러시겠습니다."

"무슨 말씀을요. 오히려 조용한 절로 들어와 수련도 하고 필생의 사업인《이정 박헌영 전집》작업에 더 많은 시간을 쓰게 되어 다행이지요."

그저 인사말이 아니라 진심이었다. 그러나 원경은 그때만 해도 자기가 이곳에서 26년이나 지내고 입적도 하리라고는 생각하지 못했다. 원경은 신륵사에 견줘 사람도 별로 안 찾고 조용한 이곳에서 자기 수련과 이정 기념 사업에 많은 시간을 썼다.

그러던 어느 날 만기사에 들른 나는 무봉산청소년수련원 앞에서 절 쪽으로 들어가는 언덕 입구에 멈춰 섰다. 중장비 여러 대가 바삐 오가고 있었다.

"스님, 아이고 무슨 공사를 크게 하지요?"

"손 교수, 어서 오십시오. 이건 일주문입니다. 절 얼굴인데 제대로 지어야지요. 돌기둥을 세우고 현판에 '무봉산 만기사'라고 쓸 생각입니다."

만기사로 온 뒤 자기 수련과 이정 기념 사업에 전념하기로 한 원경이지만 타고난 추진력은 어쩔 수 없었다. 절을 대대적으로 정비하고 확장하는 공사를 시작했다. 진입로를 포장하고 커다란 주차장도 만들었다. 그런 과정에서 오랫동안 쌓은 인맥이 힘을 발휘했다. 손학규 의원이 경기도지사가 되고 유홍준 교수가 문화재청장에 오르면서 합법적 방식으로 여러 지원을 받을 수 있었다.

"이건 또 무슨 공사인가요?"

"절 살림을 해야 하는데 신륵사처럼 관광객도 없고 신도 수가 많지 않아서요."

"그래서 뭘 만들려고 하시는데요?"

"절을 유지하고 《이정 박헌영 전집》 같은 기념사업을 하려면 막대한 돈이 필요한데 어떻게 하나 고민하다가 장기적으로 재정을 안정시키려고 납골당 비슷한 시설을 만들기로 했습니다."

"좋은 아이디어네요."

해마다 7월 19일 아침이면 사람들이 만기사에 모여들었다. 원경이 모스크바 방문에서 새롭게 확인한 기일에 맞춘 이정 박헌영 제사 때문이었다.

"어서들 오십시오."

"예, 스님. 지난해보다 절이 많이 발전했습니다."

차 몰고 오기 부담스러운 사람들을 고려해 원경은 양재역에 전세 버스도 대기시켰다. 신륵사에 견줘 만기사는 아담하고 조용해서 오히려 많은 사람이 모여서 모임을 하는 데 알맞았다. 아침 10시가 되면 원경이 하는 독경 소리 속에 이정 박헌영 제사가 시작됐다.

"여기가 이정 선생님 생가입니다."

제사를 끝낸 추모객은 버스를 타고 충청남도 예산군에 갔다. 제사를 지내고 박헌영 생가를 돌아본 뒤 맛집에서 점심을 하고 오는 일정은 어느덧 연례행사가 됐다.

대원각

"조봉희에서 김영한으로 소유주가 바뀌었네!"

성북동에 자리한 7000평짜리 최고급 요정 대원각의 등기부 등본을 본 원경은 이런저런 생각에 머릿속이 복잡해졌다. 1950년 3월 예지동 아지트를 떠나 한산 스님하고 함께 대원각에 들른 기억, 고모 조봉희와 누이 김소산에 얽힌 추억, 한산 스님이 들려준 이야기들.

"대원각은 이정 선생님이 한 독지가가 준 독립운동 자금으로 사서 동복누이 조봉희 여사에게 맡겨놓고 조선공산당 운동에 필요한 비자금을 관리하는 데 사용한 곳이란다."

"대원각은 아버지(익산 갑부 김병순)가 어머니(조봉희)에게 사준 곳이란다."

서로 모순된 두 이야기 중에서 무엇이 진실인지는 모르지만, 원경의 고모 조봉희가 법적 소유주인 요정이라는 점은 확실하다. 그런데 대원각을 관리한 딸 김소산이 한국전쟁 때 처형되면서 문제가 생겼다. 대원각에는 본명이 김영한이지만 자야라고 불린 기생이 있었다. 자야는 함경남도 함흥 어느 요릿집에서 일하던 시절 그곳에서 교사로 근무하는 시인 백석을 만나 사랑에 빠져 자야라는 이름을 받고 3년 동안 동거한 적이 있다고 주장하는 사람이었다.

"어머님이 나에게 '나는 이미 가게에서 손을 뗀 상태이고 소산이가 운영을 해왔다. 소산이가 좌익 활동 때문에 조사받으러 가면서 자야에게 잠시 가게를 맡아달라 했는데, 그만 저세상 사람이 되고 말았다. 나중에 자야에게 가서 너나 병삼이에게 돌려달라고 해라'고 말씀하셨다."

한산 스님은 병삼이에게 이런 사연을 전하면서 나중에 대원각을 챙겨서 좋은 일에 쓰라고 당부했다.

1970년대 박정희 정부에서 요정 정치가 꽃피우면서 대원각은 삼청각과 청운각하고 함께 '한국 3대 요정'으로 불리면서 번창했다. 개인적으로는 1970년대 들어 가호적을 만들고 1980년대 들어 어느 정도 자리를 잡는 한편 사회도 어느 정도 민주화되면서, 원경은 이제 대원각을 돌려받을 때라고 판단했다. 그런데 등기부를 떼니 소유주가 조봉희에서 김영한으로 바뀌어 있었다.

"어떻게 된 일인가 알아보니, 자야가 1950년대 정계 거물 인사 이○○의 애첩으로 지내면서 이야기를 잘해서 등기를 자기 앞으로 옮겨놓았어요. 그래서 빈승이 자야를 만나 등기부를 보여주면서 대원각이 당신 것이 아니고 내 고모 조봉희의 것이며 고모님이 한산 스님이나 내가 나중에 챙기라 하신 만큼 돌려달라고 했지요. 그러자 자야가 빈승의 말을 받아들이고 대원각을 조만간 돌려주겠다 했습니다. 대원각을 돌려받으면 그곳에 한국전쟁 희생자들을 달래는 절을 하나 짓고 시민 학교를 세워 더 나은 사회를 만드는 데 기여하려 합니다."

원경은 가까운 사람들을 만날 때마다 이런 이야기를 하면서 의욕을 불태웠다. 단순해 보이던 문제는 쉽게 풀리지 않았다.

"머리가 아프네요."

"스님, 무슨 일이 있나요?"

"대원각 때문에요."

"자야가 돌려주기로 했다면서요? 마음이 변했나요?"

"마음이 변한 것이 아니라, 대원각을 빈승이 받으면 엄청난 세금을 내야 하고 사회적으로도 말이 많을 듯해 빈승이 수계를 한 용화선원에 기부하는 형식으로 돌려받으면 좋을 것 같더라고요. 그래 자야에게 이야기하니 그러자고 했습니다."

"그런데 뭐가 문제예요?"

"용화사 큰스님께서 대원각이 이정 선생님하고 관련된 것이 껄끄러워서 그런지 안 받겠다고 사양하시네요. 어떻게 처리해야 할지 난감하네요. 게다가 자야가 대원각을 넘기는 대신에 백석 장학금으로 50억 원을 내라고 하니, 빈승이 그런 돈이 어디 있습니까?"

문제가 꼬인 사이 1997년에 자야는 '무소유'가 감동스럽다며 시가 1000억 원인 대원각을 법정 스님에게 덜컥 기부했다.

"1000억 원을 준다고 해도 백석의 시 한 줄만 못합니다."

자야가 대원각을 기부하면서 공개해 화제가 된 말이다. 법정 스님은 이 자리에 길상사를 세우고 자야에게 길상화라는 법명을 지어줬다.

원경은 2010년 《서울신문》 인터뷰에서 대원각은 아버지 박헌영이 운용한 비자금으로 지은 곳이며 자야가 돌려주기로 약속하고는 갑자기 말을 바꾸더라고 주장했다.

"그 땅을 내가 운영하지 못하는 것도 인연이자 업보지요. 내 작은 그릇에 담기 어려운 큰 내용이 오려고 하자 인연이 일부러 뒤틀린 것 같습니다."

《이정 박헌영 전집》

"한산 스님, 드디어 제가 숙제를 해냈습니다. 아버님도 이제 편히 눈을 감으십시오."

2004년 봄, 원경은 대웅전에 이정 박헌영의 영정 앞에서 눈물을 흘렸다. 이정을 찍은 사진 앞에는 아홉 권짜리 두툼한 책이 놓여 있었다. 원경이 필생의 과제로 삼은《이정 박헌영 전집》이었다. 1957년 박헌영이 김일성에게 처형된 뒤 47년 만이었고, 1963년 음독자살을 시도한 원경을 울릉도로 데려간 한산 스님이 이정 전집 발간은 역사적 책무라고 깨우쳐준 지 41년 만이었다.

—

"우리가 한국 현대사를 연구하는 역사학자로서 제일 먼저 해야 하는 작업이 잊힌 박헌영의 전집을 만들어 역사적으로 복권시키는 일입니다."

1993년 서중석 성균관대학교 교수와 윤해동 서울대학교 국사학과 박사 등은 원경 스님하고 마주 앉아 박헌영이 쓴 저술과 관련 자료를 모아서 《이정 박헌영 전집》을 만들기로 결정했다. 역사문제연구소가 출범하고 1991년 원경이 소련을 방문해 누나 박비비안나를 비롯해 관련 학자들을 만나고 온 일이 계기가 됐다. 이렇게 시작된 작업을 끝마치는 데 11년이 걸렸다.

서중석 교수가 총지휘하고 윤해동 박사가 실무를 총괄한 작업은 진보적인 한국사 연구자들이 거의 모두 동원된 방대한 여정이었다. 사장되고 숨겨진 자료들을 모으는 일부터 큰 난관이었다. 일제 강점기와 해방 정국에 걸쳐 여러 언론에 실린 기사와 경찰이나 정보기관에 보관된 문서를 발굴하고 입력했다.

"이게 무슨 자야?"

"이래서 3년 안에 끝내겠어?"

보관 상태가 나빠서 알아볼 수 없는 자료들도 많았다. 번역도 쉽지 않았다. 3년 안에 모두 끝내려던 작업은 자료 수집에만 1993년부터 1996년까지 3년이 걸렸다.

"국내만이 아니라 지구 위에 흩어져 있는 모든 자료들을 수집합시다."

서중석 교수는 특유의 딸깍발이 정신으로 자료 수집을 꼼꼼히 하라고 강조했다. 한국전쟁 중 미군이 노획해 미국 국립문서보관소에 보관하고 있는 북한 문서들은 복사를 할 수 없어 일일이 손으로 베껴 썼다.

"완전 보물단지네!"

한국 사회주의 운동의 기원을 다룬 박사 학위 논문 〈고려공산당 연구〉를 막 끝낸 임경석 성균관대학교 교수는 역사문제연구소에서 박헌영 일대기를 써달라는 청탁을 받고 1994년 러시아로 날아갔다. 임 교수는 모스크바에 자리한 옛 코민테른 문서보관소에서 박헌영이 1928년 병보석으로 석방돼 두만강을 넘어 소련으로 탈출한 뒤 국제레닌학교에 입학할 때 직접 작성한 영문 자기소개서 등 60년이 지난 관련 자료들을 찾아냈다. 박헌영뿐 아니라 한인 공산주의 운동에 관련된 귀중한 자료들이 쏟아져 나오는 바람에 전율을 느낄 수밖에 없었다. 또한 원경은 박비비안나나 러시아 유학생 전현수 씨 등을 거쳐 주요 자료들을 구했다.

일차 자료 수집이 끝나자 수집한 자료를 고치고 분류하는 작업이 기다리고 있었다. 어느 정도 시대 상황을 이해하고 자료 성격도 아는 사람만 할 수 있는 작업이라 현대사를 전공한 대학원생들이 여럿 동원됐다.

"이 책을 이대로 출판하면 무슨 의미가 있을지 모르겠어요. 시대 배경과 의미를 설명한 해제가 필요합니다."

"맞습니다."

"아이고, 그러면 작업은 더 늦어지는데요."

"경비도 훨씬 많이 들어가고요."

"경비 걱정은 마시고 제대로 된 책을 만들어주세요."

원경은 비용은 걱정하지 말라면서 작업을 독려했다. 원래 출간을 책임지기로 한 역사비평사가 경영난에 빠지면서 원경이 모든 경비를 지원했다.* 경비뿐 아니라 작업이 여러 가지 이유로 중단될 위기에 빠질 때마다 원경이 나서서 활력을 불어넣고 앞장서서 국면을 돌파했다. 그렇지만 재정 문제와 작업상 난점에 더해 파일이 손상되는 사고까지 겹치면서 박헌영 출생 100주년인 2000년에 출간하려던 계획을 수정할 수밖에 없었다.

10년에 걸친 작업 끝에 2004년에 9권짜리 전집이 완성됐다. 1권부터 3권까지는 박헌영이 직접 쓴 저술, 4권부터 7권까지는 관련 자료, 8권은 증언과 회고록, 9권은 임경석 교수가 쓴 박헌영 일대기와 사진 자료였다. 임경석 교수는 말했다.

"잊혀진 이정 전집의 출판은 광기가 지배하던 한국 현대사에서 '이성의 회복'을 뜻하며, 이 작업을 주도한 원경 스님에게 장하고 감사하다는 말씀을 드리고 싶다."

---

* 원경 스님하고 매우 가까운 한 분은 스님이 대원각에 관련해 거액을 받은 이야기를 자기에게 하더라면서 그 돈이 전집 작업에 들어간 듯하다고 추측했다.

박정희와 박헌영

"박갑동 선생님이 스님을 뵙고 싶다고 해서 모셔 왔습니다."

잊힌 좌익 독립운동가에 관심이 많아 박헌영과 이현상 등에 관한 평전을 쓰고 원경하고 가깝게 지낸 안재성 작가가 2008년 어느 날 만기사에 박갑동을 데려왔다. 박갑동은 일제 강점기부터 공산주의 운동을 하다가 해방 뒤 조선공산당 기관지 《해방일보》 기자를 거친 박헌영의 측근으로, 박헌영이 월북한 뒤 지하에서 남로당을 이끌었다. 한국전쟁 때 북한으로 넘어가지만 1953년 남로당 숙청 때 수용소에 갇혔고, 1957년에 탈출해 일본에 살면서 이른바 '북한 민주화 운동'을 하고 있었다.

"박 선생님, 어서 오십시오. 원경입니다."

"박갑동입니다. 이정 선생님 자제분을 이렇게 뵈니 감개가 무량합니다."

"저도 이렇게 빈승을 찾아주시니 감사하고, 이정 선생님하고 같이 일하신 어른을 뵈니 감회가 새롭습니다. 실례지만 올해 춘추가 어찌 되시지요?"

"세가 1919년생입니다. 삼일운동 직후에 태어났지요."

"이정 선생님보다 열아홉 살 어리시네요. 그러시면 올해 아흔이시네요."

"아마 그럴 겁니다."

"연세에 견줘 무척 건강하십니다."

"1953년 김일성 밑에서 사형 선고를 받고 죽다가 다시 살아나 그런 것 같습니다. 1957년에 북한에서 탈출해 다시 태어났으니……이제 쉰둘인 셈이지요, 하하하."

인사가 끝낸 원경이 박갑동에게 물었다.

"그렇지 않아도 선생님 뵈면 꼭 묻고 싶던 것이 있었습니다."

"그게 뭐지요?"

"선생님이 1973년인가에 《중앙일보》에 남로당 이야기를 연재하면서 이정 선생님 이야기를 6개월가량 쓰셨잖습니까?"

"예, 맞습니다."

"김지하가 〈오적〉이라는 시를 써서 감옥에 가고 유신의 칼날이 시퍼런 시절인데 이정 선생님 이야기가 주요 일간지에 매일 연재되는 일이 도저히 이해되지 않았습니다. 아무리 북한에서 탈출한 사람이라고 하지만, 그렇다고 그런 글을 어떻게 실어줄 수 있는지 궁금했습니다. 어찌 된 사연인지, 이렇게 뵙게 돼서 한번 여쭤보고 싶습니다."

"아, 그렇게 생각할 만합니다. 제가 생각해도 이상하니까요."

"그렇지요?"

"예. 제가 일본에 있는데 중앙정보부 사람이 찾아와서 '각하께서 선생님을 한번 보고 싶다고 하시니 시간이 되실 때 한국에 한번 들어가시지요'라고 하는 거예요."

"중앙정보부가요?"

"예. 그래서 한국에 들어와 박정희를 만났습니다. 청와대에 들어가 박정희를 만났더니, '당신이 박헌영 선생을 잘 알고 기자 출신이기도 하니 박헌영과 남로당에 관해 쓰고 싶은 이야기를 써줄 수 있소' 부탁하는 것이에요. 조금 있다가 중앙일보사 이병철 회장이 들어오더라고요. 그러자 이 회장에게 '이분에게 지면을 주고 최고 대우를 해주시오' 지시하더라고요. 그래서 쓰게 된 것이지요. 정말 대우를 너무 잘해줘, 고료로 아파트를 세 채나 샀습니다."

"이정 선생님 이야기를 박정희가 쓰라고 부탁한 겁니까?"

원경은 아주 놀라서 되물었다.

"그렇다니까요. 아니면 유신 시대에 이정 선생님 이야기를 어떻게 쓸 수 있었겠어요. 쓰다가 기억이 안 나면 중앙정보부에 부탁해 자료를 받고, 쓰고 나면 남산에서 읽어보고 걸러서 내보냈지요."

원경은 박갑동이 한 말을 듣고 비로소 유신 시대에 박헌영 이야기가 일간지에 등장한 수수께끼를 풀 수 있었다.

"진짜 재미있는 이야기는 이제 시작입니다. 박정희가 과거 남로당원이던 사실은 알지만 이정 선생님을 박헌영이 아니라 '박헌영 선생'이라 불러, 깜짝 놀랐습니다. 그런데 이어서 '해방 정국에서 박헌영 선생의 〈8월 테제〉를 읽고 감동받아서 자기 인생의 세계관이 됐다'고 말하는 것이었어요. 박정희가 〈8월 테제〉에 감동을 받아 자기 세계관이 됐다고 말하니, 망치로 머리를 맞은 기분이었어요."

"이정 선생님 〈8월 테제〉를요? 〈8월 테제〉가 아직 한반도는 사회주의 혁명을 할 단계가 아니라 부르주아 민주주의 혁명 단계이니까 완전한 민족 독립, 농지 개혁 등 농업 혁명에 더해 출판, 결사, 사상의 자유 등 민주주의 투쟁을 먼저 하고 2단계로 사회주의 혁명에 들어가야 한다는 주장 아닙니까? 박정희가 해방 뒤 남로당원으로 활동한 사실은 있지만, 이런 주장이 자기 세계관이라는 말은 의미심장한데요."*

"그렇습니다."

"허허, 어떻게 해석해야 하나요?"

"저도 잘 모르겠어요. 다만 박정희가 이정과 남로당에 관한 글을 쓰라고 한 이유가 1972년 7·4 남북공동성명 등 남북 협상 국면에서 한반도 공산당 운동의 정통성은 김일성이 아니고

---

* 원경 스님은 〈8월 테제〉가 인생의 지침이라고 박정희가 밝힌 적 있다는 이 이야기에 심취해 경제 개발 등 박정희가 추진한 근대화가 〈8월 테제〉에 기초한 결과라고 믿고 있는 듯한 이야기를 나에게 여러 차례 했다.

박헌영과 조선공산당에 있으며 김일성은 이정 선생님을 처형한 나쁜 놈이라는 점을 부각시키려는 의도라고 생각합니다. 그러나 동시에 해방 정국에서 남로당, 그리고 여기에 관계한 자기는 김일성하고 다르다는 것을 보여주고 싶은 건지도 모른다는 생각이 들어요. 하여간 박정희 덕분에 이정 선생님 이야기를 써서 그분에게 지고 있던 빚은 조금은 갚은 것 같고, 그 글 덕분에 이렇게 죽기 전에 이정 선생님 자제분까지 보게 되니 평생 가져온 마음의 짐을 하나 덜었습니다."

《못 다 부른 노래》

"이 세상에 태어나 인연 맺은 모든 분들께 삼가 이 책을 바칩니다."

2010년 원경은 고희를 맞아 이정 박헌영 선생 53주기인 7월 19일에 시집 《못 다 부른 노래》를 출간했다. 오랫동안 김지하와 황석영 같은 내로라하는 문인이나 예술가들하고 어울리면서 몰래 비장의 언어로 시를 썼다. 원경은 그렇게 쓴 시 230편을 모으면서 이런 소회를 밝혔다. "어릴 때부터 백석의 시집을 보면서 나도 언젠가 세상의 이야기를 조곤조곤 써야겠다고 마음먹었으나 ('네가 성장하며 낙서한 글을 보면 저항적 연구가 많으므로 지금부터 글 쓰는 것을 삼가야 할 것이다'라는) 한산스님의 말씀을 따르느라 그동안 숨겨놓았던 낙서들을 꺼내놓게 되었는데 내 삶의 언어로 자연스럽게 써놓은 것이 '못 다 부른 노래'가 되었던 것이다."

발간사에서 시집 간행위원들은 이 시집을 출간하는 의의를 이렇게 말하고 있다. "이 시집은 박헌영 선생의 동지이자 스님을 어린 시절부터 보호하고 길러주셨으며 스님을 부처님에게

인도하신 한산(김제술) 스님에게 바치는 원경 스님의 마음의 기록이면서 또한 스님과 인연을 맺은 사람들에게 올리는 큰절이기도 하다." 또한 이동순 문학 평론가는 〈작품 해설〉에서 원경이 쓴 시가 지닌 특징을 '천진무구, 그리움과 기다림의 비가'로 요약했다. 어찌 시뿐일까! 원경의 삶 자체가 천진난만, 그리움과 기다림의 비가였다.

황석영도 이 시집에 화답한다. "절집 사람이 도는 닦지 않고 무슨 속한들과 그렇게 교분을 나누게 되었을까? 득도라는 것이 별건가, 원래 시정에 도가 있는 법이지. 그는 박헌영 선생의 남은 혈육으로서 태어나서부터 속세를 떠난 뒤에도 그 굴레를 벗어나지 못하고 속내를 숨기고 살아와야만 했거니 …… 그가 유행가조로 수더분하게 마음속의 응어리를 틀어낼 것이니 숙연하게 들어줄 작정이다."

《못 다 부른 노래》에 실린 시 중에서 몇 편을 짧게 옮긴다.

귀뚜라미

아비가 죽었나 자식이 죽었나

찬란한 태양도 보이지 않고

밝은 달도 보지 않고

귀뚜라미는 땅속 깊숙이 숨어서 운다

남몰래 혼자 운다

적막강산에 고독을 짠다

(후략)

통곡

수많은 별빛

무성한 오늘 밤에도

이렇게 통곡하지 못하는

서러운 삼백예순 기원을

조용히 가슴속에 불을 놓고

흐느끼고 있는 영혼

기적은 빗겨가고

저녁노을 비친 하늘 아래

노래도 가고

꿈도 가고

표백된 울음 따라서

눈물에 더럽혀진 얼굴

오로지

그 한 이름 불러본다

땀방울

바다 한복판에 여객선이 떴네

나는 뱃머리 갑판에 서서

바다를 하염없이 바라보는데

파도는 하얗게 물방울 튕기어라

물방울 내 소매에 와 닿아라

여객선이 빨리 달리니

하얀 물방울 더욱 끓어 올라라

바다도 우리를 떠미느라 진땀을 흘리는가

못다 부른 옛노래

연해주에서 사할린에서

우리 동포들이 못다 부른 노래를 부르네

혼자 외로워서도 부르고

동무와 만나면 반가워서도 부르고

술상을 차려놓고 뚱땅거리면

하늘은 돈짝만치 제 세상 같아

밤이 새도록 춤추며 노래 부르네

못다 부른 옛 노래! 못다 부른 노래를!

(중략)

망국의 세월 나라없는 설움

우리네 항일투사 혁명가들이

왜놈과 싸우던 전선에서도 불렀고

사십오년 분단의 긴 세월 속에서도

고향이 그리울 때면 부르고 불렀다네

못다 부른 옛노래! 못다 부른 노래를!

(중략)

저승길이 코앞에 닥치고 있는 동포들

아니 고국을 못가는 한을 누구에게 풀어야 되냐고

고국을 못잊는 정 어디에 붙여야 되냐고

못다 부른 옛노래로 마음을 부추겨나 본다네

오늘도 내일도 연해주에서 사할린에서 부르고 있다네

못다 부른 옛 노래! 못다 부른 옛 노래!

특히 주목할 작품은 어린 시절 애빨로 남부군 사령관 이현상하고 함께 산 지리산 빗점골을 30년 지난 40대에 다시 찾은 뒤에 쓴 〈파랑새〉다.

파랑새

눈과 비와 바람을 이불 삼아 3년을 지냈던

지난날의 그리움에 젖어

지리산 빗점골을 30년 만에 찾아와서

희망의 새 파랑새를 찾으려 했었네

나는 이 계곡 저 계곡을 헤매보기도 했고

깊은 동굴 속에도 들어가 봤고

높은 벼랑에 비둘기집도 털어봤어도

파랑새는 어디에도 없었네

해질녘에 허위적 허위적 산비탈을 내려오니

반가운 파랑새는

마을마다 동네마다

집집의 지붕 끝에 앉아 있었네

텔레비전 안테나 선

너야말로 희망의 파랑새였네

어서 마을로 내려가라

이 밤에 주막집에 저녁밥상 시켜놓고

벗들이 부어주는 따뜻한 술 마시며

텔레비젼에 비춰지는 서글픈 세상구경이나 하다가라

슬픈 사극에 젖어 눈물로 흘려보라

이 시대 어느 사람들이 슬픈 파랑새의

사연을 안다고 할 것인가

파랑새는 바로 마을 곳곳에 앉아 있었네

세탑

"아버지! 한산 스님!"

2016년 초, 원경은 소리를 지르며 잠에서 깼다. 오래전부터 저녁 9시에 앉은 채로 잠이 들어 새벽 1시면 눈을 뜨는 수면법을 실행했다. 그런데 어느 날 갑자기 꿈속에 박헌영과 한산 스님이 나타났다. 시계를 보니 12시였다.

원경은 불을 켜지 않고 앉은 채 생각에 잠겼다. 왜 갑자기 아버지와 한산 스님이 꿈에 나타났을까? 어둠 속에서 원경은 지난 삶을 돌아봤다. 아버지하고 헤어진 지 벌써 70년이 지났고, 한산 스님을 마지막으로 만난 지도 거의 50년이 흘렀다. 으리으리한 신륵사에서 초라한 만기사로 온 지도 벌써 20년이 됐다. 이제 70대 중반 나이에 접어들었다. 아버지와 한산 스님을 만나게 될 날도 멀지 않았고, 이곳 만기사가 아버지와 스승인 송담 스님, 그리고 자기가 안식할 곳이라는 생각도 들었다. 더 늦기 전에 아버지를 기리는 해원탑과 자기의 부도(승려의 사리를 넣는 사리탑)를 만들어야겠다고 마음먹었다. 이제 언제 무슨 일이 생길지 모르는 나이가 된 만큼 잘못하다가는 이정 해원탑을 못 만들고 입적할지도 모른다는 걱정까지 들었다.

북한에서 비극적으로 처형돼 무덤조차 없는 만큼 아버지 박헌영을 기리는 해원탑을 만들어야겠다는 생각은 오래전부터 하고 있었지만, 세상의 시선 등을 염두에 둘 때 쉬운 일은 아니었다. 그러나 이제 세상이 많이 바뀐데다가 자기도 조계종 원로회의 의원에 선출되고 가장 높은 품계인 대종사에 오른 만큼, 탑을 세울 때 절 안팎에서 일어날 소란 정도는 무마할 수 있다는 자신이 생겼다.

"아차, 멍청한 놈, 송담 스님을 빼먹다니. 송담 스님 부도도 만들어야지."

갑자기 은사 송담 스님이 생각났다. 원경은 이정 해원탑과 자기의 부도만 생각하다가 송담 스님 부도를 빠트린 실수를 저질러 부끄러웠다.

"그럼 세 탑을 어디에 어떻게 세우지?"

만기사 대웅전 왼쪽에 자리한 언덕이 절에서 적당히 떨어져 있고 탑을 세우기에도 좋은 장소 같았다. 가운데에 이정 해원탑, 오른쪽에 송담 스님 부도, 왼쪽에 자기의 부도를 세우기로 했다. 생각을 정리한 원경은 일어나서 불을 켜고 그동안 찍어 놓은 사진들을 뒤지기 시작했다. 평소에 관심을 두고 모아놓은 탑과 부도 사진을 찾아 세 탑의 디자인을 결정할 작정이었다.

"이정 선생님 해원탑하고 송담 스님 부도를 똑같이 만들 수는 없고, 어떤 모양이 좋을까?"

고민 끝에 이정 해원탑은 평소 좋아하는 원주 법천사지 지광국사탑(국보 제101호) 모양으로 만들기로 했다. 탑 중앙에는 '이정박헌영해원탑'이라고 쓰려다가 담백하게 '이정박헌영선생지탑'으로 바꿨다. 젊은 세대를 고려해 한글로 표기하기로 결정했다. '이정박헌영선생지탑'만 쓰자니 너무 밋밋했다. 오른쪽 옆과 왼쪽 옆에 뭔가 의미 있는 메시지를 새기고 싶었다. 이정이 품은 염원을 좇아 '조선혁명'이나 '노동해방'을 써넣을 수도 있지만 지나치게 강하고 절에 세울 탑에는 적합하지 않은 듯했다. 결국 탑 오른쪽에는 세계평화라는 뜻에서 '세계일화'를 새기고 왼쪽에는 '남북통일'이라고 새기기로 했다. 뒤쪽에는 '해원탑'이면 될 듯했다. 해원탑에 관련된 구상을 끝낸 원경은 마음이 흐뭇해졌다.

스승인 송담 스님과 자기의 사리탑은 고민할 필요 없이 형태만 정하면 될 듯했다. 사리탑은 예술적으로 가장 뛰어난 부도인 여주 고달사지 승탑(국보 제4호)을 본떠 만들기로 했다.

"여 선생"

"스님 웬일이십니까?"

"여 선생, 글씨 좀 써주세요."

"무슨 글씨요."

"이정 선생님 해원탑하고 제 은사와 제 부도 글씨요."

원경은 가깝게 지내던 서예가 여태명 원광대학교 교수에게 글씨를 부탁했다.

"김 사장, 잠깐 들어오세요."

"예, 스님."

원경은 단골 석재상에 연락해 작업을 부탁했다.

세 탑은 2017년 완공됐다. 완공된 세 탑을 올려다보면서 원경은 나직이 말했다.

"아버지, 한산 스님, 제가 숙제 하나를 더 끝냈습니다."

공수래공수거

"멍멍."

"아니 개들이 왜 이렇게 짖지?"

2020년 3월 어느 날, 원경은 주지실 마당에서 키우는 개들이 짖는 소리에 잠이 깼다.

"도둑이 들었나?"

뭔가 심상치 않다고 느낀 원경은 문을 열고 밖으로 나갔다. 승려들이 의식주를 해결하고 생활하는 요사채에서 시뻘건 불길이 치솟고 있었다.

"불이 났네!"

원경은 신발도 신지 않고 요사채 쪽으로 달려갔다. 무엇보다도 거기에서 잠자고 있는 보살들을 대피시켜야 했다.

"불이야! 불이야!"

원경은 큰 소리로 보살들을 깨웠다. 그리고 소화기를 찾아 불길이 번지는 요사채에 뿌리기 시작했다.

—

“스님, 절에 불이 났다면서요? 사람은 안 다쳤습니까?”

나는 만기사에서 불이 난 이야기를 듣고 전화를 걸었다.

“예, 다행히 다친 사람은 없습니다.”

“천만다행이네요.”

“그런데 수십 년간 모은 그림 수백 점이 다 탔습니다.”

“아이고, 그런 일이!”

“장욱진 등 꽤 돈이 되는 그림들인데…….”

“장욱진 화백 그림이라면 그렇겠는데요.”

“김세균 교수에게 할 말이 없게 됐습니다.”

“예? 김 선배에게 왜 할 말이 없으세요?”

원경은 말을 잇지 못하고 한참을 망설였다.

“얼마 전 김세균 교수가 그림을 팔아 이정 선생님을 비롯한 한국 진보 운동가들을 기리고 진보 정치의 미래를 구상하는 연구소를 만들자고 했거든요.”

“아, 그런 일이 있었군요.”

“그런데 빈승이 아직 때가 아닌 듯하니 조금 더 기다리자고 했습니다.”

“아이고, 그때 김 선배 말대로 처분을 하시면 그림들을 건지는 건데 그랬네요.”

“그러게 말이에요. 빈승이 하루 앞을 못 보고…….” “너무 자책하시지는 마시고요. 그런데 그렇게 귀중한 그림들을 왜 요사채에 보관하셨어요?"

"제가 절을 자주 비우니 도둑이 들까 봐 그랬지요. 요사채에는 사람이 항상 있으니."

"아, 그렇네요. 그래도 너무 안타깝네요."

"대원각도 인연이 안 닿아서 날아가더니 이 그림들도 그런가 봅니다."

"……."

"인생이라는 것이 다 빈손으로 와서 빈손으로 돌아가는 공수래공수거인데요, 뭐."

박사보다 높은 밥사와 술사

"띠링."

매일 새벽 4시면 나는 휴대폰 알림 소리에 잠을 깼다. 원경이 지인 2000여 명에게 보내는 '산사의 편지'다. 원경은 수십 년 전부터 눕지 않고 앉아서 잠을 잤고, 새벽 1시면 일어나 참선을 하거나 '산사의 편지'를 정리해 발송했다. 불교의 선부터 인생 지침, 현대 과학, 건강법, 한국 현대사, 빨치산 이야기 등 내용도 풍부하기 짝이 없다. 이렇게 다양한 주제로 글을 쓰고 보내는 일은 초인적 열정이 없으면 불가능하다. 눈이 나빠져 핸드폰으로 글을 쓰기 어려워질 때까지 매일 새벽 1시면 일어나 편지를 띄웠다. 그 결과가 800쪽짜리 책 6권으로 출간한 《산사의 편지》다. 무려 4800쪽이고 꼭지도 1000개가 넘는다.

원경이 다양한 주제에 걸쳐 펼치는 깊이 있는 지식은 정말 놀라웠다. 특히 역사 분야에서는 박정희의 좌익 경력부터 남로당과 좌파 운동, 빨치산에 관련해 흥미로운 사실이 많았다. 나도 빨치산이 야산대로 불린 적 있다거나 보도연맹 사건에서 남로당도 오류를 저지른 사실을 '산사의 편지'를 읽고 배웠다.

이칭 행동대, 인민유격대, 빨치산, 미군정기 남조선노동당이 투쟁을 벌이기 위해 만든 조직이다. …… 1946년 대구에서 촉발된 10월 인민항쟁에서 그 모습을 드러내기 시작했다. 10월 항쟁에 참여했던 사람들은 …… 미군정의 비호를 받는 우익세력과의 대결에서 밀려나 투쟁을 계속하기 위해 산으로 들어갔는데 이들을 산사람이라고 불렀다.

— 〈야산대〉, 《산사의 편지》 5권, 752쪽

일부 박헌영의 측근에서는 이때(여순 사건 등이 일어난 1948년 — 인용자) 지하선을 남겨 놨어야 했는데 전부 입산시킨 것은 중대한 과오라고 판단을 했던 것이다. 덕분에 6·25가 터졌을 때 …… 후방을 교란시킬 지하 세력이 없어서 할 만한 일을 못 하고 전멸했던 것이다. 다르게 말하면, 전향한 좌파조직인 보도연맹 학살사건에서 연맹원은 지하 세력 남로당 유격대와 아무런 연결고리가 없었고 군과 경찰에 체포되어 처형을 당하게 된다. 오히려 살아남은 보도연맹원들은 남하한 북의 인공 통치 시절에 배신자라며 인민재판을 받고 동지들의 손에 처형되기도 했다.

— 〈야산대의 역사〉, 《산사의 편지》 1권, 250쪽

건강 관련 지식은 상식을 뛰어넘어 많은 생각이 들게 한다.

우리 속담에 냉수 먹고 속 차려라 …… 아무 생각 없이 시원하게 냉수를 마시는데, 냉수는 폐 질환의 원인이 됩니다. 냉정히 따지면 흡연보다 더 폐에 나쁜 것이 냉수입니다.

— 〈온생, 냉사〉, 《산사의 편지》 5권, 351쪽

조금 짜게 먹고 물을 자주 마시면 몸 안 독소가 빠진다. 음식 운동으로 몸을 따뜻하게 하자. 소금을 적게 먹으면 혈액이 썩는다. …… 당뇨병은 소금만 충분히 먹어주면 충분히 고칠 수 있다. …… 의사들의 저염식 권장은 절대 옳지가 않다. 문제는 어떤 소금을 먹느냐는 것이다. …… 옛날 우리 조상들은 광 시렁 위에 소금 가마니를 재어 넣고 3년이 된 것부터 먹었다. …… 엄청난 지혜 아니었던가? …… 소금은 생명의 핵이며 생명 그 자체이다.

— 〈싱겁게 먹는 것은 대재앙〉, 《산사의 편지》 3권, 475쪽

한국 최고 선승인 송담 스님의 만상좌답게 선에 관련된 지식도 놀랍다. 여러 선사에 관한 이야기부터 선 자체를 다룬 글까지 많은 지식을 알려준다.

좌선(坐禪)이 깨침의 형태라면 깨침이 좌선의 내용이다. 좌선과 깨침은 다른 것이 아니며, 이것을 지관타좌(只管打坐)라고 한다. 오직 앉아 있을 뿐이라는 뜻이며, 앉아 있는 것이 깨침 그 자체이기

때문에 앉아 있다는 사실이 다름 아닌 그대로가 깨침으로서의 좌선이다.

— 〈묵조선(默照禪)〉, 《산사의 편지》 6권, 720쪽

인생 지침도 애정과 지혜가 넘쳐난다.

석사, 박사보다 높은 학위는 밥사랍니다. 까칠한 세상, 내가 먼저 따뜻한 밥 한 끼는 사는 마음이 석사, 박사보다 더 높다고 합니다. 밥사보다 더 높은 것은 술사라고 하네요. …… 술사보다 더 높은 것은 감사라고 합니다. …… 감사보다 더 높은 것은 봉사라고 합니다. …… 공자, 맹자, 순자, 노자, 장자보다 더 훌륭한 스승은 웃자라고 합니다. …… 웃자보다 더 좋은 스승은 함께 먹고 함께 살자라고 합니다.

— 〈밥사〉, 《산사의 편지》 1권, 461쪽

삶을 뜻하는 생(生)은 소 우(牛)자와 한 일(一)이 합쳐진 것으로 소가 외다리를 건너는 형국입니다. 소가 외다리를 걸어가는 것은 위기의 연속이라는 뜻입니다. 아슬아슬하고 때로는 두렵지만 건너야만 합니다. 사람 인(人)자는 두 사람이 서로 기대고 서 있는 형국입니다. 서로 기대고 격려하면서 돌아올 수 없는 외다리를 함께 건너가는 것이 인생입니다.

— 〈인생이란?〉, 《산사의 편지》 1권, 183쪽

이탈리아 영화배우 안나 마냐니가 늙어서 사진을 찍었습니다. …… "사진사 양반 절대 내 주름살을 수정하지 마세요." 사진사가 그 이유를 묻자 안나 마리냐가 이렇게 대답을 했습니다. "그걸 얻는 데 평생이 걸렸거든요."

— 〈눈물이 없는 눈에는 무지개가 뜨지 않는다〉, 《산사의 편지》 1권, 479쪽

강물이 느리게 흐른다고 강물의 등을 떠밀진 마십시오. 가속 액셀러레이터도 없는 강물이 빨리 가라고 한다고 속력을 낼 수 있겠습니까? 달팽이가 느리다고 달팽이를 채찍질하지 마십시오. 우주의 법칙에서 달팽이는 느려도 느리지 않습니다. …… 나를 찾아가는 여행 그것이 인생입니다. …… 죽음이 언제나 우리에게 닥쳐올 수 있다는 것을 받아들이는 순간 우리는 겸손해질 수 있습니다. 죽음은 우리 인생의 가장 큰 스승이며 가장 큰 공부입니다. 산자의 그리움은 족쇄와 같아서 살아 있는 사람이 내려놓지 않으면 망자는 떠날 수가 없습니다.

— 〈산수〉, 《산사의 편지》 1권, 25쪽

원로회의 부의장

"원경 대종사, 감축드립니다."

"감사합니다."

2017년 12월 원경은 조계종 원로회의 부의장에 선출됐다. 원로회의 부의장은 속세의 정치로 이야기하자면 국회 부의장으로, 조계종 종단에서 삼인자가 된 셈이었다.

아홉 살 어린 나이에 살아남으려고 머리를 깎은 구례 화엄사, 빨치산을 만난 연곡사, 인천 상륙 작전 뒤 다시 피란길에 올라 홀로 무서움에 떤 동해 삼화사와 관음암, 한산 스님을 기다리며 천자문을 뗀 단양 구인사, 이현상 아저씨를 다시 만난 무주 원통사, 남부군 야전 병원에서 부상한 산사람들이 내뱉는 신음 소리에 괴로워한 함양 벽송사 등 한국전쟁 때 옮겨 다닌 절들, 휴전 뒤 한동안 머물면서 공부한 김천 청암사, 멸치를 탕국에 넣은 일 때문에 쫓겨난 해인사, 아버지가 비극적 죽음을 당한 사실을 알게 된 예산 대련사 등을 거쳐, 성인이 된 뒤 불교에 귀의하기로 결심하고 전강 스님을 수계자로 수계를 받고 송담 스님의 상좌가 된 인천 용화사, 처음으로 어머니를 만난 예산 수덕사 안 정혜사, 삶을 비관해 음독한 원주 영천사, 절 현판을 도끼로 부수고 감옥에 간 상주의 어느 절, 제주도에서 중건한 봉림사, 처음 주지가 돼 기이한 절도 사건을 겪은 여주 흥왕사, 다른 스님들이 도와 가호적을 만들고 보안사 납치 사건을 겪은 수원포교원, 용주사 주지 내정설을 질시한 동료들 때문에 '빨갱이 새끼 중' 소리를 듣고 귀양 가듯 떠난 청룡사, 운동권 사랑방으로 사람들이 들끓은 신륵사, 20여 년을 지낸 만기사까지 67년에 걸친 절집 생활이 오롯이 쌓인 결과였다.

한때 송담 스님의 총애를 질시한 도반들 때문에 '빨갱이 새끼 중'이라는 색깔론에 시달리기도 한 원경은 '빨갱이 두목 박헌영의 혼외자'라는 낙인을 이겨내고 종단 안에서 입지를 단단히 다졌다. 2014년에는 조계종 최고 의결 기구인 원로회의 의원으로 추대됐다. 이어 2015년에는 조계종의 최고 법계인 대종사에 서품됐고, 2017년에는 마침내 원로회의 부의장에 올랐다.

원경이 일군 입지전은 우리 시대 최고 선승 송담 스님의 만상좌라는 이력에 더해 뛰어난 법력과 리더십, 친화력 등 여러 장점이 어우러진 결과다. 또한 살아남으려면 항상 조심하고 살아야 한다는 충고와 살아남아 박헌영 전집 등을 만들어 아버지가 명예를 회복할 기반을 닦아야 한다는 유지를 남긴 한산 스님을 좇아 종단 안에서 '보수적'으로 행동한 덕분일 듯하다. 원경은 사회에서는 '주변인 중의 주변인'이지만 조계종에서는

‘주류’로 살려 노력했고, 실제로 그렇게 살아왔다. 두 가지 에피소드가 그런 점을 잘 보여준다.

“송담 큰스님을 잘못 보필한 저희의 허물을 참회하오니, 탈종을 거둬주십시오.”

원경의 은사이자 인천 용화선원 원장인 송담 스님은 조계종이 돈 선거를 벌이는 등 세속화되는 데 불만을 품다가 2014년 자기 문중이 관리하는 제2교구 본사 용주사 주지 자리를 놓고 제자들이 대립하는 상황까지 벌어지자 조계종을 떠난다는 탈종을 선언했다. 조계종, 나아가 한국 사회에 커다란 충격을 준 사건이었다. 상좌 48명도 송담을 따라 탈종했다.

송담대종사지탑. 원경이 만기사 언덕에 세운 이정박헌영선생지탑 옆에는 서 있는 탑이다. 원경이 아버지 박헌영 해원탑을 세우면서 은사인 송담 스님을 위해 미리 마련한 사리탑이다. 그런 맏상좌 원경이지만 스승을 좇아 탈종하지는 않았다.

“이 싸움은 이길 수 없습니다.”

몇 년 전 조계종 개혁을 외치면서 명진 스님을 비롯한 의식 있는 승려들이 일어선 때, 불교 개혁 운동을 돕는 몇몇 교수가 찾아가 도움을 청하자 원경은 먼 산을 바라보며 말했다. 여기에서는 ‘시비’가 아니라 ‘승패’의 관점에서 이야기한 사실이 중요하다. 원경이 예측한 대로 조계종 개혁 운동은 실패했고, 조계종은 명진 스님 등을 제명했다.

이상주의자로, 불같은 혁명가로 살다 간 아버지 박헌영하고 다르게 원경은 박헌영의 아들로 태어나 이 땅에서 살아남으려 현실주의자의 길을 택했다. 아니, 정확히 이야기하면, 이상주의자 박헌영이 꾼 꿈을 복권하기 위해 현실주의자로 살아야만 했다. 원경이라는 존재를 처음 사람들에게 알린 박상기 기자가 한 말처럼 아버지 박헌영의 생애가 '지칠 줄 모르고 타오르던 불꽃'이라면 아버지가 남긴 잿더미에서 시작한 아들 원경의 삶은 '승복 색깔의 잿빛'일 수밖에 없었다.

1980년대 미국에 유학하던 시절에 나는 제3세계 저항 음악을 연구한 적이 있다. 놀라운 사실을 발견했다. 대부분의 저항 음악이 우리가 알고 있는 전형적인 운동 가요처럼 비장하고 슬픈 분위기인 반면 남아프리카공화국 사례는 대개 쾌활하기 짝이 없는데다가 즐거운 삶을 찬양했다. 극단적 인종차별주의로 세계 어느 나라보다 억압적인 남아공에서 즐거운 저항 음악이라니, 나는 이해할 수가 없었다. 이유는 자못 충격적이었다. 아파르트헤이트 아래에서는 살아남는 일 자체가 최고의 투쟁이기 때문이었다. 절망이 아니라 희망을, 삶의 슬픔이 아니라 삶의 희열을 노래하는 음악이 진정한 저항 음악이었다.

대한민국이라는 광기 어린 반공주의 사회에서 박헌영의 아들이 할 수 있는 최고 투쟁은 '살아남는 일 그 자체'였다.

《무너진 하늘》

"손 석학, 코로나19에 잘 지내시지요? 언제 지방에 내려가실 일 없나요?"

"내일 지방 답사 가는데요."

"아, 그러시면 지나가는 길에 절에 들르세요. 제가 드릴 것이 있어서요."

다음 날 나는 만기사에 들렀다. 2021년 초다.

"스님, 저 왔습니다."

"어서 오세요. 이거 받으세요."

원경은 책 세 권을 건넸다. 《무너진 하늘 — 혁명과 박헌영과 나》 1, 2, 3권이었다. 책을 받자마자 대강 훑어보니 해방 정국을 그린 만화였다.

"일제 강점기에 이어서 드디어 해방 정국도 만화로 나왔군요. 이정 선생님이 일제 강점기에 펼친 독립운동을 만화로 그리는 작업도 대단한 일인데, 거기에 더해서 해방 정국까지 만화로 그리셨네요."

"일제 강점기로 끝낼 수는 없잖아요."

"일제 강점기는 독립운동이라 시비 걸 수 없지만, 해방 정국은 정말 논쟁적인데 어떻게 다루나 기대가 되네요."

"유병윤 화백이 고생을 많이 했지요."

"스님도 고생이 많으셨습니다."

"저야 당연히 해야 하는 일이고요."

"그래도 이게 보통 일인가요."

"다 부처님이 도와주신 덕분이라고 봅니다."

"일제 강점기를 다룬 만화 《경성아리랑》도 아예 제목을 《만화 박헌영》으로 바꾸셨데요?"

"그렇습니다. 《경성아리랑》을 낸 뒤에 책을 읽은 지인이 연락을 했어요. 박헌영 선생님 이야기인데 제목을 '박헌영'으로 하면 되지 '경성아리랑'이 뭐냐고. 맞는 이야기더라고요. 그래서 바꿨습니다. 이제 눈치 보지 않기로 했습니다."

"잘하셨습니다."

"손 석학, 빈승이 이 만화를 만드는 이유를 아세요?"

"대중적으로 쉽게 내용을 알릴 수 있기 때문 아닌가요?"

"맞는데, 그 이유만은 아닙니다. 빈승이 만화를 만드는 이유가 두 가지예요. 하나는, 손 석학 말대로, 만화라는 대중적인 형태를 활용해서 이정 선생님의 삶과 생애를 알리고 싶은 거예요. 《이정 박헌영 전집》은 학자 같은 전문가를 위한 책이고, 그 작업을 끝내고 나니 선생님을 대중적으로 알릴 방법이 무엇인가 고민하다가 만화를 그리기로 한 겁니다."

"다른 하나는요?"

"학자들이 보니까, 아무리 내가 자료를 주고 해도 자기들 입맛에 맞게 글을 쓰더라고요. 그것이 아닌데 싶은 것도……. 그래서 내가 이정 선생님 이야기를 학자를 거치지 않고 직접 해야겠다고 생각했습니다."

"이런 깊은 뜻이 있었나요? 그것까지는 생각 못 했습니다."

"학자라는 분들이 이상하더라고요. 자료나 사진을 어렵게 구하면, 필요하니까 가서 쓰고 꼭 갖다주겠다고 하고는 한 번도 돌려주는 것을 못 봤어요."

"그런가요? 같은 학자로서 할 말이 없습니다."

"얼마 전에도 비슷한 일이 있었습니다. 두산그룹 창립자 박승직 선생님이 친일파 명단에 오르고 그랬는데, 박승직 선생님이 이정 선생님과 조선공산당의 자금 창구였어요."

"박승직이요?"

"예. 박승직 선생님이 한국 최초 근대 기업인 박승직상점을 만들었는데, 이곳을 거쳐 무역을 했어요. 그래서 소련이 보내주는 공산당 자금 등을 박승직상점을 거쳐 들여와 이정에게 전달한 것이에요. 〈눈물 젖은 두만강〉도 이정 선생님이 두만강을 건너 러시아로 잘 탈출한 사실을 알리는, 작사가 김용환 선생이 박승직 선생님에게 보내는 암호였고요. 따라서 표면으로 드러난 친일 행각만 보고 박승직 선생님을 친일파라고 낙인찍는 것은 잘못이에요. 이런 사실을 《친일인명사전》 만드는 지인들에게 알려줬는데도, 제 주장이 물증이 없다고 박승직을 친일파에 넣었어요. 그게 물증이 있겠어요? 답답한 일입니다."

"안타깝네요. 어떤 과정을 거쳐 검증했는지 모르지만, 학자라는 것이 원래 그렇습니다."

"하여간 전집에 이어서 만화도 냈으니, 이제 한산 스님이 빈승에게 남긴 숙제를 대강 끝낸 것 같아요. 세상이 좋아지면 아버지 관련 자료를 만들어서 역사적으로 평가받게 하라는 숙제 말입니다."

"정말, 대단한 일을 하셨습니다."

"예. 이제 평생의 빚을 갚는다는 생각이 들고, 저세상을 가도 이정 선생님과 한산 스님을 떳떳하게 뵐 수 있을 것 같습니다."

"그 정도가 아니라, 아주 엄청난 칭찬을 들으실 겁니다."

"그동안 이 일을 하느라 엄청나게 돈이 들어갔어요. 특히 요즈음 재정적으로 어려워져서 만화 작업을 마무리하는 데 애를 먹었습니다."

"그러셨겠습니다."

"예. 만기사가 신도도 적고 의욕적으로 시작한 납골당도 잘 되지 않아서요. 그러다 보니 예전에 자주 만든 저녁 자리도 뜸해졌습니다. 그러더니 그 많던 사람들이 하나둘씩 떨어져나가고 이제 별로 안 남아 쓸쓸합니다. 빈승이 잘나갈 때, 정각(김성동)이 그래 봐야 돈 떨어지면 다 떠날 사람들이니 자제하라던 충고가 가끔 생각납니다. 그래도 손 석학, 김세균 교수가 자주 찾아와줘서 고맙습니다. 허유 화백, 심지연 선생, 양승태 선생, 최갑수 교수도 그렇고."

"별말씀을요. 예전에는 방학마다 이것저것 글 쓴다고 외국을 다니느라 7월 19일 이정 선생님 제사에 참석을 못 하고 자주 못 뵀는데, 코로나19 때문에 외국에 못 나가니 자주 찾아뵙게 되네요. 그래서 요즘 불교의 연기론을 실감합니다. 코로나19 덕분에 외국에 못 나가니 한국 현대사 기행도 하고 스님도 자주 뵙게 되니까요."

"손 석학하고 김 교수랑 식사라도 자주 하고 여행이라도 가고 그래야 하는데, 그동안 필생의 숙제를 하느라 재정적으로 어려워서 여행도 못 갔습니다. 이제 숙제가 대강 끝났으니 같이 여행이나 다닙시다. 사실 빈승이 죽기 전에 꼭 보고 싶은 것이 있습니다."

"뭐지요?"

"오로라예요. 우주의 신비이기도 하지만 허공 속에 정처 없이 떠도는 빛이 그동안 정처 없이 떠돈 제 영혼의 질주를 보는 듯해 꼭 보고 싶네요."

"아, 제가 여행을 진짜 많이 다녔는데, 오로라는 아직 못 봤습니다. 아이슬란드나 노르웨이를 가야 할 텐데, 코로나19 풀리면 갈 수 있게 연구해보겠습니다."*

* 스님은 결국 오로라를 보지 못하고 입적했다.

흔적을 찾아서

"스님, 코로나19에 잘 지내시지요?"

"예. 빈승은 괜찮습니다. 손 석학이 외국을 못 가는 대신에 한국 현대사 기행을 쓰기로 한 이야기를 들었습니다. 아주 좋은 기획입니다."

"감사합니다. 그래서 그러는데 이정 선생님 생가 주소가 예산군 어디죠? 정확한 주소 좀 알려주세요. 현대사 기행 충청도 부분에 넣으려고 이정 선생님 이야기를 준비 중인데, 생가를 가봐야 할 것 같아서요. 올해는 코로나19 때문에 7월 19일 이정 선생님 제사에 사람들이 모이기도 어려울 테니 대신 생가나 가볼까 하는데요."

"그래요? 같이 가면 되지요. 19일은 저 혼자라도 선생님 제사를 지내야 하니 안 되고, 내일 시간 되세요?"

"그러시면 고맙지요. 내일 아침 8시까지 절로 가겠습니다."

2020년 7월 15일, 원경은 나, 심지연 교수, 최풍만을 이끌고 예산군에 가 박헌영 생가, 박헌영이 자란 신양면 국밥집 터, 박헌영이 다닌 대흥초등학교를 답사했다.

"우리 사회주의 운동을 연구하면서 학자들이 놓치고 있는 것이 있어요."

"그게 뭐지요?"

"그 운동이 엄청난 비밀을 요구한 만큼 많은 사례가 가족으로 연결되어 있어요."

그러면서 원경은 이정과 조봉희, 한산 스님, 김소산, 김해균이 연결된 사실을, 그리고 자기 어머니 정순년도 정태식이라는 친척을 고리로 연결된 사실을 설명했다. 원경하고 떠나는 한국 현대사 기행, 곧 원경의 흔적을 찾는 기행은 이렇게 시작했다.

"지리산도 중요하지만, 회문산과 가마골을 알아야 빨치산을 제대로 이해할 수 있어요."

보름 뒤, 한국 현대사 기행 답사팀은 억수같이 퍼붓는 폭우 때문에 이현상이 사살된 하동 빗점골 답사를 포기하고 남원 뱀사골 꼭대기 해발 650미터에 자리한 와운마을에서 저녁을 먹었다. 다음 날, 원경이 한 말을 따라 우리는 일정에 없던 전라북도 순창군 회문산과 전라남도 담양군 가마골로 향했다.

"여기에 남로당 간부들이 낳은 아이들이 모여 있었어요. 여기서 아이들하고 노래 부르고 놀던 생각이 나요. 그중 심사를 해서 북으로 보냈는데……."

가마골에서 보낸 어린 시절을 회상하는 원경의 얼굴에는 애잔함이 어려 있었다.

—

"손 석학, 이번에는 어디로 답사 갑니까?"

"제주도요."

"아, 그래요. 빈승도 같이 갑시다. 빈승이 언제 제주도를 다시 갈 기회가 있을지 모르니, 시간을 내겠습니다. 사실 빈승이 20대 때 제주도에서 5년 넘게 살았습니다."

"그러셨어요? 5년이면, 오래 사셨네요."

"예, 젊을 때 지낸 곳 중에 가장 오래 머문 곳일 겁니다."

2020년 9월 초, 원경과 나, 김세균 교수는 제주도에 갔다.

"기사 양반, 어승생저수지로 갑시다."

제주국제공항에 도착하자마자 원경은 한라산 중턱에 자리한 어승생저수지로 우리를 데려갔다.

"어승생, 다 왔습니다."

저수지를 바라보는 원경의 눈이 평소 같지 않게 촉촉했다.

"제가 국토건설단에 끌려와 여기에서 노숙하면서 1100고지 공사에 투입돼 곤욕을 치렀습니다."

"박정희 때 강제 노동 수용소 국토건설단에 끌려가셨어요?"

처음 듣는 이야기라 나는 놀라서 되물었다.

"예."

"제가 스님이 하신 인터뷰는 다 읽었는데, 그런 이야기는 안

나오던데요?"

"너무 창피해서 지금까지 인터뷰에서 얘기 안 했습니다."

스님은 우리를 서귀포 근처 하논오름 근처로 이끌었다.

"여기가 4·3 때 불난 절을 제가 1968년 내려와 중건한 곳입니다. 이 절을 다시 짓고 도장을 만들어 방황하는 동네 청년들 운동 가르치고 그러다가 동네 깡패들이 신고해서 국토건설단에 끌려갔지요."

—

"손 석학, 가는 길에 금산 들러서 갑시다."

"금산이요?"

"예. 이현상 생가 들르고 갑시다."

경상남도 통영시에서 굴을 키우는 장석 시인이 나, 원경 스님, 김세균 교수를 초대했다. 장 시인은 고 노회찬 의원하고 고등학교 동창으로 오랫동안 친구를 후원하면서 우리 모두 잘 아는 사이가 됐다. 통영에서 대접을 잘 받고 서울로 올라오는 길에 원경이 갑자기 금산에 들르자고 했다.

"스님, 이현상 생가라면 외부리로 가겠습니다."

금산군에 접어들어 1년 전 가본 적 있는 외부리로 가려 하사 원경은 손사래를 쳤다.

"아니, 거기 말고 저기 인삼센터에 들릅시다."

다들 무슨 일인가 하면서 차를 세웠다.

"아이고, 스님 오랜만에 들르셨네요."

"김 사장, 인사하세요. 이분은 빈승이 좋아하는 김세균 교수님입니다. 얼마 전에 상처하고 몸도 허하니 몸에 좋은 한약 좀 지어주세요."

원경은 김세균 교수가 요즘 건강이 안 좋다는 이야기를 듣고 한약을 지어주고 싶었다. 그런데 한약 지으러 가자고 하면 뻔히 안 가려 할 테니 이현상 생가를 가자는 거짓말을 한 모양이었다. 원경이라는 사람이 지닌 따뜻하고 섬세한 마음에 가슴이 뭉클했다.

—

"스님, 한국 현대사 기행도 끝나고 코로나19도 좀 진정이 되는 듯하니 내년 초에 이정 선생님 흔적을 찾아가는 답사를 하고 싶은데요."

"그러세요?"

"예. 북한을 못 가니 문제이지만, 삼일운동 뒤에 밀항한 일본, 독립운동을 하러 찾아간 상하이, 고려공산청년회 운동을 한 베이징, 국내 잠입을 시도하다가 체포된 중국 국경 도시 단둥, 일제 감옥에서 똥을 먹고 병보석으로 석방된 뒤 두만강을 넘어 탈출한 러시아의 하산, 하산에서 블라디보스토크를 거쳐 모스크바로 향한 시베리아 횡단 열차, 이정 선생님이 공부한 모스크바 국제레닌학교, 독립운동을 하다가 일제에 붙잡힌 상하이 베이징로, 상하이에서 서울로 압송되는 여정에 포함된 나가사키와 시모노세키 등을 한 바퀴 돌아보고 조선공산당 창립 100주년이 되는 2025년에 맞춰 책을 낼까 합니다. 관련된 정보가 있으면 알려주세요."

"그래요. 그런 여행이면 저하고 같이 가야지요."

"시간도 오래 걸리고 여정도 고될 텐데, 괜찮으시겠어요?"

"무조건 시간을 내겠습니다. 꼭 같이 가고 싶습니다."

"그럼 잘 됐습니다. 스님, 그런데 기획이 하나 더 있습니다."

"뭐지요?"

"이 종이 좀 보시지요. 제가 여러 자료를 보고 스님이 태어난 청주 무심천부터 지리산, 제주도 등 스님이 거친 장소를 뽑은 겁니다. 여기를 돌면서 답사를 해 스님 이야기를 쓰려고 하는데, 같이 다니면서 설명을 해주시지요."

"무슨 중이 자기 이야기를 남깁니까!"

"스님, 스님 개인의 이야기는 한국 현대사의 중요한 기록입니다. 스님처럼 한국 현대사 때문에 기구하게 산 사람이 있습니까? 이런 이야기를 기록으로 남겨야 합니다."

"……"

"꼭 남기셔야 합니다."

"오늘이 3일이니 열흘 뒤 12월 13일에 조계종 종정 선거가 있어요. 그때까지는 바쁘고, 선거 끝나면 바람도 쐴 겸 같이 돌아다닙시다."

아버지 곁으로

"허 화백님, 저 박 보살입니다."

"보살님, 무슨 일로 전화를……?"

"스님이……."

"스님이 왜요?"

"스님이 입적하셨습니다."

박 보살은 더는 참지 못하고 울음을 터트렸다.

"그렇게 건강하신 분이 갑자기……. 무슨 일이 있었나요?"

"오늘이 12월 6일이라 스님 어머니 기일이에요. 그래 스님이 아침에 제사 준비를 지시하시고 10시에 나오시겠다면서 서재에 들어가시더니 10시가 넘어도 안 나오시길래 들어가 보니 쓰러져 계셨어요."

허유 화백은 나를 비롯해 김세균, 심지연, 양승태, 최갑수, 박호성 등 가깝게 지낸 학자들에게 이 소식을 알렸다. 안종관 극작가, 김정헌 화백, 유병윤 화백, 한국민족예술인총연합(민예총)의 김윤기 씨, 영해 박씨 종친회 박용옥 총무, 고 박원순 서울시장의 부인과 딸 등이 만기사로 달려왔다.

"코로나19 정책이 '위드 코로나'로 바뀌어 열 명까지 만날 수 있으니 저녁이나 하자고 하셔서 열 명이 만나 식사하고 앞으로 매달 마지막 날에 모이기로 한 때가 11월 30일이니, 정확히 일주일 전인데 갑자기 돌아가시다니 믿기지 않네요."

"심장 마비라는데, 스님이 나이 드시면서 몸이 비대해지셨어요. 원체 대식가인데다가 무릎이 안 좋고, 어려서 빨치산 따라다니느라 너무 많이 걸으셔서 걷기 등 운동을 싫어하셨어요. 무술 고수라 당신 건강을 자만하신 마음이 문제 같네요."

"맞습니다. 그 문제도 문제겠지만, 일평생 긴장 속에 사시다가 평생의 숙제를 다 끝내 긴장이 풀린 탓도 같아요. 어려운 아버지 전집 냈지요, 일제 강점기 아버지가 한 독립운동을 다룬 만화책 끝냈지요, 아버지 해원탑 만들었지요, 지난해에는 안재성 작가가 쓴 《박헌영 평전》이 나왔지요, 얼마 전에는 해방 정국을 다룬 만화까지 끝냈으니까, 아버지를 위해 할 수 있는 일은 다 한 거지요."

"아무리 삶이 생로병사라지만, 이렇게 갑자기 가시다니……."

"스님이 1년만 더 사시면 손 교수하고 떠나기로 한 이정 선생 흔적 찾아가는 외국 답사와 스님 흔적을 좇는 국내 답사를 끝낼 수 있었는데, 참 안타깝네요."

"1년이 아니라 하루 이틀이라도 앓다가 가시면 여러 문제를 정리하실 수 있었는데……. 박헌영 선생님 관련 자료는 다 어디 놔두셨는지…….”

“그러게요. 자료 보관한 곳을 아는 사람이 스님밖에 없을 텐데, 낭패네요.”

“사십구재 끝나고 새 주지가 정해지면 부탁해서 스님 유품 중에 이정 관련 서적과 자료는 챙겨달라고 해야지요.”

“스님이 하시던 ‘이정기념사업회’도 이제 ‘이정 · 원경기념사업회’로 바꿔야 하지 않을까요?”

“이정기념사업회가 스님 혼자 한 일이라고 해도 과언이 아닌데, 앞으로 유지할 수 있겠어요?”

“그러게요.”

“이제까지 스님 같은 어른이 버티고 계셔서 마음이 든든했는데, 이렇게 떠나시고 나니 허전하기만 하네요.”

“그 문제들은 나중에 생각하고 일단 나가서 스님이 누우실 사리탑에나 가봅시다.”

일행들이 사리탑을 세운 언덕을 올라가는데 황광우 박사와 유미정 박사가 뒤늦게 도착했다.

“아니 몸도 불편한데 광주에서 어떻게 올라왔어요?”

“당연히 와야죠.”

민주노동당을 성공으로 이끈 핵심 주역의 한 명이자 베스트셀러 《철학 콘서트》를 쓴 황광우 박사는 풍을 맞았지만 초인적 노력으로 재활에 성공했다. 유미정 박사하고 힘을 합쳐 인문연구원 동고송을 이끌면서 장재성 등 광주 지역의 잊힌 사회주의 운동가들을 복권하는 데 열심이었다.

나지막한 언덕에는 2017년 스님이 세운 세 탑이 자리 잡고 있었다. 가운데 서 있는 박헌영 해원탑은 정면에 '이정박헌영지탑', 왼쪽에 '남북통일', 오른쪽에 '세계평화'이라는 글자를 새겼다. 박헌영 해원탑 오른쪽은 원경의 스승인 송담 스님 사리탑이고, 왼쪽은 원경의 사리탑이다.

"황 박사, 만기사랑 이정 선생님 해원탑은 처음이지요?"

"그렇지요. 이정 해원탑이 있다는 사실은 작년에 선배님이 이야기해서 처음 알았습니다. 일찍 와야 했는데, 제가 게을러서 스님이 입적하신 뒤에야 왔네요."

아직은 불편한 걸음걸이로 천천히 언덕에 오른 황광우 박사가 박헌영 해원탑 앞에 서서 안타까워했다.

2021년 12월 10일 오후, 한 줌의 재가 된 원경은 자기가 가꾼 만기사 언덕에 세운 아버지 박헌영 해원탑 옆에 누웠다.

"아버님, 저 왔습니다."

—

2022년 11월 26일, 1주기를 맞아 원경 스님 사리탑을 찾아

참배하고 언덕을 내려오는데 등 뒤에서 익숙한 음성이 들렸다.

"산자의 그리움은 족쇄와 같아서 살아 있는 사람이 내려놓지 않으면 망자는 떠날 수가 없습니다"(《산사의 편지》, 1권 25쪽).

더는 들을 수 없는 그 목소리에 나도 화답했다.

"이제 우리도 그리움을 내려놓을 테니, 스님도 훌훌 자유롭게 떠나십시오. 그리고 다음 생에는 평범한 가정에서 태어나 평범한 삶을 사십시오."

부록

1. 원경 스님 가계도

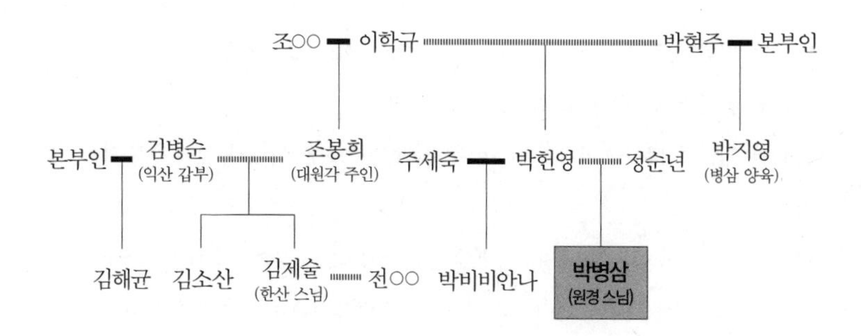

조○○
이학규
박현주
본부인
본부인
김병순
(익산 갑부)
조봉희
(대원각 주인)
주세죽
박헌영
정순년
박지영
(병삼 양육)
김해균
김소산
김제술
(한산 스님)
전○○
박비비안나
박병삼
(원경 스님)
혼인 관계
혼외 관계

2. 원경 스님 연대기

1939년 박헌영, 일제 감옥에서 출소. 정태식, 조카 정순년을 박헌영의 아지트 키퍼로 만듦. 박헌영, 청주에서 정순년 데리고 상경.

1940년 정순년, 박헌영 아이를 밴 뒤 출산하러 청주로 옴. 박헌영, 일제 추적 피해 잠적.

1941년 3월 5일(음력 2월 8일), 박병삼(원경 스님 속명) 청주에서 태어남. 5월 말, 정순년은 병삼 놔두고 친정으로 잡혀가고, 6월, 병삼은 관악산 보이는 과천으로 가 할머니 손에 자람.

1943년(2세) 할머니 사망, 유언으로 배다른 아들 박지영에게 병삼 양육을 부탁. 과천에서 김삼룡 애인 이옥숙이 병삼을 키움.

1945년(4세) 박헌영, 해방 뒤 전남 광주에서 상경해 조선공산당 재건. 박지영 부부, 유언대로 조카 병삼 인계함. 병삼, 명륜동 김해균 집에서 아버지 박헌영 만나고 예지동 남로당 아지트에서 김삼룡과 박지영 부부하고 함께 지냄.

1946년(5세) 2월, 김해균 집에서 박헌영, 김삼룡, 이현상, 한산 스님 등하고 함께 사진 촬영. 10월, 조선공산당 불법화로 박헌영 월북. 11월, 조선공산당, 인민당, 신민당이 남조선노동당(남로당) 창당. 김삼룡, 이주하, 정태식 3인 중심으로 남로당 지도.

1948년(7세) 4월 3일, 단독 정부 반대 제주 4·3 사건. 8월 15일, 남한 단독 정부 수립. 10월 19일, 여수 주둔 제14연대 제주 출동 거부하고 봉기(여순 사건). 봉기군 순천으로 이동. 이현상, 봉기군 만나 지리산행.

1949년(8세) 동계 토벌로 이현상부대 거의 괴멸.

1950년(9세) 3월, 아지트 습격한 경찰이 김삼룡 부부 체포, 박지영 부부는 도주, 구출 작전 중 이주하와 정태식 체포되면서 남로당 붕괴. 5월, 병삼 혼자 숨어 있는 아지트에 한산 스님 찾아와 지리산행 결정, 보신책으로 화엄사 서동월 스님이 머리를 깎아줌, 피아골 연곡사로 올라가 이현상 만남. 6월 25일, 한국전쟁 발발. 김삼룡과 이주하는 처형되고 정태식은 경찰관 덕분에 구출. 7월, 한산 스님하고 상경하면서 노근리 학살 사건 등 목격. 과천 도착해 인민군으로 변신한 김소산 만남. 10월, 인천 상륙 작전 뒤 이현상 찾아 동해 삼화사로 감(정태식 월북). 소백산 구인사에서 상월 스님에게 천자문 뗌.

1951년(10세) 담양 가마골에서 남로당 간부 자녀들하고 생활, 무주 덕유산 원통사에서 이현상 만남. 산청 대원사계곡 거쳐 지리산 들어감.

1951~1953년(10~12세) 빨치산과 생활(연락원이나 망보기 역할).

1953년(12세) 3월, 전세 기울자 하산해 광양 체류. 한산 스님 지시로 이현상 탈출용 승복 들고 백운산에 가다가 군인에게 체포돼 29일 동안 구금(광양경찰서). 빨치산, 서동월 화엄사 주지 공개 처형. 갈칫국 기적 덕분에 풀려나 광양향교에서 한산 스님 재회. 이현상, 직책 박탈된 뒤 하산하다가 경찰에 사살됨. 김일성, 박헌영 체포하고 남로당 숙청. 정태식 총살.

1953년(12세) 전주에 있는 가난한 농가에 맡겨져 생활.

1953~1956년(12~15세) 경북 김천 청암사 강고봉 스님 밑에서 4년간 공부.

1955년(14세) 12월 15일, 박헌영 사형 선고.

1956년(15세) 해인사에 잠깐 머물다가 멸치 사건 때문에 쫓겨남. 7월 19일, 박헌영 처형(1991년 직접 확인).

1958년(17세) 12월 15일, 한산 스님하고 함께 충남 예산 대련사에서 박헌영 제사 지냄. 임존산성에서 한산 스님이 박헌영 이야기를 들려줌. 기구한 삶을 한탄하며 승복 벗고 전국 방황.

1959년(18세) 남의 호적으로 해군 입대(72기). 아버지 복수를 하려고 유디티 지원, 지옥 훈련을 거쳐 백령도에서 복무하다가 대리 입대 발각돼 탈영.

1960년(19세) 음력 1월 15일, 인천 용화선원 전강 선사를 수계사로 해 전강 선사의 만상좌 송담 정은 스님의 상좌가 됨. 4·19혁명 목격. 수계 뒤 전강 선사가 설득하자 자수해 원대 복귀.

1961년(20세) 5·16 쿠데타. 진해, 거제도, 소백산에서 특수 훈련 교관으로 복무.

1962년(21세) 해군 전역.

1963년(22세) 범어사에서 동산 스님을 계사로 구족계. 수덕사 말사인 정혜사에서 한산 스님 거쳐 찾아온 어머니 정순년 해후. 기구한 삶을 비관해 원주 영천사에서 음독, 14일 만에 깨어남. 한산 스님, 울릉도 여행하며 박헌영에 관해 자세히 알려주면서 기념사업 부탁. 남해 금산 부소대에 머물며 제선 스님 밑에서 공부.

1964년(23세) 한산 스님이 남로당 출신 기업인에게서 받은 큰돈을 들고 제주 도행. 서귀포에 황림사를 재건하고, 여관 사들여 도장 만들고, 부랑아 구제 사업 벌임.

1968년(27세) 지역 깡패들이 신고해 무호적자로 국토건설단에 잡혀감. 4개월 동안 1100도로 건설 현장에서 강제 노역. 한산 스님, 잠적.

1969년(불확실, 28세) 동료 스님들하고 환속 문제로 고민하다가 패싸움을 벌여 구속. 어머니가 집을 팔아 보상해 풀려남.

1970년(불확실, 29세) 경북 상주에 자리한 어느 절에서 '현판 절도 사건'으로 10개월 징역, 호적 필요성 절감.

1971년(30세) 한산 스님을 본 사람이 있다는 풍문을 듣고 전남 홍도에 가지만 찾지 못함.

1972년(31세) 수원포교당에 머물면서 남궁혁이라는 이름으로 가호적 획득. 10월 26일, 유신 선포. 10월 28일, 보안사에 잡혀가 처음으로 아버지 박헌영 이야기 실토.

1973년(32세) 경기 여주 흥왕사 주지 임명.

1977년(36세) 이호웅 만나 재야 운동권 사람들하고 가까워짐.

1979년(38세) 흥왕사에 도둑 들어 아버지하고 함께 찍은 사진 훔쳐 감. 배다른 동생이 입대해 갈 곳 없는 어머니하고 함께 살기 시작.

1983년(42세) 교통사고 내 김성동이 크게 다침. 안기부 조사에서 아버지에 관해 둘째 번 진술. 용화사 주지 내정설이 돌자 불교계에 색깔론이 돎. 경기 안성 청룡사 주지 임명.

1985년(44세) 박원순, 임헌영, 이호웅, 김성동 등하고 함께 한국 현대사 연구 모임 시작. 이정 기일에 소규모 공개 추모제 시작.

1986년(45세) 서중석과 이이화 등 460명하고 함께 역사문제연구소 발족.

1987년(46세) 6월 항쟁과 민주화. 경기 여주 신륵사 주지 임명.

1989년(48세) 《시사저널》 창간호 인터뷰에서 아버지 박헌영에 관해 처음 공개적으로 밝힘.

1991년(50세) 러시아 방문, 배다른 누이 박비비안나 만나고 전 북한 외무성 차관에게서 이정 기일이 7월 19일이라는 사실을 알게 돼 그 뒤 이정 추모제를 7월 19일로 변경. 이정 관련 소련 자료 수집 등 《이정 박헌영 전집》 작업 시작. 박비비안나, 한국 방문.

1995년(54세) 경기 평택 만기사 주지 임명.

1996년(55세) 부설 유치원 운영에 필요해 동국대학교 사회복지학 석사 취득.

2000년(59세) 법원 판결로 '박헌영과 정순년의 자 박병삼'이라는 신원 회복.

2004년(63세) 모친 별세(82세). 임경석, 《이정 박헌영 일대기》 출간. 이정 박헌영 전집 편집위원회, 《이정 박헌영 전집》(9권) 출간. 자작 시집 《못 다 부른 노래》 출간(한국기자협회 한민족대상 수상).

2007년(66세) 주세죽, 건국훈장 애족장 추서.

2008년(67세) 박갑동 만남.

2012년(71세) 무브먼트 당당, 박헌영 일대기 연극 〈인생〉 공연.

2013년(72세) 손석춘, 《박헌영 트라우마》 출간.

2014년(73세) 조계종 원로의원 추대. 영해 박씨 족보에 박헌영의 자식으로 이름을 올림.

2015년(74세) 이정 박헌영의 독립운동을 다룬 만화 《경성 아리랑》(1~6권)〉(유병윤 그림) 출간(《만화 박헌영》으로 제목 바꿈). 조계종 대종사 법계 서품.

2017년(76세) 만기사에 이정 박헌영 해원탑, 스승인 송담 스님 사리탑, 자기 자신의 사리탑 세움. 원로회의 부의장으로 선출.

2020년(79세) 안재성, 《박헌영 평전》 출간. 필자하고 함께 예산, 지리산, 가마골, 회문산, 제주도 등 답사.

2021년(80세) 《산사의 편지》 1~6권 완간. 해방 정국 다룬 만화 《혁명과 박헌영과 나 — 무너진 하늘》(유병윤 그림) 1~3권 출간. 필자하고 함께 이정 박헌영 관련 국외 답사와 원경 관련 국내 답사 계획 수립. 12월 6일(음력 11월 3일), 입적.

2022년 12월 18일, 무브먼트 당당, 원경 스님 추모 연극 〈눈을 감으면〉 공연(대학로).

2023년 1월, 원경 스님을 추모하는 '원경모임' 결성(대표 김세균 서울대학교 명예 교수).

2023년 12월 6일, 원경 스님 일대기 《한 스님》 출간.

3. 주요 등장인물

김병순(1894~1936) 담 길이가 100미터에 이르는 고택을 자랑하는 전북 익산의 갑부로 조봉희의 머리를 얹어줬다(이른바 화류계에서 첫 상대 남자를 만난 일을 가리키는 표현). 김병순과 조봉희 사이에서 원경 스님의 고종사촌인 한산 스님과 김소산이 태어났다.

김삼룡(1908~1950) 이재유와 이현상하고 함께 1930년대에 사회주의 노동운동을 벌인 경성트로이카의 일원으로, 이재유가 체포되자 잠적한 뒤 1939년 조선공산당을 재건하기 위한 경성콤그룹에 참여해 활동하다가 투옥됐다. 해방 뒤 풀려나 박헌영의 오른팔 구실을 했다. 예지동에 아지트를 만들고, 박헌영 형 박지영하고 함께 원경을 키우고, 1946년 박헌영이 월북한 뒤 남로당을 이끌었다. 1950년 3월 경찰에 체포된 뒤 북한에 억류된 조만식하고 교환하는 방안이 논의되기도 했지만, 한국전쟁이 발발하면서 처형됐다.

김소산(1920?~1950) 익산 갑부 김병순과 조봉희 사이에서 태어난 딸로 원경 스님의 고종사촌이다. 이화여자대학교를 나온 재원으로, 어머니를 대신해 해방 정국에서 대원각을 운영하면서 고급 정보를 빼내어 좌익을 도왔다. 공안 검사 오제도에 붙잡혀 조사를 받다가 한국전쟁이 발발하자 인민군 장교로 변신했고, 인민군이 퇴각한 뒤 체포돼 총살됐다. 1970년대 박정희 정부 때 만든 반공 영화에서는 남로당 미남 공작원에 포섭돼 '한국의 마타하리'가 된 인물로 그려지지만, 원경 스님은 사실이 아니라고 증언했다. 가족 관계 등을 바탕으로 원래부터 사회주의자이던 김소산은 신념에 따라 그런 활동을 한 사람이라는 말이었다.

김영한(1916~1999) 조봉희와 김소산이 운영한 대원각에서 '자야'라는 기생으로 일했으며, 시인 백석의 애인이라 주장했다(백석 연구자들은 회의적으로 본다). 한국전쟁이 발발해 소유권이 모호해지자 애인인 국회 부의장 이○○를 동원해 대원각을 자기 이름으로 등기했다. 나중에는 대원각을 법정 스님에게 기증했고, 법정 스님은 대원각을 길상사로 만들었다. 원경 스님은 대원각을 실질적으로 소유한 사람이 자기라는 점은 자야도 인정한 사실이지만 당장 세금을 낼 큰돈이 없고 반환 조건으로 요구한 백석 장학금 50억 원 등 여러 문제가 생겨 고민하는 사이에 자야가 약속을 깨고 대원각을 기증해버리더라고 주장했다.

김해균(1910~?) 익산 갑부 김병순의 아들. 한산 스님과 김소산하고는 배다른 형제로, 경성제국대학교에 다니다가 공산주의 비밀 독서회 사건으로 정학 처분을 받고 반제동맹 사건으로 구속됐다. 보성전문학교(지금 고려대학교) 영문과 교수를 지냈고, 박헌영을 재정적으로 돕는 후원자였다. 해방 뒤에는 어머니 조봉희가 부탁하자 자기가 살던 명륜동 혜화장을 박헌영에게 숙소로 제공했다. 한국전쟁이 발발한 뒤 가족을 데리고 월북해 김일성대학교 교수로 일하다가 박헌영 재판 때 증인으로 동원됐다. 박갑동에 따르면 《노동신문》에서 교정 기자로 근무한다는 소문이 돌았다.

김○○ 남로당 재정을 담당한 사업가로, 한산 스님이 남로당 자금으로 쓰려고 북에서 가져온 사금을 보관하고 처분한 사람이라 한다. 원경 스님은 한국전쟁 직전 한산 스님하고 함께 경기도 안양에 자리한 어느 방직 공장에서 만난 적 있다고 회고했다. 그 뒤 기업가로 크게 성공해서 박정희 정부 때는 권력을 누리기도 했다. 제주도 정착 자금 등 큰돈이 필요한 때면 한산 스님이 찾아가 돈을 받아오더라고 원경 스님은 증언했다.

박비비안나(1928~2013) 박헌영과 주세죽 사이에서 태어난 딸로, 원경 스님의 배다른 누나다. 박헌영과 주세죽이 소련으로 도주하던 열차 안에서 태어났다. 외국 혁명가 자녀가 다니는 유치원에서 자랐고, 1938년 주세죽이 위험 분자로 몰려 카자흐스탄으로 유배를 떠나면서 어머니하고도 멀어졌다. 그런 와중에도 좋은 교육을 받아 무용수로 활약했고, 소련 국립 모이세프 무용학교 민족무용학과 교수로 일했다. 1946년, 주세죽이 아버지가 박헌영이라는 사실을 알려준 뒤 모스크바를 방문한 아버지를 처음 만났다. 1949년 박헌영이 초청해 북한으로 가 최승희무용연구소에서 한국 민속 무용을 배웠다. 1953년 주세죽이 딸을 만나러 몰래 모스크바로 오지만 정작 지방 공연을 떠난 딸은 못 만난 채 사위 빅토르 마르코프 곁에서 세상을 떠나고 말았다. 1991년 모스크바를 방문한 원경 스님을 만났고, 원경 스님이 초청해 한국을 방문했다. 1997년에는 《역사비평》에 회고록을 실었다. 2007년 한국에 와 주세죽에게 추서된 건국훈장 애족장을 대신 받았다.

박지영(1891~?) 박헌영의 배다른 형이자 원경 스님의 큰아버지. 어머니 이학규가 남긴 유언에 따라 1945년 해방이 되자 정태석을 찾아가 어린 병삼을 만났고, 그 뒤 1950년 3월 경찰이 습격할 때까지 아내하고 함께 김삼룡 아지트 옆집에서 조카를 키웠다. 원경 스님은 한국전쟁 뒤 어느 시장에서 우연히 마주치지만 한산 스님이 모른 척하라 해서 그냥 지나친 적이 있다고 전한다.

박헌영(1900~1957) 국내 독립운동가들이 대부분 변절한 일제 강점기 말에도 끝까지 투쟁한 치열한 독립운동가이지만 남한에서는 '빨갱이 괴수'로 저주하고 북한에서는 미국 제국주의 간첩이라는 누명을 씌워 처형한, '한반도에서 가장 저주받은 사람'이다. 충남 예산에서 부유한 양반 미곡상 박현주와 젊은 광산 집 미망인 이학규 사이의 혼외자로 태어났다. 경성제일고등보통학교(지금 경기고등학교)에서 공부했고, 삼일운동에 참여해 체포되지만 처벌은 면했다. 이때부터 공산주의를 접하고 일본을 거쳐 상하이로 가 본격적인 공산주의 운동을 벌였다. 상하이에서 주세죽을 만나 결혼했고, 국내에 잠입하다가 신의주에서 체포돼 투옥됐다. 《동아일보》와 《조선일보》 기자로 일했고, 1925년 조선공산당이 창당하자 고려공산청년회 책임비서로 선출됐다. 국외로 보내는 보고서가 발각되면서 다시 구속돼 심한 고문을 당했고, 인분을 먹는 광인 흉내를 낸 끝에 병보석으로 석방됐다(실제로 정신 이상이 나타난 적 있다는 주장도 제기된다). 주세죽의 고향 함경도 함흥에서 요양하다가 1928년 국경을 넘어 소련으로 도주했고, 그 과정에서 딸 박비비안나가 태어났다. 모스크바 국제레닌학교에서 공부하고 상하이로 돌아와 국내 공산당 운동을 재건하려 노력하던 중 1933년 일제에 체포돼 국내로 송환된 뒤 감옥살이를 하다가 1939년 가석방됐다. 상하이에 남은 주세죽이 김단야하고 결혼하자 결별했고, 청주 아지트에서 경성콤그룹 정태식이 소개한 아지트 키퍼 정순년을 만나 1941년 아들 박병삼(원경 스님)을 낳았다. 1940년 지하로 들어가 광주 벽돌 공장에서 일하면서 조직 활동을 하던 중 해방을 맞았다. 해방 뒤 조선공산당 당수로 선출됐고, 〈8월 테제〉를 발표해 조선은 사회주의 혁명 단계가 아니라 부르주아 민주주의 혁명 단계로 민족 독립과 농지 개혁, 정치적 민주주의 확립에 주력해야 한다고 주장했다. 사회주의와 공산주의를 바라는 국민이 80퍼센트에 가까운 분위기에서 엄청난 영향력을 행사했지만, 친미 보수 정권을 수립하려는 미군정이 탄압한데다가 많은 사람이 조작이라 여기는 정판사 위조지폐 사건 등으로 수배령이 내리자 1946년 가을 조선공산당과 여운형의 인민당, 연안파의 신민당이 합당해 남조선노동당(남로당)을 만들라는 지시를 한 뒤 월북했다. 김일성 밑에서 부수상 등을 지냈고, 자기의 정치적 기반인 남한을 해방해야 한다며 전면전을 적극 주장했다. 한국전쟁이 예상대로 돌아가지 않는데다가 스탈린 사후 소련에서 스탈린 비판이 제기되는 모습에 위기를 느낀 김일성은 한국전쟁 휴전 뒤 일주일 만에 박헌영을 체포했고, 박헌영은 1955년 12월 15일 미국 제국주의의 스파이라는 누명을 쓰고 사형 선고를 받았다. 원경 스님이 1991년 소련을 방문해 만난 박길룡 전 북한 외무성 차관에 따르면, 김일성은 소련에서 돌아온 1956년 7월 19일 측근들이 반대하는데도 박헌영을 처형했다.

상월 원각 스님(1923~1974) 해방 뒤 수련을 쌓아 득도하고 맥이 끊긴 천태종을 500년 만에 중창한 고승. 포교를 하면서 이곳저곳 옮겨 다니는 중 한국전쟁이 발발하자 충북 단양 소백산맥 자락에 터를 잡고 초가집에 구인사를 세웠다. 인천 상륙 작전 뒤 소백산맥을 따라 남쪽으로 이동한 이현상부대를 찾아 한산 스님과 병삼이 이곳에 들렀다. 원경 스님에 따르면 상월 스님은 어린 병삼에게 천자문 공부시키고 앞날을 걱정해 자기에게 아이를 맡기라 권유하지만 한산 스님이 고민 끝에 거부했다.

송담 정은 스님(1927~) 현대 한국 불교를 대표하는 선승으로 전강 스님의 수제자다. 10년 동안 묵언 수행을 한 뒤 깨달음을 얻어 '묵언 선사'로 불리기도 했다. 인천 용화사에서 전강 스님의 상좌로 있을 때 원경 스님을 수제자로 받아들였고, 가족 배경이 문제가 될 만한데도 용화사 주지로 삼으려 하는 등 원경 스님을 아꼈다. '한국 불교의 마지막 선승'으로 불리지만 2014년 주지 선출을 둘러싼 돈 선거 논란 등 세속화에 실망해 승려증을 반납하고 조계종 탈종을 선언해 불교계를 넘어 우리 사회에 충격을 줬다. 원경 스님은 만기사에 송담 스님이 입적하면 모시려 사리탑을 만들지만 자기가 먼저 입적하고 말았다.

이순금(1912~?) 공산주의 운동가 이관술의 여동생으로 여성 독립운동가 중 일제가 작성한 감시 카드가 가장 많을 정도로 치열한 삶을 살았다. 1939년 박헌영이 출옥하자 정태석의 사촌 조카 정순년을 교육해 아지트 키퍼로 삼았다. 원경 스님은 1950년까지 자기를 키운 사람이 이순금이라고 증언하지만, 실제 양육자는 이옥숙이었다. 1946년 북으로 넘어간 이순금은 1956년 박헌영 재판에서도 북한 쪽 증인을 섰고 그 덕분에 남로당 출신 중 드물게 살아남았다.

이옥숙(1917~?) 이순금하고 같이 활동한 사회주의자로 출산한 정순년이 친정에 잡혀가자 어린 병삼을 데려와 과천에서 키운 듯하다. 해방 뒤 김삼룡하고 비밀 결혼을 해 예지동에 살면서 옆집에 사는 원경을 돌보다가 1950년 3월 습격한 경찰에 세 살배기 아들하고 함께 체포됐다. 한국전쟁이 발발하자 김일성이 직접 차를 보내 이옥숙과 아이들을 북으로 데려왔고, 김삼룡은 박헌영 등하고 다르게 이승만 정부에 처형된 탓에 혁명열사릉에 가묘를 조성해 우대했다. 이옥숙이 2016년 100세 생일을 맞아 김삼룡 묘 앞에서 가족사진을 찍은 사실이 북한 언론에 보도되기도 했다.

이주하(1905~1950) 함경북도 오지 출신 화전민으로 일본에서 사회주의를 접한 뒤 사회주의자가 됐다. 1929년 원산 총파업을 주도한 혐의로 검거됐다. 석방된 뒤 지하에 잠적하지만 해방 뒤에 나타나 박헌영의 오른팔이 됐다. 박헌영이 북으로 넘어간 뒤 김삼룡에 이은 남로당 이인자이자 군사 책임자로 활동했고, 어린 병삼이 사는 예지동 아지트를 자주 드나들었다. 원경에 따르면, 1950년 3월 아지트가 습격당하자 어린 병삼에게 경찰서에 들어가 김삼룡 검거 여부를 알아보라 시킨 뒤 경찰서 앞 시위대 속에 섞여 있다가 변절한 남로당 간부 출신 경찰에게 들켜 체포됐다. 김삼룡하고 함께 북한에 억류된 조만식하고 교환하는 논의가 진행되다가 한국전쟁이 발발하면서 총살당했다.

이학규(?~1943) 박헌영의 어머니이자 원경의 할머니. 충남 예산군 서초정리의 광산 부잣집(조 씨네)에 시집오지만 남편이 결핵으로 일찍 죽었다. 홀로 광산을 운영하다가 쌀을 대는 미곡상 박현주를 만나 박헌영을 낳고 시댁에서 쫓겨났다. 예산군 신양면에서 국밥집을 하면서 큰돈을 벌어 아들을 공부시켰다. 박헌영이 1939년 감옥에서 나온 뒤 정순년을 만나 아이를 갖자 직접 찾아가 출산을 도왔고, 정순년이 친정에 잡혀가자 어린 병삼을 맡아 잠깐 키웠다. 유언으로 박헌영의 배다른 형 박지영에게 조카를 챙겨달라고 부탁했다.

이현상(1905~1953) 충남 금산에서 부농의 아들로 태어나 중앙고등보통학교에 다닐 때 박헌영과 조선공산당 창당에 관여했고, 6·10 만세 운동을 주도해 투옥됐다. 그 뒤 대부분이 변절한 일제 강점기 말까지 치열하게 투쟁하면서 다섯 번 체포돼 12년 동안 투옥된 사회주의 독립운동가다. 1933년 이재유와 김삼룡 등하고 함께 경성트로이카 활동으로 검거돼 7년 동안 감옥살이를 했고, 출옥한 뒤에도 박헌영, 이관술, 김삼룡 등하고 경성콤그룹을 조직해 조선공산당 재건 운동을 벌이다가 체포된 뒤 병보석으로 출감해 지하로 잠적했다. 해방 뒤 박헌영하고 함께 조선공산당 활동을 하다가 악명 높은 친일 경찰 노덕술에 체포돼 심한 고문을 당했다. 조선공산당이 불법화되자 월북했다. 소련으로 유학을 가기로 하지만 김일성 추종자들하고 논쟁을 벌인 통에 취소돼 강동정치학교로 귀양을 갔다. 그곳에서 유격 훈련을 받고 남한으로 내려왔다. 1948년 10월 제14연대가 여수에서 봉기해 경찰과 우익을 학살하자 당적 죄악이라며 비판한 뒤 경찰과 군도 교전 상황이 아니면 처형하지 못하게 한 일로 유명해졌다. 진압군에 쫓겨 순천으로 올라온 봉기군을 데리고 지리산으로 들어가 빨치산 활동을 시작했고, 한국전쟁 중 인천 상륙 작전으로 쫓기게 된 빨치산들을 모아 남부군을 만들어 사령관이 됐다. 강경한 반김일성주의자이자 친박헌영주의자로, 휴전 직후 박헌영 등 북한에 있는 남로당 당원이 숙청될 때 모든 지위를 박탈당한 뒤 하산하다가 토벌군에 사살됐다(이태를 비롯해 몇몇은 북한 암살설을 주장하고 원경 스님은 시신을 찍은 사진 속 얼굴이 이현상이 아니라고 믿고 있었다). 정작 이현상이 죽자 김일성은 (미제 간첩이라며 처형한 박헌영하고 다르게) 혁명열사릉에 가묘를 만들어 혁명 열사 1호로 지정하고 가족들도 혁명 열사 유가족으로 대우했다. 1946년 박헌영을 찾아온 어린 병삼을 처음 만난 이현상은 예지동 아지트에서 병삼을 여러 번 마주쳤다. 1950년 봄 예지동 아지트가 습격당한 뒤 지리산으로 내려온 한산 스님과 병삼하고 함께 생활했다. 한국전쟁이 끝나가던 1953년 초 한산 스님에게 어린 병삼을 살려야 하니 산에서 내려보내라 권했다. 먼저 산을 내려간 한산은 이현상을 탈출시키기 위해 병삼에게 머리 깎을 바리깡과 승복을 챙겨 광양 백운산으로 보냈다. 그렇지만 산을 오르던 병삼은 경찰에 붙잡혀 한 달간 유치장 신세를 졌고, 결국 이현상은 사살됐다.

전○○ 이화여자대학교를 나온 재원으로, 원경 스님은 한산 스님하고 사회주의 운동을 함께한 애인으로 기억했다. 1950년 한국전쟁이 발발하기 직전에 한산 스님이 북한으로 가라고 하지만 말을 듣지 않고 남아 있다가 결국 국군에 붙잡혔다. 미모에 반한 헌병 장교 덕분에 풀려나 나중에 그 장교하고 결혼했으며, 그 뒤 한국 최초로 영화 스튜디오를 만들고 한국과 일본을 잇는 가교 구실을 하는 등 문화계 여왕으로 활약했다. 1980년대 초 원경 스님은 김지하를 따라간 어느 파티장에서 주최자가 30년 전 만난 그 여자라는 사실을 깨닫고 한산 스님이 떠오르는 바람에 울면서 달려 나왔다. 나중에 울면서 나간 스님이 한산 스님하고 함께 다니던 어린 스님이라는 기억을 떠올린 전○○는 사람을 보내 절을 지어주겠다고 제의하지만, 원경 스님은 정중하게 거절했다.

정순년(1922~2004) 충북 영동군에 사는 포수 집안에서 태어났다. 1939년 신학문을 배우게 해주겠다는 당숙 정태식을 믿고 경성으로 올라와 출옥한 박헌영의 아지트 키퍼가 됐다. 박헌영하고 지내던 중 아이를 배고 1941년 3월 무심천이 보이는 청주 아지트에서 병삼을 출산했다. 출산 100일 뒤 친정 식구들에게 잡혀가 갓난아이 병삼하고 생이별을 하고 갇혀 지내다가 집안이 정해준 목수하고 결혼했다. 1남 1녀를 낳고 잘살다가 한국전쟁이 발발하면서 남편이 보도연맹 가입자라는 이유로 처형됐다. 혼자 장사를 하면서 두 아이를 키우던 중 아이 하나를 더 얻었다. 대전에 살고 있던 1963년 한산 스님이 찾아와 소식을 전해준 덕분에 수덕사를 찾아가 22년 만에 스님이 된 아들 병삼을 만났다. 어머니를 만난 뒤 방황하던 원경 스님이 1967년 패싸움을 벌여 잡혀가자 집을 팔아 보상금을 내줬다. 1979년 막내가 군에 입대하면서 지낼 곳이 없자 원경 스님하고 같이 생활하다가 세상을 떠났다. 1997년 《역사비평》 제39호에 굴곡진 인생 이야기를 구술 기록으로 남겼다.

정태식(1910~1953) 경성제국대학 법학부를 나온 엘리트로, 조선공산당 3대 이론가의 한 명으로 불린다. 대학을 졸업한 뒤 사회주의 노동운동을 하다가 감옥에 갔고, 출옥 뒤 경성콤그룹에서 활동했다. 1939년 박헌영이 출옥하자 오촌 조카 정순년을 아지트 키퍼로 소개했다. 해방 정국에서 박헌영을 도와 이론과 선전 작업을 담당했고, 1946년 10월 박헌영이 월북한 뒤 김삼룡, 이주하에 이어 남로당 삼인자로 활약했다. 1950년 3월 예지동 아지트가 습격당하고 이주하가 검거되자 구출 작적을 펴다가 오히려 체포됐지만, 한국전쟁 초기에 양심적 수사관 덕분에 살아났다. 인천 상륙 작전 뒤 월북했고, 농림부 기획부 차장으로 일하던 1953년 남로당 숙청 때 총살됐다.

조봉희(1886~?) 박헌영하고 나이가 많이 차이 나는, 아버지가 다른 누이이자 원경 스님의 고모다. 결핵 환자인 아버지하고 격리하려 서울에서 키웠고, 아버지가 죽은 뒤 15세 때 어머니가 다른 남자를 만나서 쫓겨나자 충격을 받고 머리를 깎으러 절에 들어갔다. 그곳에서 유명한 요정 주인을 만나 기생이 됐다. 머리를 얹어준 호남 갑부 김병순 사이에서 한산 스님과 김소산을 낳았다. 김병순이 준 돈인지 박헌영이 가져온 남로당 자금인지 명확하지는 않지만, 한국 3대 요정으로 꼽히는 대원각(지금 길상사)을 운영했다. 해방 뒤 의붓아들 김해균에게 부탁해 명륜동 혜화장을 동생 박헌영이 살 집으로 주기도 했다. 조봉희가 환갑을 맞은 1946년에 혜화장에서 박헌영, 원경 스님, 한산 스님, 이현상, 김삼룡 등이 함께 찍은 사진을 원경 스님이 오랫동안 가지고 있다가 도난당했다.

한산 스님(1910~?) 원경 스님의 삶에서 가장 중요하지만 여러 가지 의문에 싸인 인물이다. 원경 스님에 따르면, 조봉희와 김병순 사이에서 태어난 수재로 동경제국대학을 졸업하고 박헌영 비선 조직으로 활동하지만 머리를 깎은 시점은 명확하지 않다. 원경 스님 자신도 여러 인터뷰에서 한산 스님의 본명을 잘 모르겠다고 말하다가 2008년에 박갑동을 만나 이야기를 듣고 자료를 뒤진 뒤 박헌영과 김삼룡의 비선 조직으로 활동하면서 1946년 2월 조선공산당 '중앙 급 지방동지 연석간담회' 회의록에 등장하는 김제술이 바로 한산 스님이라고 주장하기 시작했다. 한산 스님은 박헌영이 1946년 가을 북한으로 넘어간 뒤 남북을 오가며 지령을 전달받고 자금을 가져오는 등 비밀 연락책으로 활동했다. 1950년 3월 예지동 아지트가 습격당한 뒤 어린 병삼을 키우기 시작해 1968년 종적을 감출 때까지 돌봤다. 1950년 한국전쟁이 발발하기 직전에 병삼을 지리산으로 데려가 머리를 깎게 했고, 한국전쟁 중에는 지리산 등으로 데리고 다니면서 빨치산하고 함께 생활하게 했다. 그 뒤에도 후견인이 돼 원경에게 아버지의 죽음에 얽힌 소식을 알려주고 아버지에 관해 이야기해줬다. 1963년에는 정순년을 찾아내 모자를 상봉시켰다. 삶을 비관해 음독자살을 시도한 원경을 울릉도에 데리고 가서는, 김일성에게 복수하려는 마음을 버리고 살아남아서 좋은 세상이 오면 박헌영 전집을 만들어 아버지를 역사적으로 복권하기 위해 노력하라는 사명을 제시했다. 그 뒤 원경 스님이 제주도에 정착하도록 도왔고, 국토건설단에 끌려간 원경 스님을 구한 뒤 1968년 갑자기 잠적했다. 1971년 전남 신안군 홍도에서 한산 스님을 본 듯하다는 풍문이 돌아 원경 스님이 직접 가보지만 흔적을 찾지 못했다.

4. 참고 자료

김성동. 2010.《현대사 아리랑 — 꽃다발도 무덤도 없는 혁명가들》. 녹색평론사.

김지하. 2003.《김지하 회고록 — 흰 그늘의 길 3》. 학고재.

박갑동. 1983.《박헌영》. 인간사랑.

박록삼. 2010.〈길상사는 박헌영 비자금으로 지었다〉.《서울신문》 2010년 9월 1일.

박상기. 1989.〈나는 박헌영의 아들〉.《시사저널》 1989년 10월 29일(창간호).

배진영. 2017.〈박헌영의 비밀아지트였던 길상사〉.《월간조선》 9월호.

선우종원. 1998.《격랑 80년 — 선우종원 회고록》. 인물연구소.

손석춘. 2014.《박헌영 트라우마》. 철수와영희.

손호철. 2022.《키워드 한국 현대사 기행 1, 2》. 이매진.

심지연. 2014.《해방정국의 정치이념과 노선》. 백산서당.

안재성. 2020.《박헌영 평전》. 인문서원.

안재성. 2007.《이현상 평전》. 실천문학사.

역사문제연구소. 2004.《이정 박헌영 전집》 1~9. 역사비평사.

원경. 2021.《산사의 편지》 1~6. 만기사.

원경. 2010.《못다 부른 노래》. 시인.

윤해동. 1997.〈원경 스님 생모 구술〉.《역사비평》 통권 39호. 역사비평사.

윤해동. 1997.〈한국 현대사의 증언: 박헌영의 아들 원경 스님 — 혁명과 박헌영과 나〉,《역사비평》 통권 39호. 역사비평사(수정본은 윤해동,〈한국 현대사의 증언, 혁명과 박헌영과 나〉,《이정 박헌영 전집》 8권, 271~315쪽).

이상경. 2006. 〈1930년대 사회주의 여성에 관한 연구 — 경성콤그룹 관련 여성을 중심으로〉.《성평등 연구》 10집. 가톨릭대학교 성평등연구소.

이정기념사업회. 2015. 유병윤 그림,《만화 박헌영》 1~6. 역사비평사.

이정기념사업회. 2021. 유병윤 그림,《무너진 하늘 — 혁명과 박헌영과 나》 1~3. 역사비평사.

이태. 2014.《남부군》. 두레(개정증보판).

임경석. 2004.《이정 박헌영 일대기》. 역사비평사.

임경석. 2022.《독립운동 열전 1》. 푸른역사.

임방규. 2019.《임방규의 빨치산 전적지 답사기》. 백산서당.

정충재. 1989.《실록 정순덕》. 대제학.

퍼슨웹. 2001. 〈원경 스님 — 금지된 인륜, 아버지를 추억하는 아들〉. 웹진《퍼슨웹》 2001년 7월.

5. 원경 스님 관련 글 모음

이제, 현대사의 고통 다 내려놓고 편히 가십시오 — 원경 스님을 보내며*

—

한반도의 저주받은 자, 박헌영**

—

슬픈 빨치산의 역사와 이현상***

---

* 손호철, 〈이제, 현대사의 고통 다 내려놓고 편히 가십시오 — 원경 스님을 보내며〉, 《프레시안》 2021년 12월 7일을 수정했다.

** 손호철, 〈한반도의 저주받은 자〉, 《키워드 한국 현대사 기행 2》, 이매진, 2022, 35~44쪽을 수정했다(원본은 손호철, 〈남북에서 저주받은 박헌영, 이제는 복권할 때〉, 《프레시안》 2021년 5월 28일).

*** 손호철, 〈'다름 알기'와 공존의 가르침〉, 《키워드 한국 현대사 기행 2》, 이매진, 2022, 139~146쪽을 수정했다(원본은 손호철, 〈슬픈 빨치산의 역사, 보수와 진보의 공존을 가르치다〉, 《한국일보》 2020년 11월 30일).

이제, 현대사의 고통 다 내려놓고 편히 가십시오

— 원경 스님을 보내며

원경. 한국 현대사의 고통을 온몸으로 안고 살다 간 비극적 인물입니다. 남과 북에서 모두 버림받은 독립운동가이자 조선공산당 지도자인 박헌영의 아들로 태어났습니다. 해방 정국과 한국전쟁을 거치면서 혼자 힘으로 살아남아야 했습니다. 한산 스님 손에 이끌려 어린 나이에 지리산으로 들어가 빨치산들하고 생활했고, 한국전쟁이 끝나가자 산에서 내려와 머리를 깎고 승려가 됐습니다.

북한 정권이 아버지 박헌영을 '미 제국주의 간첩'으로 몰아 사형시킨 사실을 알게 된 뒤 김일성의 목을 따겠다며 해군 특수전전단을 자원해 들어가 지옥 훈련을 받았습니다. 음독자살을 시도해 2주 만에 살아났고, 불가에 귀의한 뒤에도 호적이 없는 탓에 국토건설단에 끌려가 제주도 1100도로 건설 현장에서 강제 노역을 했습니다. 1970년대 들어 간신히 가호적을 획득하지만 색깔론에 시달렸고, 호사다마 격으로 보안사에 납치돼 박헌영의 아들이라는 사실을 실토한 뒤 하루하루 감시 속에 살았습니다.

1980년대 들어 1986년에 박원순, 임헌영, 이호웅, 김성동 등하고 역사문제연구소 설립해 2대 이사장을 맡는 등 한국 현대사를 재조명하는 데 크게 기여했습니다. 특히 이 인연 덕분에 고 박원순 전 서울시장하고 각별한 관계를 유지하면서 보수 언론이 박원순 뒤에 박헌영 아들 같은 빨갱이 세력이 숨어 있다는 색깔론을 펴는 구실이 되기도 했습니다.

다행히 스님은 불교계에서 나름 입지를 잘 하셨습니다. 일찍이 여주 흥왕사 주지를 시작으로 주요 사찰인 여주 신륵사 주지를 지내셨습니다. 평택 만기사로 옮인 뒤에도 중건 불사를 일으켜 큰 절로 키우셨습니다. 이런 공을 인정받아 조계종 원로의원으로 선출되셨고, 가장 높은 품계인 대종사 법계 품서를 받으셨습니다. 입적하실 때는 조계종 종단 삼인자라 할 수 있는 원로회의 부의장으로 활동하셨습니다.

원경 스님은 우리 시대의 큰 어른이셨습니다. 웬만한 진보 교수 쳐놓고, 진보 인사 쳐놓고 밥이나 술을 얻어먹지 않은 사람이 없을 정도로, 스님은 많은 이들을 품고 많은 이들에게 베풀었습니다. 아니, 스님은 이념을 떠나서 보수적 인사들도 많이 만나 교류하고 베풀었습니다.

스님은 유독 사람을, 특히 사람들을 만나 함께하는 저녁 식사를 좋아하셨습니다. 건장한 체격에 걸맞게 대식가이고 음식을 절대 남기지 않았습니다. "손 석학(스님은 부족한 저를 항상 이렇게 부르셨습니다), 이상하게 생각하지 마세요. 아무도 없는 산골 암자에 버려져 며칠이고 한산 스님을 기다리며 울던 기억이 너무도 깊이 박혀 있어서 해가 지기 시작하면 사람이 그립고 사람들을 모아 저녁을 하고 싶어져요. 그리고 지리산에서 너무 못 먹은 일이 한 맺혀서 제가 식탐이 좀 있습니다." 이 이야기를 들은 뒤 스님이 식사하는 모습만 봐도 저는 가슴이 아팠습니다.

제대로 교육받을 기회가 없었지만, 스님은 불교와 선 이야기만이 아니라 우리의 숨겨진 역사, 나아가 음식, 민간요법까지 다양한 주제에 정통한 '만물박사'셨습니다.

"띠링." 매일 아침 4시면 제 휴대폰에 메시지 수신음이 울렸습니다. 수십 년째 눕지 않고 앉아 주무시는 스님이 날마다 새벽 2시에 일어나 다양한 주제에 관한 글을 써서 2000여 명에게 보내는 '산사의 편지'입니다. 저는 이 '산사의 편지'를 보고 빨치산이 원래 야산대로 불린 사실을 알았습니다. 스님은 이 새벽 편지를 모아 《산사의 편지》를 출간하셨는데, 800쪽 넘는 책이 6권이었습니다. 팔순 넘은 나이에 날마다 글을 써서 보내는 지식과 열정에 감탄한 적이 한두 번이 아니었습니다.

스님은 '아버지의 운명'에 따라 사는 삶도 '운명'이라고 담담하게 받아들이셨습니다. 사실 파란만장한 스님의 삶은 억울하게 세상을 뜬 아버지의 명예를 회복하는 데 목표가 있다고 해도 지나치지 않습니다. 스님은 전국 방방곡곡을 뒤지고 러시아까지 달려가 부친에 관련된 희귀 자료를 사 모아 2004년 《이정 박헌영 전집》을 출간했고, 그 뒤에도 아버지가 일제 강점기 시절에 벌인 독립운동이나 해방 정국을 다룬 만화를 출간했습니다. 만기사에 '박헌영 해원탑'을 세웠고, 김일성이 박헌영을 총살한 7월 19일이면 매년 곳곳에서 모인 사람들하고 추모제를 열었습니다. 스님이 간직한 궁극적인 바람은 아버지 박헌영의 복권이었습니다. 영화 〈암살〉 등을 통해 존경받는 독립투사로 복권된 김원봉처럼, 법적으로는 모르더라도 최소한 역사적으로는 독립을 위해 어느 누구보다도 치열하게 투쟁한 '독립투사'이자 평등하고 좀더 나은 사회를 위해 투쟁한 '혁명가'로 복권되기를 바랐습니다. 그러나 스님은 그런 모습을 보지 못하고 우리 곁을 떠나고 말았습니다. 안타까운 일입니다.

저는 이른 이별이 특히 안타깝습니다. 저는 스님에게 내년에 함께 이정 박헌영이 독립운동은 할 발자취를 따라 일본과 중국, 러시아를 돌자고 제안했습니다. 또한 극구 사양하는 스님을 설득해 스님의 기구한 삶을 역사의 증언으로 기록해야 한다면서 당신 삶의 흔적을 따라 전국을 함께 돌기로 허락도 받았습니다. 그런데 스님이 너무 일찍 입적하시고 말았습니다.

"손 석학, 저도 같이 갑시다." 제가 한국 근현대사 기행을 다니던 때였습니다. 스님은 시간이 되면 앞장서서 답사에 동행하시면서 제가 모르고 있던 귀중한 역사적 사실을 증언하셨습니다. 빨치산 이야기를 쓰려고 지리산에 가서는 빨치산을 정확히 알려면 회문산과 담양 가마골을 가야 한다며 우리를 그곳으로 이끄셨습니다. 4·3 관련 답사를 하러 제주도에 간다고 하자 언제 다시 제주도를 가겠냐며 앞장서셨고, 당신이 중건한 절 이야기와 국토건설단에 끌려가 1100도로 건설 현장에서 강제 노동을 한 이야기를 처음으로 털어놓으며 역사의 현장으로 우리를 안내하셨습니다.

"스님, 지난번 뵌 장석 시인 시집 출판 기념회를 통영에서 하는데, 겨울 바닷바람도 쐬고 장 시인도 보러 같이 가시지요."

"아이고, 가고 싶은데 12월 13일 새 종정을 뽑는 선거가 있어요. 장 시인에게 축하 인사 잘 전해주세요."

입적 사흘 전에 떠나려던 여행은 이렇게 무산됐습니다. 어린 시절부터 생존에 필요한 무술을 익히고 해군 특수전전단에서 단련을 받은 스님은 내로라하는 무술 고수셨습니다. 그만큼 건강한데다가 병하고는 거리가 멀었습니다. 11월 들어 코로나19 거리 두기가 어느 정도 풀리고 방역 단계가 '위드 코로나'로 바뀌자 법정 한도에 맞춰 10명을 불러 모아 저녁을 내시며 늦은 시간까지 자리를 같이하셨습니다. 입적하시기 하루 전에도 전화하셔서 12월 31일에 법정 한도에 맞춰 저녁을 함께하자며 연락을 부탁하셨습니다. 그토록 건강하기만 하신 분이 갑자기 입적하시다니, 어안이 벙벙합니다. 인간의 삶에서 피할 수 없는 법칙이 생로병사라지만, 너무나도 갑작스러운 입적에 가슴이 미어집니다.

"원수는 갚지 말고 은혜는 갚아라." 만기사에 들어가면 스님이 젊은 시절 품은 복수심을 내려놓은 뒤 쓴 큰 글씨가 우리를 맞이합니다. 그런 가르침은 그대로 남아 있지만, 세상이 답답해 달려가면 언제나 따뜻한 차를 내어주며 온화한 웃음으로 마음을 달래주신 스님의 자리는 이제 비어 있습니다. 스님 잘 가십시오. 그리고 다음 생애에는 평범한 필부로 태어나셔서 편안한 삶을 사십시오.

한반도의 저주받은 자, 박헌영

《대지의 저주받은 자들》. 프란츠 파농이 식민지를 경험한 사회들에 관해 쓴 대작이다. 이 표현을 한반도에 적용해보자. '한반도의 저주받은 자'는 누구일까? 남북한 대치 상황 때문에 남한이 '빨갱이'로 저주하는 사람을 북한은 '혁명 열사'로 칭송한다. 북한이 '반동 분자'로 저주하는 사람을 우리는 '반공 열사'로 떠받든다. 그런데 남한에서도 북한에서도 저주받은 사람이 있다. 바로 박헌영이다.

박헌영은 남한에서 '빨갱이 괴수'로 저주받았다. 북한도 '미제국주의의 간첩'이라며 처형했다. 한반도에서 가장 저주받은 자이고 가장 마지막으로 복권될 자가 '조선의 레닌' 박헌영이다. 《남부군》을 쓴 이태는 휴전 뒤인 1953년 9월 모든 권한을 빼앗긴 채 지리산을 내려오다가 사살된 남부군 사령관 이현상이 남북에서 모두 버림받은 '한국 현대사에서 가장 고독한 사람'이라 했다. 북한은 그런 이현상을 혁명 영웅으로 대접한 반면 박헌영에게는 미제 간첩이라는 오명을 씌웠다. 박헌영은 손석춘이 한 말마따나 '남과 북 모두의 역사적 트라우마'다.

소나무 심고 고향 떠난 공산주의자

충청남도 예산군 신양면 의용소방서 옆길로 들어가면 커다란 주차장과 면사무소가 나타난다. 20세기가 시작된 1900년에 양반집 서자로 태어난 박헌영이 어릴 때 자란 곳이다. 바로 앞 소시장에서 어머니가 큰 국밥집을 했다. 소시장 뒤로 돌아가면 소 몰고 나와 풀 먹이면서 박헌영이 책을 읽은 둑길이 나온다. 여기에서 30리 떨어진 대흥초등학교에는 상하이로 떠나면서 박헌영이 심은 소나무가 자라고 있다.

박헌영은 경성고등보통학교(지금 경기고등학교)에 들어가 《상록수》를 쓴 심훈하고 가깝게 지냈다. 3·1 운동에 참여한 뒤 민족 해방과 사회 혁명에 사회주의가 필요하다고 생각해 조선공산당 창당을 주도한 혐의로 구속됐다. 모진 고문을 받으면서도 철저히 비밀을 지키고 대변을 먹는 등 미친 사람 흉내를 내서 병보석으로 석방된 일은 전설이 됐다(실제로 정신병을 앓았다는 주장도 있다).

요양을 핑계로 두만강 근처에 머물다가 국경을 넘어 소련으로 도주한 박헌영은 모스크바에서 체계적인 공산주의 교육을 받은 뒤 상하이에서 독립운동을 하다가 체포돼 국내로 압송됐다. 혹독한 고문에도 정신병을 치료하러 해외로 나갔다고 버텨 상대적으로 가벼운 형량을 받았다. 1939년 만기 출소한 뒤 광주에서 벽돌 공장 노동자로 위장해 일하면서 지하 조직을 재건하다가 해방을 맞았다.

해방 뒤 재건된 조선공산당에서 박헌영은 최고 지도자인 책임비서에 선출됐다. 당대 최고의 이론가이자 조직가 박헌영은 대중적 정치인이 아니어서 이승만이나 김구 같은 명성이나 여운형 같은 인기는 누리지 못했다. 그러나 해방 1년 뒤인 1946년 8월 미군정이 실시한 전 국민 여론 조사에 따르면 자본주의를 지지하는 국민은 14퍼센트인 반면 70퍼센트는 사회주의를 지지하고 7퍼센트는 공산주의를 지지했다. 조선공산당은 노동자와 농민의 조직인 조선노동조합전국평의회(전평)와 전국농민조합총연맹(전농) 등 가장 잘 조직된 대중적 기반을 확보하고 있었다. 1947년에 미군정은 사회주의를 저지하지 않으면 박헌영이 남한의 대통령이 될 수도 있다고 분석하기도 했다. 남과 북을 포괄하는 조선공산당의 명실상부한 최고 지도자여서 해방 직후 처음 만난 김일성이 박헌영에게 38선 북쪽에 공산당 분국을 만들고 싶다는 부탁을 할 정도였다.

이런 모든 사실도 거대한 역사의 흐름을 거스르기에는 역부족이었다. 결국 이승만과 김일성은 승자가 되고 박헌영은 패자가 됐다. 격동하는 해방 정국에서 정세를 잘못 판단하는 등 박헌영에게 책임이 없지는 않다. '구조결정론'이라는 비판을 받을지도 모르지만, 미국과 소련이 각각 남한과 북한을 분할 점령하고 체제 대립으로 치닫기 시작할 때 박헌영의 혁명은 이미 실패할 운명이 됐다.

요즘 우연적 사건이 역사의 방향을 바꾸는 중요한 계기라는 시각에서 역사적 가정을 내세운 분석이 유행한다. 우리도 한번 따라해보자. 미국이 북한을 점령하고 소련이 남한을 점령했다면? 당연히 남한의 승자는 박헌영이 되고 북한의 승자는 조만식 같은 우파 인사가 될 가능성이 컸다. 한반도에서 미국이 세운 목표는 수단과 방법을 가리지 않고 남한에서 혁명을 막은 뒤 전 국민의 거의 80퍼센트가 좌파를 지지하는 민심을 깨부숴 친미 우익 정부를 세우는 데 있었다. 미국이 기록한 공식 군정사에는 이렇게 써 있다. "질서 있고, 효율적으로 움직이며, 정치적으로 우호적인 한국이 한국민들을 기쁘게 하고 이들의 적극적인 협력을 얻어내는 것보다 중요했다." 따라서 박헌영이 이끄는 좌파 운동은 실패할 수밖에 없었다.

미국은 자기들이 신탁 통치를 주장하고 분단을 주도해놓고는 소련이 한 짓이라는 '가짜 뉴스'를 퍼트렸고, 박헌영과 조선공산당을 소련의 지시를 받는 신탁 통치 찬성론자로 몰았다(이 책 81장 참조). 많은 사람이 조작이라 주장하는 위조지폐 사건(정판사 사건) 등을 거치며 위기에 몰린 박헌영은 북한으로 갔지만, 그곳은 소련이 지도자로 선택한 김일성이 지배하는 세계였다.

'미제 간첩'과 '실패한 혁명가' 사이

한국전쟁에서 박헌영이 정치적 기반인 남한을 '해방'하는 데 실패하자, 김일성은 희생양 삼아 박헌영을 숙청하고 처형했다. 그것도 미 제국주의의 간첩이라는 말도 안 되는 죄명을 씌웠다. 물론 동지들이 이승만에게 죽어가고 민중이 고통당하는 모습을 본 박헌영은 인민군이 남하하면 지하에 숨은 남로당원 20만 명이 들고 일어난다고 주장하는 등 남침을 적극 주장한 듯하다. 이런 점에서 김일성과 박헌영은 한국전쟁이라는 비극에 책임이 많다. 동기는 어느 정도 이해할 수 있다지만, 한국전쟁은 일어나서는 안 되는 민족적 비극이었다.

그렇다고 해도 그런 책임은 '미제 간첩'이라는 누명하고는 전혀 다른 차원의 문제다. 박헌영은 '실패한 혁명가'이지 간첩은 아니다. 못된 것만 배운다고, 김일성은 레온 트로츠키를 '서구 제국주의의 스파이'로 몰아 숙청한 이오시프 스탈린을 따라했다. 이승만도 최대 정적인 진보당 조봉암을 간첩으로 몰아 죽였으니, 남북이 똑 닮은 셈이었다.

> 이 재판은 요식일 뿐, 어떠한 최후진술도 너희들의 각본을 뒤집을 수 없다는 사실을 잘 알고 있다. 그렇다면 결론부터 말하겠다. 너희들의 주장대로 나는 미제의 간첩이다. 그러나 너희들이 주장하는 미제 간첩과 내가 주장하는 미제 간첩은 엄격히 다르다. 나는

남조선에 있을 때, 아니 그 훨씬 전부터 미국 사람들과 교분이 있었다. 그 교분은 조국의 해방과 독립 통일을 위한 차원이지 결코 간첩 행위가 아니다.

박헌영이 한 최후 진술의 핵심이다. 북한은 그중 '나는 미제의 간첩이다'만 잘라 박헌영이 미제의 간첩이라는 사실을 인정했다고 호도했다. 비극은 여기서 끝나지 않았다. 박헌영을 따라 북한으로 올라간 남로당 계열은 줄줄이 처형됐고, 끈질긴 토벌 작전 속에서도 살아남은 남부군 사령관 이현상도 박헌영계라는 이유 때문에 직위를 빼앗기고 버려진 끝에 토벌군에 사살됐다. 박헌영의 아들도 목숨을 부지하려면 속세를 떠나야 한다는 권유를 받고 어린 나이에 머리를 깎았으며, 스님이 된 뒤에도 오랫동안 가족사를 숨기고 살았다(조계종 원로의원이자 최고 품계인 대종사에 오른 원경 스님이 바로 아들이다). 게다가 몇몇 운동권도 북한이 하는 주장을 비판 없이 받아들여 박헌영을 미제 간첩이라고 매도하는 한심한 상황이 벌어졌다.

박헌영은 공산주의자이지만 치열한 독립투사이기도 했다. 한 중립적 연구에 따르면 일제 강점기 때 독립운동으로 구속된 사람을 이념에 따라 나누니 90퍼센트가 좌파일 정도로 독립운동을 주도한 세력은 좌파였다. 박헌영은 국내에 남아 투쟁하다가 혹독한 취조와 고문을 당하거나 감옥에 갇힌 독립운동가

중에서 변절하지 않고 해방 때까지 살아남은 몇 안 되는 투사의 한 명이었다.

노무현 정부는 조선공산당도 독립운동에 크게 기여한 점을 인정해 박헌영의 부인인 주세죽과 동지인 김단야에게 훈장을 줬다. 박헌영은 자진 월북한 점과 한국전쟁을 일으킨 책임 등을 들어 훈장 추서가 무산됐다. 정말 미제의 간첩이라면 오히려 훈장을 줘야 할 텐데, 북한이 하는 주장을 한국 정부도 믿지 않는 셈이다.

똑같이 자진 월북하고 한국전쟁 때 북한 고위직을 지낸 의열단 단장 김원봉 사례에서 알 수 있듯 박헌영의 법적인 복권과 서훈은 실정법과 국민 정서 때문에 사실상 불가능하다. 그러나 영화 〈암살〉(2015)의 흥행, 조선의용대가 국군의 뿌리라는 문재인 대통령의 현충일 추념사, 밀양에 들어선 의열기념관이 보여주듯 김원봉은 역사적으로는 복권이 됐다. 박헌영도 이런 '역사적 복권'이 필요하다. 이런 복권은 단순히 박헌영 개인의 복권을 넘어 일제 강점기와 해방 공간 때 목숨 걸고 민족 해방과 사회 혁명을 위해 투쟁한 남로당원 등 '비김일성 계열' 공산주의자들하고 역사적으로 화해한다는 의미를 지닌다.

정부는 이승만 정권이 북한 간첩으로 몰아 죽인 조봉암에게 재심을 거쳐 무죄를 선고했다. 북한도 박헌영에게 누명을 씌운 잘못을 사과하고 복권해야 한다. 박헌영이 남과 북에서 모두 역사적으로 복권될 때 해방 정국에 시작된 이데올로기 전쟁은 비로소 끝날 수 있다.

7월 19일에 떠난 사람들

'원수 갚지 말고 은혜는 갚아라.' 박헌영 아들 원경 스님이 주지로 있는 평택 만기사 입구에 새긴 문구다. 이곳에는 이정 박헌영을 추모하는 탑이 있다. 탑 뒤편에는 원한 푸는 탑이라는 뜻에서 '해원탑'이라는 글자를, 좌우에는 '세계일화一和'와 '남북통일'이라는 글자를 새겼다.

"손 교수, 이정 선생, 여운형 선생, 이승만 선생이 모두 7월 19일이 기일인 거 아세요?"

원경 스님이 물었다.

"그게 정말이에요?"

"예. 게다가 세 분이 9년 터울로 돌아가셨어요."

여운형은 1947년, 박헌영은 1956년, 이승만은 1965년에 세상을 떠났다. 미제 간첩이라는 누명을 쓰고 원통하게 죽어간 박헌영의 해원탑을 올려다보니 흘러간 옛 노래 〈눈물 젖은 두만강〉이 떠올랐다.

두만강 푸른 물에 노 젓는 뱃사공
흘러간 그 옛날에 내 님을 싣고

떠나간 그 배는 어데로 갔소
그리운 내 님이여 그리운 내 님이여
언제나 오려나

정신병자 흉내를 내서 감옥에서 풀려난 박헌영이 주세죽의 고향인 두만강 근처에서 요양하다가 소련으로 도망친 뉴스를 들은 김영환 시인이 박헌영을 '내 님'으로 은유해 이 시를 지었다고 전한다.

덧글
기구한 삶을 살다간 원경 스님

원경 스님은 박헌영만큼이나, 아니 박헌영 이상으로 파란만장한 삶을 살았다. 일제 강점기 말 도망 다니던 박헌영과 혁명가를 돌본 여인 사이에 태어난 스님은 살아남기 위해 먼 친척인 한산 스님 손에 이끌려 어린 나이에 지리산으로 들어가 빨치산들하고 살았고, 한국전쟁이 끝나자 산에서 내려와 머리를 깎고 승려가 됐다. 나이가 들어 아버지의 삶을 알게 된 뒤 김일성의 목을 따 원수를 갚겠다며 남의 이름을 빌려 해군 특수전전단에 들어가 지옥 훈련을 받았고, 불가에 귀의한 뒤에도 호적이 없는 탓에 국토건설단으로 끌려가 제주도 1100도로 건설공사에 동원돼 강제 노역을 했다.

1970년대 들어 재판을 거쳐 간신히 가호적을 얻었지만, 소문을 들은 정보기관에 끌려가 박헌영 아들이라는 사실을 실토한 뒤 감시 속에 살았다. 박원순과 임헌영 등하고 함께 역사문제연구소를 설립해 한국 현대사를 재조명하는 데 기여도 했다.

'아버지의 운명에 의해 사는 것도 내 운명'이라며 기구한 삶을 받아들였다. 전국을 뒤지고 러시아까지 달려가 박헌영 관련 자료를 사 모아 《이정 박헌영 전집》을 출간하고, 만기사에 해원탑을 세우고, 박헌영 기일인 7월 19일에는 해마다 추모제를 열었다. 박헌영의 독립운동을 다룬 《만화 박헌영》(전 6권), 해방정국과 어린 시절을 다룬 만화 《혁명과 박헌영과 나 — 무너진 하늘》(전 3권)을 출간했다.

원경 스님은 시간 날 때면 노구를 이끌고 답사를 함께하며 여러 사실을 알려줬다. 우리는 박헌영의 발자취를 따라 일본과 중국, 러시아를 돌아볼 계획이었다. 또한 기구한 삶을 역사의 증언으로 남겨야 한다고 설득해 스님이 살아온 흔적을 따라 전국을 함께 돌기로 했는데, 2021년 12월 6일 갑자기 입적하셨다. 현대사의 고통을 온몸으로 안고 살아온 원경 스님의 명복을 빈다.

슬픈 빨치산의 역사와 이현상

뱀사골 지리산충혼탑을 지나면 커다란 바위들이 겹쳐 천혜의 아지트를 만든 덕분에 빨치산이 인쇄소로 쓴 석실이 나타난다. 다시 한참 올라가면 말 그대로 구름이 누운 해발 800미터에서 와운臥雲마을을 만난다. 이곳은 한국전쟁 동안 빨치산 세상이었다. 마을 수호신이자 지리산의 산 증인인 천년송 앞에서 사방으로 펼쳐진 지리산을 바라봤다.

쫓겨난 자들의 땅

3개 도, 5개 시와 군. 지리산은 전라북도, 전라남도, 경상남도, 남원시, 구례군, 함양군, 산청군, 하동군에 자리잡은 거대한 산이다. 해발 1000미터가 넘는 봉우리만 40개가 넘고 뱀사골, 피아골, 빗점골, 문수골 등 골짜기가 많아 '지리산 아흔아홉골'이라 불렀다. 등산 애호가라면 누구나 종주를 꿈꾸는 산이지만, 그 크기와 깊이 때문에 법을 피하는 사람들이 숨기 쉬워 '쫓겨난 자들의 땅'이 됐다. 동학혁명에 참여한 농민부터 일제강점기 때 의병도 이곳으로 숨어들었다.

지리산이 본격적으로 쫓겨난 자들의 땅이 된 때는 1946년 대구 항쟁, 나아가 1948년 10월 여순 사건 이후다. 대구 항쟁에 참여한 야산대가 지리산으로 들어왔고, 여순 사건 때 반란군이 진압군을 피해 지리산으로 올라왔다. 1953년에 휴전이 선포되고 빨치산이 대부분 소멸할 때까지 '지리산'은 '빨치산'에 등치됐고, 해방 공간에서 한반도의 여러 모순이 응집된 현장이 됐다. '가장 넓은 해방구'였고, '대한민국 속의 또 다른 공화국'이었다. 평등한 세상을 쟁취하려 얼어 죽고 맞아 죽고 굶어 죽을 각오로 올라와 처참히 짓밟힌 농민과 노동자와 지식인의 꿈을 대변하는 땅이었다.

지리산은 드넓은 산세도 산세이지만 소백산맥 끝자락에 자리해 사방으로 연결된 장점이 컸다. 남쪽으로 광양 백운산, 서쪽으로 순창 회문산, 동쪽으로 황매산을 거쳐 합천 가야산, 북으로 무주 덕유산을 지나 추풍령, 속리산, 문경새재를 넘어 월악산에 이르러 다시 소백산을 끼고 태백산맥에 다다라 북한까지 연결된다. 지리산 빨치산이라 부르지만, 빨치산은 지리산을 넘어 넓은 지역에 퍼져 있었다. 남로당 전북도당이 자리잡고 빨치산 투쟁을 지휘한 회문산은 자연 휴양림으로 바뀌었고, 빨치산 벙커도 역사기념관이 됐다.

빨치산 투쟁의 중심에는 남부군 사령관 이현상이 있었다. 1905년 충청남도 금산군 외부리 가마실에서 400석 부농의 아들로 태어난 이현상은 중앙고등보통학교에 다니던 1926년 6·10 만세 운동을 주도해 감옥을 다녀온 뒤 공산주의 운동에 뛰어들었다. 1930년대에는 경성트로이카의 한 명으로 노동운동을 주도했고, 일제 말기에는 공산당 재건하려는 경성콤 그룹을 주도하다가 여러 번 투옥돼 살인적인 고문을 당하고도 변절하지 않고 끝까지 투쟁했다. 해방 뒤 조선공산당과 남로당을 건설하는 과정에서 중요한 구실을 했고, 악명 높은 친일 경찰 노덕술에게 잡혀 심한 고문을 당했다. 1948년 남북 연석회의에 참석하러 월북한 이현상은 김일성을 비판하다가 40대인데도 강동정치학원으로 쫓겨 가 유격전 훈련을 받았다. 그러고는 지리산으로 내려와 여순 사건 뒤 입산자를 중심으로 빨치산 투쟁을 벌였다. 여순 사건 때 민간인은 물론 군경도 교전 상황이 아니면 처형하지 못하게 해서 유명세도 탔다.

여순 사건을 계기로 지리산에 들어온 구빨치는 1949년 동계 토벌 작전 때 추위에 시달리고 보급이 끊기면서 세력이 크게 줄었다. 한국전쟁이 터지면서 북한군이 남한을 대부분 장악하지만 인천 상륙 작전으로 전세가 역전되자 퇴로가 끊긴 1만 5000여 명이 지리산에 들어와 신빨치가 됐다. 최대 2만 명까지 늘어난 빨치산은 지리산 지역을 대부분 장악하고 해방구를 만들었다.

"한국 현대사에서 가장 고독한 사람"

"우리 젊은이들이 체 게바라는 알면서 이현상은 모른다." 소설가 김성동은 이렇게 개탄했다. 나는 쿠바 혁명의 본부인 시에라 마에스트라 게릴라 사령부를 답사했고, 중국 혁명 때 마오쩌둥이 걸은 대장정 루트도 다녀왔다. 피델 카스트로와 체 게바라는 정글 속 오지에 게릴라 본부를 차린 탓에 변변한 전투도 안 했고, 마오쩌둥 또한 오지를 다니느라 국민군을 몇 번 못 만났다. 이현상은 1948년 말부터 1953년까지 거의 5년 동안 빨치산 투쟁을 이끌었다. 지리산에서는 5년 동안 1만 717회 교전이 벌어져 군경 6333명과 1만 1000명이 넘는 빨치산이 목숨을 잃었다.

지리산 빨치산에 견주면 쿠바 혁명군은 '야영 캠프'이고 중국 대장정은 '피크닉 여행'일 뿐이라는 느낌이 든다. 베트남의 호치민 루트가 그나마 비슷하지만, 베트콩은 지리산처럼 고립된 지역이 아니라 정글로 이어진 국경을 넘나들었다. 남부군 종군 기자 출신 이태가 《남부군》에서 지적한 대로, 지리산은 1만 번 넘게 전투가 벌어지고 2만여 명이 목숨을 잃은 '세계 유격전 사상 유례가 드문 엄청난 사건'이었다.

빨치산 투쟁을 하려면 세 가지가 필요하다. 활동할 수 있는 '지리적 공간', 먹고살 수 있는 '보급 지원', 민중의 지지다. 그렇게 보면 한반도는, 지리산은 애당초 빨치산 투쟁을 할 수 없는 곳이다. 쿠바나 베트남처럼 숨을 만한 정글도 없고, 반도에 갇혀 있어 베트남처럼 이웃 나라로 도망갈 수도 없고, 중국처럼 땅덩이가 크지도 않다. 게다가 베트남이나 쿠바에 없는 혹독한 추위와 허기를 견뎌야 한다. 1970년대 박정희 정권이 유신을 정당화하려고 조작한 인혁당 재건위 사건 때문에 사형된 이수병은 평소 정글에서 벌이는 게릴라전이 아니라 도시 속에서 지지자를 끌어모아야 한다면서 이렇게 말했다. "베트남과 쿠바엔 자연의 정글이 있지만, 우리에게는 그런 것이 없었다. 그러면 우리는 무엇을 해야 하는가. 인의 정글을 만들어야 한다"(이수병 선생기념사업회 편, 《암장 — 인혁당 사형수 이수병 평전》, 지리산, 1992, 72쪽).

게릴라전이 불가능한 조건에서 5년을 버틴 '기적'은 초인적 의지가 가져온 결과다. 빨치산이 되면 먼저 '3금'을 배우고, '3대 각오'를 다짐했다. 위치를 노출시킬 수 있는 능선과 연기와 소리를 금하고, 굶어 죽을 각오와 총 맞아 죽을 각오와 얼어 죽을 각오를 하라는 말이었다.

와운마을에서 지리산을 한 바퀴 돌아 동남쪽으로 달리면 하동군 화개면 의신마을이라는 또 다른 오지가 나타난다. 한 시간 정도 산을 더 오르면 빗점골이 나온다. 휴전 뒤인 1953년 9월 17일 이현상이 사살된 계곡이다. 의신마을에 도착하자 이현상이 흘리는 눈물인가 싶게 양동이로 퍼붓는 듯한 폭우가 내렸다. 김일성이 박헌영을 비롯한 남로당 세력을 숙청하면서 모든 권한을 빼앗기고 하산하다가 사살됐으니, 지리산을 떠도는 이현상의 넋이 품은 한은 오죽했겠는가?

지리산에 바람과 구름이 일고智異風雲當鴻動

칼을 품고 남쪽으로 천리를 달려왔네.伏劍千里南走越

한순간도 조국을 생각하지 않은 적이 없고一念何時非祖國

가슴엔 굳은 각오 마음에는 뜨거운 피 흐르네.胸有萬甲心有血

사살된 이현상의 군복 주머니에서 발견된 한시다. 북한은 잔존 빨치산 문제를 휴전 협정에서 배제했고, 탄약 등 보급품을 보내달라는 요청도 거절했다. 북한은 남로당 세력이자 김일성에 매우 비판적인 이현상을 사실상 '적'으로 여겨 남한 정부가 빨리 토벌해주기를 바랐다. 이태 등은 북한에서 보낸 자객이 이현상을 처형했다는 주장도 했다. 방부 처리 해 서울로 온 이현상의 시신은 동향 친구 유진산 등이 신분을 확인한 뒤 창경원에 일주일 동안 전시되는 수모를 겪었다. 이태는 이현상이 '한국 현대사에서 가장 고독한 사람'이며 '지구상의 모든 것으로부터 버림받은 채 이루지 못할 집념속에 죽어갔고 그 주검조차도 모든 것으로부터 버림받은 비극적인 인물'이라고 했다. 맞는 말이다.

조국을 위해 흘린 피는 붉은 잎 되어

거센 빗줄기 때문에 답사를 포기하고 장마가 그친 뒤 다시 찾아갔다. 골짜기를 따라 바위들이 이어지는 빗점골에는 이현상 아지트와 사살 현장을 알리는 표지판이 있었지만, 박근혜 정부 때 철거했다. 그러자 누군가 철거할 수 없게 큰 바위에 '이현상 바위'라는 글자를 새기고 그 앞에 작은 돌탑을 쌓았다. 지리산에서 죽어간 빨치산과 토벌대, 그 사이에 끼여 쓰러진 민초들을 추모하며 묵념했다. 임진왜란 때 왜군이, 한말 의병 운동 때 일제가, 한국전쟁 때 토벌대가 불태운 피아골 연곡사에 지리산에서 숨진 모든 이들을 위로하려 세운 '순국위령비'의 한 구절이 가슴 아프게 다가왔다. '조국을 위해 흘렸던 그 많은 피들은 붉은 잎들이 되었는가? 피아골의 단풍은 해마다 붉기만 하다.'

'지리智異'는 슬기 지에 다를 이, '다름의 지혜'라는 뜻이다. '차이'를 강조하는 포스트모더니즘을 품은 기막힌 이름이다. 지리산이 품은 뜻처럼 빨치산과 토벌대가 저 세상에서 다름의 지혜를 발휘해 상대방을 인정하고 평화롭게 공존하기를 빌었다. 지리산은, 빨치산과 토벌대를 아우르는 죽음의 역사는, 우리에게 서로 다름을 받아들이고 평화롭게 공존하라 가르친다.

덧글

이현상과 박헌영

북한은 이현상이 세상을 떠난 뒤 명예를 회복시켰다. 박헌영하고 다르게 대접한 셈이다. 이승만에게 사살됐고, 김일성에게 정치적 위협이 되지 않은 덕분이었다. 1954년 제1호 열사증을 수여했고, 애국열사릉에 가묘를 만들어 제1호로 묻었다. 한국전쟁 중 북한에 넘어간 부인과 자녀들도 혁명 유가족으로 잘 대접받았다.